戦後紙パルプ原料調達史

早舩 真智　著

J-FIC

はじめに

　私たちの身の回りには紙製品が溢れている。それらのほとんどは木材由来であり，国内外どこかの森林資源利用とつながっている。私たちがあまり意識せず享受している生活は，世界の様々な地域の資源の上に成り立っており，原料調達から製品生産・販売に至るまで，どこの，どのような人たちと関連して成立しているかという物事のながれを知ることは，持続的な社会を展望する上で重要である。森林資源は有効に活用できれば地域の貴重な持続的収入源となるが，無計画な利用は自然環境ひいては持続的な人間生活を営む上での社会環境を損なう恐れを孕んでいる。現在，私たちは「再生可能な資源」としての森林といかなる関係性を築いていくかが問われている。

　本書では，戦後に形成され，変容してきた紙・パルプ原料としての木材チップの取引関係を経営学分野における組織間関係論の観点から検討し，日本の紙・パルプ企業の持続的な原料調達戦略と国内外の森林資源利用への対応・課題について論じることを試みた。

　本書は，筑波大学大学院修士課程（2013 〜 15 年）から筑波大学博士課程（2015 〜 2018 年）に行った日本の紙・パルプ産業の原料調達に関する調査研究を，改めて現時点の問題意識に基づき加筆・再構成したものである。

　調査研究の過程で，ご多忙の折にもかかわらず，快くご協力いただいた紙・パルプ企業，総合商社，チップ業者，日本製紙連合会をはじめ各種業界団体の皆さま方には厚く御礼申し上げたい。

　本書の刊行に当たり令和 2 年度（2020 年度）科学研究費助成事業（研究成果公開促進費）学術図書（20HP5153）の交付を受けた。出版に際しては，株式会社日本林業調査会の辻潔社長に大変お世話になった。心から御礼申し上げる。

2021 年 1 月 22 日

早舩 真智

目　次

図表一覧

序章　研究課題と分析視角

1　本書のねらい

　日本における紙・パルプ産業は，2016年の木材需要量（原木換算）の4割超を占める存在であり，産業活動や日常生活に欠かせない紙・板紙製品の生産・供給を行うのみならず，持続的な森林管理や木材資源利用に関連している。

　紙・板紙需要は，戦後30年ほどは国内総生産（GDP）の伸びを上回り[1]，その後のおよそ20年間はGDPと紙・板紙生産量の変化の弾性値はおおよそ1に近い値で推移してきた[2][3]。しかし，1990年代以降になると需要は停滞し，2000年代後半には減少傾向となり，GDPの動向とは乖離した生産動向を示すようになった[4]。

　増加する紙・板紙需要を支えるため，紙・パルプ企業は国内利用原料の多角化，安定調達体制の構築を指向し，さらに総合商社も含め，海外木材資源の輸入体制を確立するに至った。しかし，製品需要の減少に伴って，国内外の木材資源調達システムもにわかに変容しつつある。

　本書が目指すのは，戦後日本の紙・パルプ企業による原料調達史であり，具体的には3つの課題領域がある。第1に紙・板紙製品と使用原料の関係，第2に国産チップ調達システム，第3に輸入チップ調達システムである。それぞれの課題は以下の通りである。

　①一概に紙・板紙製品といってもその種類は多様である中，木材資源は具体的にどの製品需要を支えるために必要とされてきたのか。

　②小規模分散的な国産チップ取引の集約化（いわゆる系列取引）は，紙・パルプ企業によっていかに構築されてきたのか，また，その位置づけは歴史的にどう変容してきたのか。

　③大規模集約的な輸入チップ取引体制とその世界における競争優位性は，

　　紙・パルプ企業と総合商社によっていかに構築されてきたのか，また，
　　その位置づけは歴史的にどう変容してきたのか。

　これら3つの課題について，①を支えるために②③があるが，②③は相互
に連関しながらも別々の原料調達システムとして成立・変動してきた。その
ため，3つの課題をそれぞれ別々に，分析的に捉えた上で，相互の関連性と
全体像を考察するという手順をとる必要がある。ただし，②③の課題領域に
対しては，組織間関係の観点から，抽象的・一般的な次元での共通の概念・
アプローチを使用する[5]。

　そこで，本章では，2，3において①②③の共通の概念と研究史上の位置
づけを述べ，4にて②③を主とした組織間関係における分析視角と本書の意
義，構成について記述する。

2　戦後紙・パルプ産業の特徴

(1) 戦後日本の紙・パルプ産業の時期区分

　第2次世界大戦以降，紙・板紙生産量は増加傾向を辿り，それに伴って原
料消費量も増加してきた（図序-1）。紙・パルプ産業は資源多消費型産業で，
いかに原料を確保して経営を持続させるかが重要であり，より有利な原料へ
の転換が図られてきた。そのため，使用原料の多角化，調達の効率化，安定
調達体制の構築が目指され，海外産業植林地の造成を行うまでに至った。つ
まり，日本の紙・パルプ産業は，増加する紙・板紙製品需要に対して，原料
の利用技術の革新や調達方法の転換によって対応し，世界有数のパルプ，
紙・板紙の生産量を誇るようになったということである。

　歴史的には，石油危機やバブルの崩壊などで一時的な紙需要の減少はあっ
たものの，後に回復し，原料調達もそれに伴い再増するという歴史が繰り返
されてきた。しかし，2008年のリーマンショック以降，印刷情報用紙など
の紙製品需要が減少し，その減少傾向が定着するという過去に類をみない需
要環境となった。

　戦後日本の紙・板紙製品生産と原料消費の時間的変化について，紙・板紙
生産量の前年比変化率をみると，A：高度成長期（1950～73年，平均変化

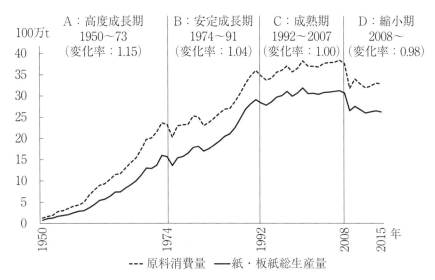

図序-1　紙・板紙生産量と原料消費量の推移

出所：通商産業大臣官房調査統計部編集（1952 ～ 2001）「紙・パルプ統計年報」など[6]。
注：原料消費量は原木・チップ（絶乾重量，BDt 換算）と古紙（t）の合計値。

率 1.15），B：安定成長期（1974 ～ 91 年，同 1.04），C：成熟期（1992 ～
2007 年，同 1.00），D：縮小期（2008 ～ 15 年，同 0.98）と区分できる。紙・
板紙製品総生産量と原料総消費量は概ね同様の軌跡を辿っているが，使用原
料の構成比率は時期ごとに針葉樹材，広葉樹材，原木，チップ，国産材，輸
入材，古紙で大きく変容してきた。

(2) 世界の紙・パルプ産業形態の類型化

　紙・パルプ産業と通常呼ばれている産業領域は狭義にはパルプ製造業と製
紙業の 2 つの総称である。しかし，広義に捉えるならば，原料調達から紙・
板紙製品の最終消費に至る全過程（マテリアルフロー）とみることができ，
①パルプ材の調達，②パルプ製造，③紙・板紙製品の生産，④紙・板紙の 2
次加工および流通販売，の 4 分野を包括したものといえる[7]。

　紙・パルプ産業の発展には安価で豊富なパルプ原料（木材資源）が必要不
可欠である。そのため，②パルプ製造部門が勃興・発展した後，持続的な①
パルプ材調達を自国で賄えない場合は，自国の紙・板紙需要を満たすために

原料，あるいは製品の輸入が必要となってくる。この輸入段階について，岡本（1970）は，「産業発展の雁行形態」[8]の仮説を紙・パルプ産業に援用し，第1段階：粗原料（パルプ原料）輸入の増大と減少，第2段階：半製品（パルプ）輸入の増大と減少，第3段階：紙・板紙輸入の増大と区分した。

つまり，紙・パルプ生産の原料として必要不可欠な木材資源量の制約により，木材資源の非保有国では原料（木材，古紙），パルプ，紙・板紙製品輸入における雁行形態が生じ，紙・パルプ産業の各過程の担い手が国内から国外へと移行していくであろうことが想定された（図序-2）[9]。それは同時に木材資源保有国が原料から，パルプ，紙・板紙製品の輸出へと，加工度が高い，より付加価値のある製品輸出を指向して，国内産業を展開させていくということでもある。1960〜70年代には，西欧諸国の紙・パルプ産業を例として，国内木材資源の不足によって，北欧諸国からのパルプ輸入，さらに紙・板紙製品輸入へと移行しつつあることが論じられた。

日本の紙・パルプ産業においても，戦後の紙・板紙製品需要の著増に対し，国内木材資源の不足が生じ，1960年代より木材チップの輸入によるパルプ産業の持続が図られた。その後，日本も西欧諸国と同様に，パルプの海外生産・輸入・国内紙生産，紙製品の海外生産・輸入・国内紙加工・高付加

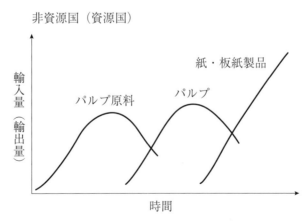

図序-2　紙・パルプ産業の雁行形態
出所：岡本国彦（1970b）10頁を参考に作成。
注：（　）内は資源国の輸出パターン。

価値化へと産業形態を移行するかに思われた[(10), (11)]。しかし，日本の紙・パルプ企業は，チップ専用船の開発，木材チップの開発輸入といった原料調達システムを，環太平洋地域を主として構築することによって，雁行形態の第1段階であるパルプ原料の輸入による国内パルプ生産をその後も維持し続けてきた。

　上記のような世界的な紙・パルプ産業の動向について，黒澤・橋野（2016）[(12)] は，国際的な比較を行い，パルプ輸入による製紙産業を主とする「消費国型」（欧州諸国・韓国など），木材からのパルプおよび紙・板紙製品生産・輸出を主とする「資源国型」（北欧・カナダ・南米諸国など），そして，木材チップ輸入を主として紙・パルプ一貫生産を行う「日本型」という類型化を行った。

　「消費国型」は，紙需要の拡大により製紙産業が発達したが，自国に大きなパルプ産業を持たず，紙・パルプの輸入ないし古紙利用を発展させてきた地域である。「資源国型」は，木材資源が豊富だが，その規模に対して相対的に自国内の紙需要が小さいため，パルプをはじめとして林産物の輸出が行われてきた地域である。

　そして，「日本型」は，戦後，自国内に比較的大きな紙市場を持ち，かつ国内原料での紙・パルプ一貫生産を確立させながらも，紙需要のさらなる拡大に対する国内資源の不足を，輸入チップの原料調達システムを構築することで国内パルプ製造業を維持してきたという点で，上述の2モデルと異なっていた。

(3) 21世紀の国際分業構造の概況と日本の特徴

　2015年の世界の主要な紙・パルプ産業国（パルプ，あるいは紙・板紙製品の生産量または消費量が100万t以上）のパルプ生産量・消費量と紙・板紙製品生産量・消費量の関係は図序-3のようになる。つまり，この両図では生産量が消費量を上回っていれば輸出国（図中左上），消費量が生産量を上回っていれば輸入国（図中右下）と判断する上での1つの指標を示すことができる。

　パルプ生産・消費関係では，北欧（スウェーデン，フィンランド），北米

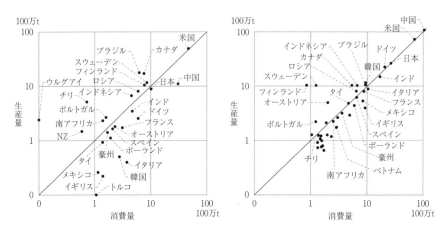

図序-3　2015 年のパルプ生産・消費量（左）と紙・板紙生産・消費量（右）
出所：FAO（2017）より作成。

（カナダ），南米（ブラジル，チリ，ウルグアイ），ポルトガル，ロシア，イ
ンドネシアなどがパルプ輸出国で，西欧諸国，アジア諸国（中国，韓国，イ
ンド）が輸入国であることがうかがえる。そして，米国と日本は生産量と消
費量の差が比較的小さく，パルプの自給自足的な産業構造となっている。

　紙・板紙製品の生産・消費関係でも北欧（スウェーデン，フィンランド），
カナダ，ブラジル，インドネシア，ポルトガルは輸出国に位置するが，南ア
フリカやチリといったパルプ輸出国では，紙・板紙消費量が生産量を若干上
回り，輸入国の位置づけとなる。他方で，パルプ輸入国に位置したオースト
リアや韓国は紙・板紙生産量が消費量を上回り，紙・板紙製品の輸出国と判
断できる。パルプ輸入国としては，ドイツ，中国は紙・板紙製品生産で自給
自足的であり，日本と米国は紙・パルプ一貫生産として自給自足的である。

　さらに木材チップの上位 15 か国の輸出入量をみると（図序-4），主に環太
平洋諸国が日本と中国に木材チップを輸出するという構造となっており，こ
の 2 か国で世界の輸入量の過半数を占めている。

　図序-3 および図序-4 を踏まえると 2015 年の世界の紙・パルプ産業の分業
体制は図序-5 のように総括できる。

　資源国領域では，北欧（スウェーデン，フィンランド），カナダ，ブラジ
ル，インドネシアが紙・板紙製品輸出まで展開するに至っているが，チリ，

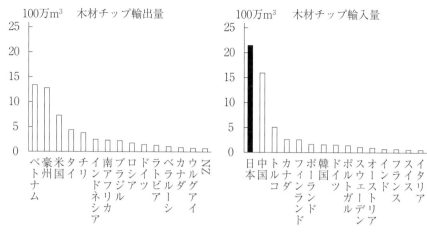

図序-4　木材チップ輸出量（左）および輸入量（右）
出所：FAO（2017）より作成。
注：パルプ向け以外の木材チップも含む。

南アフリカ，ウルグアイはパルプ輸出，豪州，ベトナムは木材チップ輸出を主とする段階に留まっている。

　非資源国領域では，既往研究で1960年代から論じられているように，西欧諸国や韓国でパルプ輸入・紙生産・加工，あるいは紙・板紙製品輸入といったパルプ製造業の外部化が定着した。日本は先述の通り，パルプおよび紙・板紙製品輸入に大きく移行することなく，国内外の原料調達，国内紙・パルプ一貫生産という「日本型」を維持してきた。1990年代，2000年代と急激に紙・板紙生産量を増加させてきた中国では，紙・板紙製品の自給をパルプ輸入および木材チップ輸入の双方を大規模に行うことによって達成するようになった。

　米国では，パルプ生産・消費，紙・板紙生産・消費ともに自給自足的な需給バランスとなっているが，カナダとの分業体制による新聞用紙生産やパルプ輸入，中国へのパルプ輸出，日本への木材チップ輸出など，国内の地域によって異なる特徴を有している。

　既存企業の国際的な経営戦略および各国の資源政策，産業政策，環境政策によって，必ずしも資源国の紙・板紙製品輸出と非資源国の紙・板紙製品輸入という分業体制に至るわけではない。今後，国内外の木材資源を持続的に

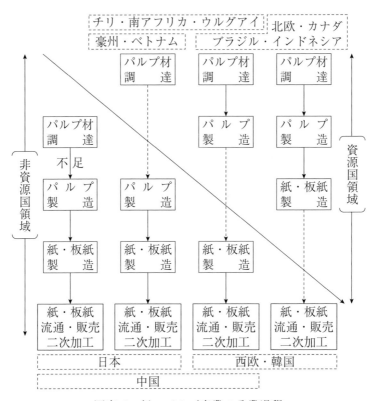

図序-5　紙・パルプ産業の分業過程
出所：岡本国彦（1970b）15 頁を参考に著者作成。

有効活用していくためにも，日本の紙・パルプ産業の原料調達システムの構
造とその変容について，それにかかわる国内外の企業，政府，地域社会など
の組織間関係を明らかにしていくことが重要である。

3　紙・パルプ産業の原料調達システム

（1）原料調達システムの概念

　原料調達システムとは，産業における原料資源のサプライチェーンのあり
方を意味し，金属・機械・化学工業の大量生産体制を支えるための原料の大
量調達体制，その国内および海外での組織内，あるいは組織間の取引関係の

パターンを指す[13]。

　戦後日本の鉄鋼業では，中間財・2次原料の銑鋼ではなく，1次原料・燃料の鉄鉱石・石炭を輸入し，製銑・製鋼一貫工場が主となり，石油化学産業でも製油製品ではなく，原油を輸入し，国内精製，各種誘導品生産が行われた[14]。鉄鋼業での原料調達システムの日本型については，①鉄鋼原料の海外からの大量輸入，②長期契約をベースとした開発輸入[15]，③総合商社によるコーディネーション，という顕著な特徴を持つことが指摘された[16]。

　紙・パルプ産業も2次原料であるパルプや紙・板紙製品の輸入でなく，一次原料であるパルプ材（木材チップ）の調達，紙・パルプ一貫工場を主とした産業構造を構築してきたという点で，「日本型」の輸入原料調達システムであるということが黒澤・橋野（2016）によって論じられた[17]。

　木材チップの輸入原料調達システムが構築される一方で，鉄鉱石（輸入依存度100%）や原油（輸入依存度99.6%）のように，国内資源がほとんどなく，輸入依存度が極めて高い原料資源[18]とは異なり，日本では戦後以来，国内資源（アカマツ・クロマツ・広葉樹）でのパルプ原料集荷体制，つまり国内における原料調達システムが各地域のパルプ工場を中心に構築されてきた（2015年の木材チップの輸入依存度は70.8%）[19]。そのため，戦後の日本では，紙・パルプの大量生産体制を構築・維持するために，国産原料調達システムと輸入原料調達システムが相互に影響を与え合いながら併存してきた。

（2）木材資源の特殊性

　「資源」には石油・石炭に代表されるエネルギー資源，鉄・銅・アルミニウムなどの金属鉱物資源が挙げられ，「再生不可能な地下資源」とされてきた[20]。そして，この「再生不可能な地下資源」の戦後日本の国内自給率は極めて低く，当初より輸入前提の産業形態が形成されてきた。

　他方で木材資源の特徴には，林業を通じて「再生可能な資源」であることと，鉱物資源と比較して国内自給率が高いことがある。しかし，「再生可能な資源」とはいうものの，日本林業における再生産期間は数十年単位であり，紙・板紙製品の短期的な消費サイクルとの乖離は大きかった。そのた

め，農作物のような再生可能性とは趣を異にし，製品需要に原料供給の再生が追いつかないという点で，紙・パルプ産業の原料調達行動は，鉱物資源と同様に「再生不可能な資源」と類似してきた。

　この特殊性について萩野（1979）は，木材資源の特質として，1）木材資源そのものが土地に合体しているため，林野所有の制約および国土保全問題などと不可分であること，2）一次林の林業開発進行とともに，天賦の減少資源が再生資源に置換されていき，資源構造が次第に変化してゆくこと，3）再生期間の長期性，4）育林労働の粗放性と自然力依存，5）使用価値（減少資源でのバラつき，人工林優良化の限界，長径級の使用価値支配），6）単独の資源ではなく，森林資源の一部として可視的資源であるため，自然景観形成による観光・保健休養などの諸要因との結合が生じ，文化的価値が付与されること，の6つの事項を挙げ，再生可能にもかかわらず，木材が農産物ではなく，資源とみなされるのは，再生（更新－成熟）期間が極めて長く，資本が自己の力でそれを除去できず，再生不可能な資源に近似しているからであるとしている[21]。

　紙・パルプ産業の資源問題は，1960年代前半までは国内原料集荷の問題であったが，木材チップ輸入が本格化した1965年以降になると，鉱物資源と類似した資源貿易としての輸入原料調達システムの課題が浮上してくる。そのため，紙・パルプ産業における資源問題を論じるには，国内原料調達と輸入原料調達という異なる原料調達システムの双方に焦点を当てる必要がある。

　日本にとっての資源問題は，小島（1977a）が論じているように，物理的な入手可能性ではなく，あくまでも経済的入手可能性の問題であり，他の製品生産国が入手するのと同等の価格で日本も原料資源を国内外から調達できるようにすることであった[22]。

　開発輸入という点では，1990年代に早生樹種による海外産業植林地形成が活発化するが，この人工林資源の再生産期間は6〜10数年と従来の林業の再生期間を大幅に短縮し，「再生可能な資源」として位置づけられた。そして，輸入原料調達システムが構築されるにつれて，経済的入手可能性の観点から，国内で形成されてきた国内原料調達システムは変容を余儀なくされ

た。

　紙・パルプ産業における原料としての木材チップは，森林資源を大量に利用するということから，その公益性や環境問題について特に注目されてきた。そのため，1992年の地球サミットを契機として，持続的森林経営の観点からFSCやPEFCといった第三者機関からの森林認証取得の動きが活発化し，森林経営の持続性が紙・パルプ企業の経営上も重要な事項となった。

（3）パルプ工場の立地調整

　経済地理学分野において松原（2008）は，「立地調整」という概念によって企業の工場立地の変化を捉えている。立地調整は，「複数の工場を持つ企業が生産設備を再編成する過程」と定義され，「2工場以上の場合で工場数の増加がない変化過程」としている。そして，「個別企業による立地調整のみならず，企業間の比較，地域間の比較を行うことにより全体としての立地調整問題に取り組むことは，地域経済社会での雇用問題，設備投資を展望する上で重要である」という問題提起がなされている[23]。

　紙・パルプ工場の立地については，静岡県（モミ・ツガ）→北海道・樺太（エゾマツ・トドマツ）→中国・四国（アカマツ・クロマツ）[24], [25]→東北（広葉樹）[26], [27], [28]→港湾立地型（輸入材）と展開していく過程で，パルプ工場による国内原料集荷圏の縮小[29]と，地域におけるチップ工場の系列化などのパルプ材集荷機構の構築が展開された[30], [31]。

　既往研究によって，紙・パルプ工場やチップ工場の1970年代までの全国的な動向[32]と1990年代の個別企業の経営展開が明らかにされてきた。しかし，1990年代以降の各地域における製品生産と原料調達の変化を関連づけた分析，さらに紙・板紙製品生産が停滞・減少傾向となった2000年以降のパルプ工場の統廃合による立地調整についての研究は十分になされてきていない。

　紙・パルプ工場の立地調整の観点から日本の紙・パルプ産業をみてみると，使用原料の変化による紙・パルプ工場の新設は1970年代以降にはほとんどなくなり，その後は紙・パルプ企業の合併に伴う「既存工場の増強・縮小・閉鎖」が行われてきた[33]。2000年代の終わりには紙需要の減少に伴い，

既存工場の増強・縮小・閉鎖により生産量の調整が進められた。輸入チップの台頭により，紙・パルプ工場の地域林産業への影響は，1990年代以降に大きく縮小してきたという事実もあるが，木材の一大需要産業であるという点から，紙・パルプ工場の立地調整過程を明らかにすることは，国内の森林利用を展望する上で重要である。

(4) 国産チップの系列取引

　戦後日本の紙・パルプ産業の国産原料調達システムの主となってきたのは，パルプ企業と原料供給業者（素材生産業者，木材チップ業者）の系列取引であった。紙・パルプ産業における原料調達の取引関係や，国内木材チップ工場の系列化とその変化については，主に林業経済分野における地域調査・研究によってなされてきた。対象地域としては，北海道と東北に関する蓄積が多く，木材の調達競争が激しかったとされる中国など西部地域の研究はあまり多くない[34]。

　北海道については，チップ工業の生成期である1950年代半ばから1960年代前半にチップ工場の系列化が展開された[35],[36],[37],[38]。北海道に次ぐ広葉樹チップ生産量を誇る岩手県では，1960年代に紙・パルプ企業3社による木材チップ調達の寡占体制が構築され[39]，1980年代まではチップ業者と紙・パルプ企業との取引関係の硬直性を指摘されたが[40]，1990年代には紙・パルプ資本の広葉樹チップ集荷からの撤退による系列関係の解消，木材チップ業者の再編と縮小が生じた[41]。

　紙・パルプ企業は，パルプ材の安定確保と不安定性の除去を目的として，系列化によってパルプ材業者の納入先を制約し，パルプ材市場における価格支配，買手寡占の傾向を強めていった[42]。拡大造林期には，地域の森林資源の高度利用を目的に森林組合のチップ事業への進出が促進された[43]。

　1970年代より輸入チップが国産チップにとって量的にも価格的にも補完関係から競合関係へと転じてきたが，第2次石油危機後の輸入チップの調達不安と高値から，国産チップへの回帰が進み，需給の安定化と国際競争力強化のための木材チップ工場の自助努力および紙・パルプ企業との協調関係の強化が重要となった[44]。

　しかし，1985年以降に輸入チップの利用が主流化すると，国産チップ価格引き下げなど，紙・パルプ企業主導でのチップ業者の経営効率化[(45)]や，系列取引関係の弛緩・解体が生じるようになった[(46)]。

（5）輸入チップの「開発輸入－長期契約取引」

　輸入チップ調達システムは，他の資源貿易と類似した「開発輸入－長期契約取引」によって展開されてきた。1960年代に専用船の開発によりチップ輸入が本格的に開始され，北米・ソ連・南洋材チップ輸入の量的拡大が行われた[(47)]。東南アジアや大洋州においては，現地企業による原木伐採・集積，日本企業によるチップ工場建設，専用船の就航という形式で進められていった[(48), (49)]。しかし，国内と同様に競争激化による輸入材の価格高騰が生じると，輸入地域の多角化，紙・パルプ企業同士および商社との協調的な原料確保，国産材利用の見直しが行われた[(50), (51), (52), (53)]。

　しかし，1985年以降に円高が急速に進むと，輸入チップの増加傾向は決定的となり，輸入地域のさらなる多角化と人工林材の利用拡大が行われていった[(54), (55)]。この時期になると，植林・収穫・木材加工・輸出を行う産業プロジェクトとしての海外産業植林事業が積極的に進められ[(56), (57)]，短伐期型のユーカリ種を中心に，広大な土地を得るために障害となる慣習的土地利用の少ない遠方のチリや豪州で拡大した[(58), (59)]。2000年代になると，持続的森林経営の観点から植林木のみならず，森林認証への積極的な取り組みが重要視されるようになった[(60)]。

4　分析視角と課題：原料調達システムにおける組織間関係

（1）分析視角：組織間関係の概念

　原料調達システムを原料取引における組織間関係と捉えると，原料需要者と原料供給者の取引関係の把握が本研究の主な課題となる。組織間の資源[(61)]の交換は，組織間の非対称関係であるパワー関係を生み出すが，需給環境によっては単なる交換をこえた組織間の協力体制が構築される[(62)]。あるいは，一方の組織が他方の組織の存続に必要な資源を有しており，他方の

組織に対抗しうる資源や利用できる代替案がなければ両者間に資源をめぐる依存関係が生じる[63]。組織間関係の１つの研究視点として，焦点とする組織が自らの目標を達成するために，他組織との関係をいかにつくり，自ら有利な方向に操作していくのかに注目することが重要である[64]。

　組織間のパワー関係は資源依存関係の裏返しであり，組織の他組織への依存の程度は，①他組織の資源の重要性，②代替的源泉の利用可能性によって規定されてくる[65]。組織間の資源依存関係には，①双方依存，②双方独立，③一方的依存，という３つの型が想定される。パワー関係が注目されるのは③一方的依存関係が生じて，他組織がパワー優位にある場合である。ある資源を一方的に依存している組織は，他組織への依存を減少・回避し，双方依存，双方独立，あるいは自組織優位な依存関係の状態をつくり出すための経営戦略を指向するようになる[66]。

　組織間のパワー関係については，取引における交渉力とチャネル・パワーに着目する。交渉力とは相手からより多くの付加的誘引（割引・リベート・資金援助・長期取引保証など）を引き出す能力であり，チャネル・パワーとはたとえ多くの付加的誘引を提供しようともチャネル統制を行う能力である[67]。そのため，交渉力の強弱は需給環境（取引主体間の代替的取引相手の数）に影響されるが[68]，付加的誘引によるチャネル統制は資金的制約の範囲内で操作することが可能である[69]。

　ここで扱われるチャネルとはチャネル・システム（流通システム）であり，単に市場取引を行う経済システムではなく，役割分化によって生じた組織間の社会的な相互依存関係を核とする社会システムである[70]。そして，チャネル・システムは市場取引を前提として形成されるものであり，チャネル・パワーはチャネル統制（付加的誘引の提供）と交渉力（市場構造，需給環境）に基づく依存関係によって規定される[71]。

　つまり，本研究では，木材チップ取引の需給環境（交渉力）がパルプ企業とチップ供給者間で変化する中で，パルプ企業が木材チップの安定調達のためにいかなるチャネル統制（付加的誘引の提供）を行い，木材チップのチャネル・システム（原料調達システム）を国内外で構築し，変化させてきたかを明らかにすることが目的となる。

（2）課題：木材チップ調達システムにおける組織間関係

　紙・パルプを対象とした産業史 [72]，経営史 [73]，[74]，[75] の先行研究には，紙・パルプの生産・販売面に重点が置かれたものが多い。戦前期の日本企業のパルプ原料調達関係については，山口（2009 [76]，2011 [77]，2012 [78]，2015 [79]）の既往文献研究 [80] によって整理されている。しかし，戦後日本の紙・パルプ産業の原料調達については，国産チップ取引では，時期，あるいは地域限定的な取引関係の研究蓄積があるものの，通時的，全国的な組織間関係の変容過程については明らかにされていない。輸入チップ取引においては，量的に増加傾向であった1960～90年代の研究蓄積は豊富なものの，2000年代以降の原料需要縮小期の研究は不足している。また，チップ輸入における原料調達システムについて，具体的な取引関係の長期的な変遷に踏み込んだ分析はなされてきていない。

　日本の紙・パルプ産業は戦後，国内と海外における異なる原料調達システムを併存させてきた。これらの原料調達システムの組織間関係は異なりながらも，双方が影響を与え合いながら現在まで歴史的に変容してきた。本研究は，第2次世界大戦以降の紙・板紙製品生産と原料消費の関係および木材チップ取引の需給環境とチャネル統制に着目し，紙・パルプ産業の国内外の木材チップ調達システムの歴史動態を明らかにすることを目的とした原料調達史となる。具体的に明らかにする課題は，第1に紙・板紙製品と使用原料の関係性，第2にパルプ工場立地に規定される国産チップ取引の組織間関係，第3に資源貿易としての輸入チップ取引の組織間関係となる。

　本研究は，社史・業界誌・企業報告書・先行関連研究の文献調査，業界団体および政府発行の統計資料分析，業界団体（3団体），紙・パルプ企業（6社）・総合商社（6社）・チップ業者（4社）への聞き取り調査によって行った。

　紙・パルプ産業の原料調達システム，特に戦後の主要原料となった木材チップ調達システムは，組織間関係論の資源依存，交渉力，チャネル統制の概念によって図序-6のような4類型として捉えることが可能である。

　戦後に紙・パルプ製品需要が（A）高度成長期，（B）安定成長期，（C）成熟期，（D）縮小期と変遷するに伴い，1950年代からパルプ原料として本

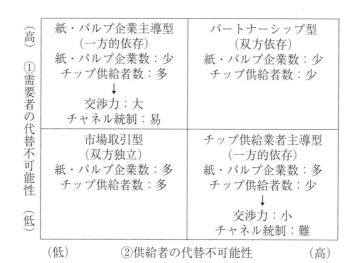

図序-6　紙・パルプ企業の取引関係と需給環境
出所：原頼利（2011）228頁を参考に作成[81]。

格的に利用が開始された木材チップの需給環境（交渉力）と取引のチャネル統制（付加的誘引の提供→原料調達戦略）も歴史的に変容してきたと考えられる。図序-7のように表すことで，市場取引を前提とした需給環境において，パルプ企業が原料の安定調達を達成するために，その時々における問題の選択，対応（原料調達戦略）をいかに行い，需給環境の改善（交渉力の拡大）を図ってきたかということを通時的に把握する[83]。

　図序-6の枠組みにおいて，木材チップの需要者（パルプ企業）と供給者（チップ業者）の代替不可能性からなる需給環境を現実の取引関係と照合するに当たり，長期にわたって適用できる絶対的，普遍的尺度や基準を設定することは困難である。そこで本研究では，国内外別に一定期間における需給環境の尺度を設定し，（A）〜（D）の期間における需給環境の相対的な変化に対する組織間関係を問う。

　木材チップの需給環境の尺度について，国産チップ取引では，①地域別パルプ企業数，②国産チップ依存度，輸入チップ取引では，①対日輸出集中度，②輸入チップ依存度を適用し，取引関係の変化の連続性が必ずしも厳密なものとはならないにしても，現実の多様な取引関係を歴史的に概念化し，

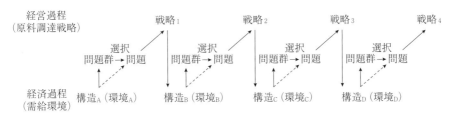

図序-7　構造－問題－戦略の関連
出所：加藤和暢（2018）189頁を参考に作成[82]。

一般化して論じることは有効であると考える[84]。

　つまり，木材チップの需給環境（交渉力）が歴史的に変化していく中で，紙・パルプ企業がより有利な条件で安定的に木材チップを確保するために，どのような取引形態をとり，チャネル統制（原料調達戦略）を行ってきたかを通時的に明らかにする。

（3）本書の意義と構成

　本研究の意義は，木材チップ取引にかかわる組織間関係をチャネル・システム，あるいは原料調達システムとして捉え，通時的に分析する点である。具体的には，戦後以来の国内外の木材チップ供給者，総合商社，紙・パルプ企業の取引関係の変化を，紙・パルプ産業の需給環境とチャネル統制の歴史的動態から把握するということである。特に，2000年代後半以降の本格的な紙需要縮小期を分析対象として含んでいる点は重要である。本研究の構成は図序-8のようになる。

　第1章では，第2次大戦以降の紙・板紙製品生産を，（A）高度成長期・（B）安定成長期・（C）成熟期・（D）縮小期という需要変化から時期区分し，その間の原料利用の変化を通時的に論じる。その上で，原料利用の技術革新が落着した成熟期・縮小期における各紙・板紙製品別の原料構成とその特徴を示す。

　第2章では，紙・パルプ工場の立地調整と国産チップ調達システムについて，地域別の紙・パルプ企業および工場数と国産チップ依存度に焦点を当てて分析する。特に紙・パルプ企業が木材チップの安定確保のために競争的に

第1章　紙・板紙製品生産・原料消費関係

第2章　国産チップ調達システム　　　第3章　輸入チップ調達システム
（系列取引，需給環境，チャネル統制）　（資源貿易，需給環境，チャネル統制）

終章　日本の木材チップ取引における組織間関係

図序-8　本研究の構成

行ったチップ工場の系列化によるチャネル統制の変化と，紙・パルプ企業が
交渉力優位となっていった国産チップの原料調達構造について，地域的・時
期的に限定してなされてきた既往研究・文献を統合し，通時的に論じる。

　第3章では，輸入チップ調達システムの組織間関係について，日本の輸入
依存度と供給国の対日輸出集中度の変化に着目して分析する。その上で，成
熟・縮小期での日本企業の木材チップ需要の縮小と海外木材チップサプライ
ヤーの成熟，中国企業の木材チップ需要の増加によって日本企業の独占的な
チップ市場が動揺してきたこと，そして，この環境変化の下で，紙・パルプ
企業ごとの原料調達戦略が分化してきていることを明らかにする。

　終章にて，木材チップ取引における組織間関係，木材チップ調達システム
の歴史動態を総括する。

注および引用文献

(1) 河西重雄（1984）「紙・パルプ産業に関する計量経済分析（Ⅰ）—モデル構築のための予備
　　的考察」日本林学会『日本林学会大会論文集』第95号
(2) 大日本山林会（1986）「木材需給の動向編（Ⅲ紙・パルプ材の需給）」『山林』1226：別頁1-
　　18頁
(3) 河毛二郎（2003）『紙は生きている』：42頁
(4) 加藤智章（2004ab，2005，2008ab）
(5) 田中彰（2012）『戦後日本の資源ビジネス　原料調達システムと総合商社の比較経営史』1-4
　　頁を参考に記述。
(6) 通商産業大臣官房調査統計部（2002）「紙・パルプ統計年報」，経済産業省経済産業政策局調

査統計部編（2003 〜 12）「紙・印刷・プラスチック製品・ゴム製品統計年報」, 経済産業省（2013 〜 16）「経済産業省生産動態統計年報　紙・印刷・プラスチック製品・ゴム製品統計編」, 鈴木尚夫（1967）32 頁, 製品区分は 1988 年以降の品目分類表を基準とし, それ以前のものは分類項目を再整理して記載した。

(7) 岡本国彦（1970b）「アメリカ紙・パルプ資本の海外進出と西ヨーロッパ紙パルプ企業の対応（その 2）」『紙パ技協史』24（10）：14 頁

(8) 篠原三代平（1967）『日本経済論講義』：296 頁

(9) 岡本国彦（1970a）「アメリカ紙・パルプ資本の海外進出と西ヨーロッパ紙パルプ企業の対応」『紙パ技協史』24（9）：9 頁

(10) 成田雅美（1980a)）「紙・パルプ資本の対外進出と国内パルプ材市場の再編成」『北海道大学農学部演習林研究報告』37（1）：22 頁

(11) 村嶌由直（1987）『木材産業の経済学』：47-85, 224 頁

(12) 黒澤隆文・橋野知子（2016）「第 1 章　米欧アジア 3 大市場と競争力の三つの型」橘川武郎・黒澤隆文・西村成弘編『グローバル経営史　国境を越える産業ダイナミズム』：32-63 頁

(13) 田中彰（2012）『戦後日本の資源ビジネス』：8-9 頁

(14) 黒澤隆文・橋野知子（2016）『前掲書』：54 頁

(15) 小島清（1981）「第 10 章　日豪資源貿易のあり方」池間誠・山澤逸平編『資源貿易の経済学』：228-246 頁は, 資源貿易における鉄鉱石取引について, 欧米型の「自社開発－垂直統合方式」に対して, 日本型の「開発輸入－長期契約方式」を特徴づけた。さらに, 日本と鉄鉱石輸出国との取引関係を, 日本の輸入依存度と輸出国の対日輸出集中度の関係から分析し, 日本が対日輸出集中度の高い数ヵ国から鉄鉱石輸入を行うことで, 「ドミナントバイヤー－メイジャーサプライヤー関係（以下, DB － MS 関係）」を形成し, 買手独占によるバーゲニング・パワー（交渉力）を創出してきたことを示唆した。この DB － MS 関係の交渉力についての分析視角は, チャネル・パワー論の取引依存度モデルと通ずるところがある。

(16) 田中彰（2008）「鉄鋼―日本モデルの波及と拡散」塩地洋編著『東アジア優位産業の競争力―その要因と競争・分業構造』：25 頁

(17) 黒澤隆文・橋野知子（2016）『前掲書』：54 頁

(18) エネルギー白書／鉄鋼統計要覧

(19) 日本製紙連合会「パルプ材便覧」

(20) 田中彰（2012）『前掲』：3 頁

(21) 萩野敏雄（1979）『森林資源論研究』：27, 39 頁

(22) 小島清（1977a）「日本の資源保障と海外投資－日本型資源確保のあるべき姿を求めて―」『世界経済評論』21（4）：4-19 頁

(23) 松原宏（2009）「立地調整の理論と課題」『立地調整の経済地理学』：3-19 頁

(24) 野本晃史（1960）「日本のパルプ材流動と地域的性格」『地理学評論』33：300-311 頁

(25) 野本晃史（1970）「島根県の木材チップ工場の流動」『山陰文化研究紀要　人文・社会科学編』10：6-21 頁

(26) 四津隆一（1961）「パルプ工業の原料圏の変化」『東北地理』13：35-39 頁

(27) 四津隆一（1968）「東北地方の木材チップ生産に関する検討」『東北地理』20（2）：63-68 頁

(28) 塩川亮（1973）「東北における木材チップ工業の変貌」『東北地理』25：209-217 頁

(29) 嶋瀬拓也（2006）「木材チップの国内流通にみる輸送距離の動向」『林業経済学会秋季大会』

(30) 塩川亮（1977a）「原料転換に伴うパルプ工場の立地変化」『経済地理学年報』23（1）：83-95 頁

(31) 塩川亮（1977b）「紙・パルプ工業」北村嘉行・矢田俊文編『日本の工業の地域構造』：208-218 頁

(32) 安藤嘉友（1972）「外材輸入の今後の見通しとそれに対応する国有林材の供給について」『林業経営研究所報告』71（9）

(33) 山本耕三（1998）「わが国における紙・パルプ工業の生産体制とその変化―王子製紙を事例として―」『人文地理』50（5）：66-82 頁

(34) 野本晃史（1960，1970）は中国地方および島根県の木材チップ工場の概況について整理している。

(35) 吉沢武勇（1963）「北海道におけるパルプ材の流通」『日本林學會北海道支部講演集』12：16-18 頁

(36) 吉沢武勇（1965）「北海道における木材チップ工場の系列化について」『日本林學會北海道支部講演集』14：77-79 頁

(37) 吉沢武勇（1969）「北海道におけるパルプ材の流通」『日本林學會北海道支部講演集』17：16-19 頁

(38) 西村勝美（1973）「木材工業製品の市場構造に関する研究　第Ⅲ報―木材チップ―」『北海道農林研究』43：20-45 頁

(39) 船越昭治（1971）「木材チップの流通について―岩手県における三者寡占の成立と流通支配の構造―」『林業経済』25（2）：25-32 頁

(40) 遠藤日雄（1990）「伐出資本の行動様式と地域林業―北上山系における木材チップ資本の原木集荷構造―」『林業経済研究』118：2-13 頁

(41) 伊藤幸男・小成寛子（2004）「1990 年代におけるチップ生産構造の再編：岩手県の広葉樹チップ生産を事例に」『林業経済研究』50（3）：27-37 頁

(42) 宮辺健次郎（1983）「紙パルプ産業の現状とその対応」『林業経済』36（4）：9-13 頁

(43) 西田尚彦（1984）「森林組合のチップ加工事業」『林業経済』37（7）：8-24 頁

(44) 遠藤隆（1984）「木材チップ製造業の変遷と課題」『林業経済』37（7）：13-18 頁

(45) 小出芳英（1988）「紙・パルプ資本の国産チップ集荷機構―日光林業地域を事例にして―」『林業経済研究』115：79-86 頁

(46) 久武陽子（1997）「素材生産業の展開類型とその再編過程―青森県上北地域を事例として―」『林業経済研究』43（1）：31-36 頁

(47) 村嶌由直（1974）『木材輸入と日本経済』

(48) 成田雅美（1980a）『前掲』：1-50 頁

(49) 成田雅美（1980b）「紙・パルプ産業の資本蓄積とパルプ材市場編成」『林業経済研究』98：45-51 頁

(50) 中野真人（1970）「多角経営時代の紙パルプ産業とその外材輸入に関する展望」『林業経済』
23（4）：1-19頁

(51) 村嶌由直（1984）「「産構法」下の紙パルプ原料」『林業経済』37（7）：1-7頁

(52) 村嶌由直（1987）『前掲』

(53) 宮辺健次郎（1983）「紙パルプ産業の現状とその対応」『林業経済』36（4）：9-13頁

(54) 甘利敬正（2000）「紙・パルプ」大日本山林会『戦後林政史』：525-558頁

(55) 萩野敏雄（2003）『日本国際林業関係論』

(56) 久田陸昭（2000）「我が国の海外産業植林事業の現状と動向」『紙パ技協誌』54（7）：883-890頁

(57) 大渕弘行（2015）「世界の森林の現状と産業植林の課題」『紙パ技協誌』69（8）：789-798頁

(58) 武田八郎（1996）「わが国紙パルプ産業における海外造林の展開」『林業経済研究』129：117-122頁

(59) 武田八郎（2000）「日本の紙パルプ産業とチップ貿易」村嶌由直・荒谷明日兒『世界の木材貿易構造〈環境の世紀〉へグローバル化する木材市場』：273-288頁

(60) 上河潔（2009a）「製紙産業の原料調達の現状と課題について」『山林』1498：64-73頁

(61) 山倉健嗣（1993）『組織間関係論』：22頁，ここでいう資源は「ヒト・モノ・カネ・情報」を指すが，本研究では「モノ」，特にパルプ原料である木材チップを想定する。

(62) 山倉健嗣（1993）『前掲』：22頁

(63) J. Pfeffer and G. Salamcik（1978）"The External Control of Organizations, Harper and Row"

(64) 山倉健嗣（1993）『前掲』：64頁

(65) 山倉健嗣（1993）『前掲』：68頁

(66) 山倉健嗣（1993）『前掲』：70頁

(67) 高嶋克義（1985）「チャネル・パワーと統制」近藤文男・中野安『流通構造とマーケティング・チャネル』：223頁

(68) 原頼利（2011）「終章　流通取引関係・制度の研究展望」渡辺達郎・久保知一・原頼利編『流通チャネル論　新制度派アプローチによる新展開』（原典は Beier & Stern, 1969, El-Ansary & Stern, 1972）

(69) 高嶋克義（1985）『前掲』：213頁

(70) 高嶋克義（1985）『前掲』：202頁

(71) 高嶋克義（1994）『マーケティング・チャネル組織論』：58-59頁

(72) 鈴木尚夫編（1967）『現代日本産業発達史XⅡ 紙・パルプ』

(73) 四宮俊之（1997）『近代日本製紙業における競争と協調王子製紙，富士製紙，樺太工業の成長とカルテル活動の変遷』

(74) 四宮俊之（2004）「戦後日本の紙・パルプ産業での大企業と中小企業の競争と併存に関する経営史的考察（上）」『人文社会学論叢　社会科学篇』12：1-36頁

(75) 四宮俊之（2005）「戦後日本の紙・パルプ産業での大企業と中小企業の競争と併存に関する

　　　経営史的考察（下）」『人文社会学論叢　社会科学篇』13：61-88 頁

(76)　山口明日香（2009）「戦前期日本における製紙用パルプの原料取引」

(77)　山口明日香（2011）「製紙業における木材利用─1932 〜 45 年の王子製紙の原料調達を中心
　　　に─」

(78)　山口明日香（2012）「戦前期日本の製紙業における原料調達」『三田学会雑誌』105（2）：
　　　109 〜 137 頁

(79)　山口明日香（2015）『森林資源の環境経済史』

(80)　統計資料，『王子製紙山林事業史』，『王子製紙社史』，『日本紙業綜覧』，『紙業雑誌』および
　　　紙の博物館所蔵資料，林業文献センター所蔵資料など

(81)　原（2011）は，取引費用論と資源ベース論の両アプローチを融合し，資源の特殊性と模倣
　　　困難性を軸に，製造業者と流通業者のチャネル関係のあり様を提示している。ここでは資源の
　　　特殊性と模倣困難性の概念に取引主体の代替的取引相手の数が含意され，取引主体の代替的取
　　　引相手の数は取引主体間のパワー分布に影響するとしている（229 頁）。

(82)　加藤和暢（2018）『経済地理学再考』：186-193 頁

(83)　中川敬一郎（1981）『比較経営史序説』：8 頁

(84)　四宮俊之（2004）『前掲』：5 〜 7 頁を参考。

第 1 章　日本の紙・板紙製品と消費原料の関係

第 1 節　紙・板紙製品需要と原料消費の変遷

1　戦後紙・板紙製品需要の盛衰

(1) 紙・板紙製品需要の時期区分と概要

　戦後日本の紙・パルプ産業の（A）高度成長期：1950 ～ 73 年，（B）安定成長期：1974 ～ 91 年，（C）成熟期：1992 ～ 2007 年，（D）縮小期：2008 ～ 15 年という時期区分における製品別の生産動向は表 1-1-1 および図 1-1-1 のようになっている（製品区分の詳細は巻末付表参照）。

　（A）高度成長期の各紙・板紙製品生産量の平均変化率はいずれも 10％を上回っていたが，段ボール原紙については 25％と大幅に増加してきた。（B）安定成長期の平均変化率は全体で 4％の増加に留まり，各製品とも平均変化率の増加は鈍化した。（C）成熟期になると包装用紙，紙器用板紙などでは

表 1-1-1　紙・板紙製品生産量平均変化率の推移

	(A) 高度成長期 1950 ～ 73	(B) 安定成長期 1974 ～ 91	(C) 成熟期 1992 ～ 2007	(D) 縮小期 2008 ～ 15
新聞用紙	1.14	1.03	1.01	0.97
印刷情報用紙	1.14	1.06	1.01	0.96
包装用紙	1.13	1.00	0.99	0.99
衛生用紙	1.14	1.04	1.01	1.00
段ボール原紙	1.25	1.03	1.01	1.00
紙器用板紙	1.12	1.02	0.99	0.98
雑種紙	1.11	1.05	0.99	0.98
雑板紙	1.15	1.02	0.98	0.98
全体	1.15	1.04	1.00	0.98

注：生産量変化率は前年からの変化率をとっている。
出所：図序-1 と同じ。

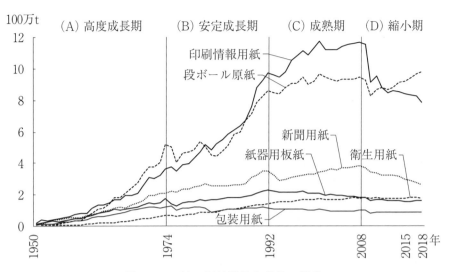

図1-1-1　紙・板紙製品生産量の推移
出所：図序-1と同じ。

平均変化率が負となり，他の製品においても大幅な増加はみられず，全体と
してもほぼ横ばいの推移となった。そして，（D）縮小期では2008年のリー
マンショックに端を発する景気後退により各製品とも減少傾向となったが，
その後に段ボール原紙が生産量を回復させる一方で，文化用紙（新聞用紙，
印刷情報用紙）の継続的な減少傾向が定着した。

（2）高度成長期（1950～73年）：印刷情報用紙，段ボール原紙の著増
　製品需要では，1949年に板紙・和紙および一部の洋紙，1950年にGP（砕
木パルプ），KP（クラフトパルプ），翌年の1951年には下級印刷用紙や新聞
巻取紙の統制撤廃が行われたことによって，紙・パルプ製品の自由市場が回
復し，生産量の増加が進行していった[1]。
　1950年代より，段ボール原紙は包装資材，木箱の代替として急激にその
生産量を増加させていった。この現象は包装革命と呼ばれ，1953年に7万t
台であった段ボール原紙生産量は，1973年には516万tと実に70倍近く増
加した。用途としては，青果物や加工食品，繊維製品，雑貨などの様々な分
野で使用された。他製品の生産量を1950年と1973年で比較すると，新聞用

紙が13万から211万t（16倍），印刷情報用紙が23万tから366万t（16倍），包装用紙が9万tから123万t（14倍），衛生用紙が4万tから70万t（16倍），紙器用板紙が15万tから176万t（12倍）に増加している。

　この時期の大きな特徴は，段ボール原紙の増加であるが，印刷情報用紙生産も堅調に増加していった。印刷情報用紙においては1950年代前半から週刊誌や雑誌，新書，文庫本，全集ブームによって需要拡大へと繋がり，出版・印刷業界が紙・パルプ企業にとっての重要な市場へと発展した[2]。1955年になると新聞社間の増頁競争が行われ，新聞用紙需要が高まった[3]。包装用紙（クラフト紙）は景気の拡大に伴って，セメント，肥料業界での重袋利用が活発化し，他製品よりも比較的生産量の増加率が大きかった。また，新聞用紙，印刷情報用紙（上質紙）については，輸出量の増加もみられ，1956年には安売り競争の防止を目的として，上質紙輸出協会が設立され，協定価格が設定された[4]。1957年に一般景気の後退によって需要が減退すると，設備余剰による需給の不均衡から，紙・パルプ製品価格の下落が発生した。1958年には通産省によって，BKP（晒クラフトパルプ），SP（サルファイトパルプ），上質紙・クラフト紙の減産指導，主要な板紙製品の操業短縮・生産調整，パルプ設備抑制指導が行われたが，新聞用紙生産量だけは景気動向に大きく作用されずに順調に推移した[5]。好況期の生産設備の増強と不況期の過剰設備という，紙・パルプ業界の過当競争体質によって生じる需給不均衡の激化は，生産調整を企業自らが行う自主操短から，行政指導で行う指示操短へと変化させることとなった。

　1965年の不況により，新聞宣伝広告費および商業印刷物需要の減少，日曜夕刊紙の廃止，大口包装用紙需要の減退などが生じ，新聞用紙（1966年）と印刷情報用紙（1965年）では戦後初めて前年の生産量を下回る年が出現した。そのため，洋紙の自主減産や段ボール原紙の不況カルテルの結成，紙器用板紙の生産制限の実施など，減産体制が業界として進められた。しかし，上質紙の不振・価格低下に歯止めがかからず，洋紙生産各社は極めて厳しい経営状況となった。1966年以降になると，不況カルテルは廃止され，各製品の操短も解除されていくなど，1960年代後半の紙・パルプ製品需要の回復とともに需給環境は大幅に改善されていった。1970年の後半からは

再度市況が悪化し，特に段ボール原紙の需給不均衡が著しく，不況カルテル
の結成によって需給調整が図られたため，1971年には前年度生産量を下回
ることとなった[6]。

(3) 安定成長期（1974〜91年）

　1970年代の日本の紙・パルプ企業の経営環境は，1973年の為替の変動相
場制への移行と2回の石油危機によって大きく変化した。第1次石油危機直
後は紙不足が懸念され，異常な需要によって需給が逼迫したが，1974年後
半には供給過剰に転じ，紙・パルプ企業の業績悪化は顕著なものとなった。
1974年に紙・板紙総生産量は前年を下回り，1975年では段ボール原紙と包
装用紙の生産量が2割減少している。

　1979年の第2次石油危機後の1980年に段ボール原紙，包装用紙，紙器用
板紙，1981年に新聞用紙，印刷情報用紙も減産となった。1980年代も需要
の伸びよりも生産能力過剰の状態であり，2つの石油危機を契機として紙・
板紙製品需要の伸びは1950〜60年代に比べて大きく鈍化した。

　品種別の動向では，印刷情報用紙の伸びが大きく，1980年代にそのシェ
アは3割を超えた。新聞用紙・段ボール原紙の伸びは低調で，包装用紙は横
ばいの推移となっている。新聞用紙については軽量化の進展により，生産量
ベースの伸びが低下してきたとされる。包装用紙では重袋用の両更クラフト
紙の需要がバラ輸送や樹脂製袋の出現により顕著に減退した[7]。印刷情報
用紙では上質紙からのグレードダウンが起こり，中下級コート紙への需要が
増加した。さらに企業や家庭における情報化の進展により，PPC用紙など
の情報関連用紙も増加傾向にあった。

　1980年代後半は新聞用紙，印刷情報用紙，段ボール原紙，紙器用板紙の
生産量が順調に増加した。紙の市況は，1985〜86年頃まで円高不況と供給
過剰により，印刷情報用紙を主として下落したが，1987年にはパルプ市況
や石油価格の上昇によって下げ止まり，1988年には需給の逼迫から価格の
復元が進み，1989年は相対的に高値となった[8]。生産量は印刷情報用紙，
新聞用紙，衛生用紙，段ボール原紙，紙器用板紙では1991年まで増加傾向
が続いた。

(4) 成熟期（1992 ～ 2007 年）

　紙・板紙生産量は，1991 年までは順調に増加してきたが，バブル景気崩壊後の景気低迷により，1992 年，1993 年と 2 年連続で減少した。しかし，1994 年には再び増加に転じ，1997 年まで増加傾向となった。その後，2000年に 3,183 万 t と過去最高生産量を記録し，2008 年までは 3,000 万 t 前後で推移した。この時期になると行政指導による不透明な需給調整は国際的に難しくなり，市況悪化時には各企業によって減産やコスト削減，輸出の強化などの対策が行われた。

　製品別の動向をみると，印刷情報用紙と段ボール原紙が 2000 年に過去最高の生産量となっている。新聞用紙の生産量は，1992 年，1993 年に景気低迷による広告出稿量減少（減頁）や購読料改訂に伴う部数の伸び悩み，超軽量紙の普及などにより減少したが，1994 年以降は広告出稿量の増加（増頁）によって，生産量は 2007 年まで連続的に増加している [9]。印刷情報用紙の生産量は，チラシ，パンフレット，カタログなど広告宣伝物や電子機器のマニュアル向け，出版関係の安定的な需要に支えられていた [10]。包装用紙は，1990 年代には 100 万 t 程度で推移をしたものの，2000 年代はじめに 96 万 t に減少，2000 年代後半には 99 万 t に回復した。セメントや飼料，製粉などの不況で需要が伸び悩んだことや輸送合理化によるバラ積みシフト，コンビニやスーパーのポリ袋利用が生産減少の要因とされている [11]。衛生用紙は，生活必需品的性格により景気動向に関係なく増加傾向を示してきた。段ボール原紙の生産量は 2000 年に過去最高の 968 万 t となり，その後は 2007 年まで 930 万 t 前後で推移しており，企業の経済活動の影響を受けやすいものの，流通における包装資材としての優位性により安定的な需要が創出されている。紙器用板紙は包装用途だけでなく，出版・印刷分野での需要もあり，美装化・高級化志向の需要により多様な製品開発が進められているが，生産量は 1992 ～ 2007 年では減少傾向にある。

(5) 縮小期（2008 ～ 2015 年）：文化用紙の減少傾向

　2008 ～ 15 年に，紙・板紙総生産量は 3,064 万 t から 2,623 万 t へと減少した。2008 年のリーマンショック以降の景気後退によって，2009 年には雑板

紙を除く全品種で生産量の減少を記録した。特に印刷情報用紙と包装用紙では前年比より2割以上，段ボール原紙で1割程度減少することとなった。その後，概ね2008年以前の生産量水準に回復した品種は，衛生用紙と段ボール原紙のみであり，その他の品種では減少後に横ばい，あるいは印刷情報用紙のように減少傾向が継続するという状況となっている。

　2010年代の品種別の動向では，段ボール原紙や包装用紙といった産業用紙や衛生用紙が生産量を維持ないし増加させてきたのに対し，新聞用紙や印刷用情報用紙といった文化用紙の生産量減少には歯止めがかかっていない。印刷情報用紙の不振については，出版業界の不振，スマートフォンの普及などのICT化の進展，若年層の消費動向の変化，人口減少などの構造的要因が挙げられる [12]。印刷情報用紙の主要な需要先である出版業界の状況では，2014年の書籍推定出回り部数は7年連続のマイナスであり，ピーク時（1997年：15億冊）から約30％低い水準となった [13]。その他に月刊誌が9年連続，週刊誌が19年連続の減少を記録している。他方で段ボール原紙は流通業での利用が堅調であり，生産量も安定的に推移している。

2　原料利用の技術革新

（1）原料消費の時期区分と概要
　紙・板紙製品生産とそれに伴う原料の種類別消費量を時系列的に表し，図序-1の時期区分で区切ると図1-1-2のように示すことができる。
　（A）高度成長期には，紙・板紙製品生産の著増に伴って，相応の原料利用の拡大が必要とされた。従来から利用されていた針葉樹に加え（①），広葉樹（②），製材端材チップ（③），輸入チップ（北米製材端材，④）と利用可能原料の多様化が進められ，原料不足の克服が目指された。（B）安定成長期には，第1次・第2次石油危機後の北米チップの値上がりもあり，輸入チップ調達地域の多角化，国産材利用の見直し，古紙利用の拡大が行われ（⑤），1985年以降に円高が進行すると，それまで調達圏外とされていた北米南部や南米などの遠隔地域からの広葉樹チップ輸入が展開された（⑥）。（C）成熟期では，木材チップ消費量の増加は一段落し，広葉樹チップの国

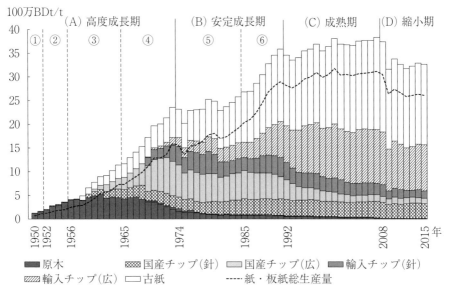

図 1-1-2　紙・板紙製品生産と原料消費の時期区分
出所：図序-1 と同じ。
注：原木・チップ消費量は BDt（絶乾重量トン），古紙消費量と紙・板紙製品生産量は t。

産チップから輸入チップへの移行と海外産業植林地の造成が積極的に行われていった。2000 年以降には，造成された植林地からの人工林材チップが利用可能となり，持続的な森林経営の観点から，森林認証材チップの調達が指向されるようになった。そして，(D) 縮小期になると，紙・板紙製品需要の減少に伴い木材チップ需要も減少し，木材チップの需給環境も大きく変容することとなった。

　2011 年の紙・板紙の生産量は，1970 年に比べ 2 倍以上になっているが，木材原料（原木，チップ）の消費量の増加率は 105% とほとんど変わっておらず，古紙の消費量は 3.6 倍に増加した。

(2) 針葉樹原木の利用

　1889 年に国内初の木材パルプ工場が運転開始して以来，日本の紙・パルプ産業は木材繊維を重要な基礎的原料にしてきた。それ以来，明治，大正，

昭和という時代の中で，その調達地は本州から北海道，樺太，朝鮮，満州へと拡大したが，第2次世界大戦の敗戦により外地の事業は壊滅し，戦後は自国内森林資源利用による再出発となった[14]。1946～73年は，著増する紙・板紙製品需要に対して，いかに紙・板紙製品生産を賄っていくかが課題であり，原料の種類，使用形態が大きく転換していった時期である。

戦後の木材パルプ生産量は，戦前のピークであった1940年の7分の1以下の19.4万t（1946年）からのスタートであった。わずかに残された紙・パルプ工場は，戦時下で荒廃してはいたが，アカマツなどの国内木材資源をパルプ原料として利用できたことは他産業に比べて有利であった。しかし，木材は他産業（土木，建築，炭鉱，燃料など）にとっても重要な資源であり，しかも輸送力も低下していたため，パルプ用材の安定確保は困難であった。1950年までは木材の戦時統制が存在し，数量が保証されていたが，統制の撤廃後，競争的な状況下での原料調達はより困難なものとなった[15]。

1950年頃までの内地におけるアカマツ・クロマツ資源は，紙・パルプ生産設備能力に比べて豊富な状況であったため，山側の労働力不足と石炭不足が解消されるにつれて，紙・パルプ生産量は増加していった。紙・パルプ産業は戦後に政策的な優遇を受けることができなかったが，主原料の原木が国内で比較的容易に調達できたことで，他の輸入原料が必要な諸産業に比べて早期に発展することができた[16]。また，為替が1ドル/360円という固定レートであったことから，輸入パルプを使用するという選択肢は取り難く，結果的には国内でのパルプ生産に優位性があった。

パルプ生産では，GPは戦争による設備被害が比較的少なく，生産に苛性ソーダやイオウなどの不足資材を使う必要がない，かつ製造設備が単純であったために，終戦直後の生産減少が他製品に比べて小さく，その生産量は1950年には1941年の約83％にまで回復した。そのため，GPを主原料としていた新聞用紙生産の減少は低位に留まった。印刷用紙の需要が旺盛になると，GP設備の拡張が活発になされたが，これは原料需給の悪化，集荷体制の混乱をもたらすこととなった[17]。

SPは，生産設備が樺太に多かったことと不足資材であるイオウが必要だったことから，戦後に生産量は大きく減少した。当時の印刷用紙はSPを主

原料としていたため，SP不足は直接印刷用紙不足に繋がり，代用品としての仙貨紙生産量が増加した。仙貨紙はSPを用いず，古紙・GP・その他比較的調達しやすい原料から生産される機械抄き和紙であり，設備投資が小さくて済むため，大手企業の設備増設のみならず，中小企業の新規参入も多くみられた。しかし，洋紙の印刷用紙と比べると品質が落ちるため，1950年頃にはSPの生産回復に伴う印刷用紙生産の増加によって淘汰されていった。

　産業用紙である板紙生産は，戦後の産業活動の低下によってその生産量を大きく減少させ，産業活動の活発化に伴って生産量を増加させていくこととなるが，1950年頃までは需要の停滞が続いた。その後，朝鮮動乱時の特需もあり，紙・パルプ企業の経営状況は改善し，1949年から1951年にはSP設備の新設・増設が進められた。

　1950年になるとGP，KPの統制撤廃が行われ，1950年代にはKP製造設備の新設・増設も進められていった。同時期に木材統制法は廃止されたが，針葉樹原木は炭鉱坑木，土建用材，一般建築材，薪炭材などにも利用されていたため，紙・パルプ企業間はもちろんのこと，他産業との競合が激しさを増し，1953年には原木価格が急騰，木材資源の枯渇が懸念されるようになった。特に坑木との競合激化により，買入れ材の仕入れが不安定化し，紙・パルプ各社は社有林の獲得と，その生産拡大に努めたが，資金回収率が低い原料在庫投資のために，金融機関からの個別企業による借り入れは困難を極めた[18]。

(3) 広葉樹利用への技術革新

　1950年代は針葉樹資源需給の逼迫により，未利用樹種の使用と造林の推進が課題とされ，広葉樹の利用拡大を図るために，SCP（セミケミカルパルプ），CGP（ケミグラウンドパルプ）などの半化学パルプ製造技術の開発が進められていった。特に1952年にKPの漂白技術の開発によって，BKPの製造が可能になると，広葉樹パルプによる印刷情報用紙（上質紙）の抄造技術開発が進展した。1954年にはSCP，SP，KPでの広葉樹利用が開始されているが，広葉樹KPの製造が本格化すると，LBKP（広葉樹晒クラフトパルプ）製造設備の設置と生産量の増加が急伸し，1954年に29万tだった

KP 生産量は 1957 年には 62 万 t となり，それまで化学パルプで主となっていた SP の生産量を凌ぐこととなった（図 1-1-3）。その後も KP 生産量の増加は続き，1960 年 137 万 t，1970 年 460 万 t となり，広葉樹利用比率は 1963 年に過半を占めるようになった。

　広葉樹利用による KP 生産の普及は，各企業の技術開発の成果とともに，政府による行政指導の影響も大きかったとされる[19]。1955 年に「木材資源利用合理化方策」が閣議決定され，紙・パルプ産業に対しては針葉樹資源の節約と広葉樹の高度利用，SCP 法および KP 法の推進とパルプ廃液の活用が勧奨された。それにもかかわらず，1950 年代後半の各社の生産設備の増強は，原木需給の逼迫と価格高騰を招いたため，1958 年には CGP 法以外のパルプ製造設備の新設を抑制するという方針となった。1959 年になると通産省は「木材パルプ製造設備の新増設抑制指導措置について」を省議決定し，企業合理化・産業基盤整備の必要性から，広葉樹利用の CGP 以外でも，製品需給の範囲内であればスクラップ・アンド・ビルドを条件としてパルプ設備の新設を認めた[20]。

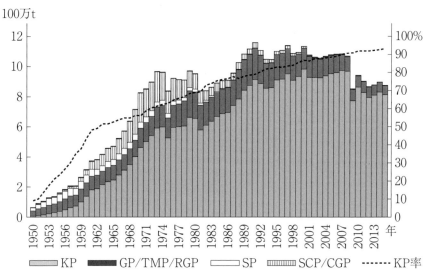

図 1-1-3　パルプ種類別生産量と KP 比率の推移
出所：図序-1 と同じ。

他方で，SP は使用可能な樹種に制限があり（針葉樹，主にエゾマツ・トドマツ・北洋材を使用），薬品の回収，連続釜使用，自動化が困難であるなどの問題から，1957 年より生産量は横ばい，減少傾向となっていった。

（4）木材チップ利用への転換

1950 年代半ばより製材端材チップ生産が始められ，紙・パルプ企業が社外から直接チップを調達するという流通上の大転換が起きた。これにより，原木の輸送や工場内のハンドリングが節減されただけでなく，建築廃材，小径木，林地残材などを有効活用することが可能になった[21]。1960 年のパルプ原料における原木の調達比率は 63％であったが，1965 年には 37％に減少し，国産チップの調達比率が原木の調達比率を上回ることとなった。

1960 年以降の国産チップ消費量の動向をみると，針葉樹チップ消費量は増加しているものの，その割合は減少し，1964 年には 5 割を切るようになった。他方で，広葉樹チップの消費割合は年々増加していった（図 1-1-4）。

広葉樹チップ消費量は，1960 年の 47 万 BDt から，254 万 BDt（1965 年），648 万 BDt（1970 年）と飛躍的に増加したが，供給量増加の 1 つの要因となっていた拡大造林が 1970 年頃を境に減少に転じたため，1973 年の 721 万

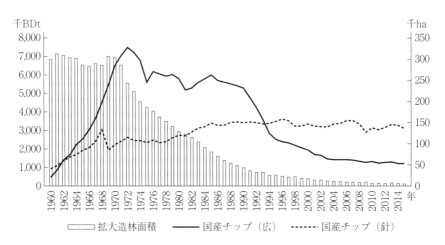

図 1-1-4　針・広別チップ消費量と拡大造林面積推移
出所：図序-1 と同じ，日本製紙連合会「パルプ材便覧」より作成。

BDt をピークとして減少することとなった。その後は，国有林の減伐や奥地林への林道の未整備，労働力不足によって減少傾向が定着し[22]，特に 1985 年以降の円高により，輸入チップへの移行が確定的となり，1985 年に 599 万 BDt であった消費量は 1991 年には 476 万 BDt とおよそ 120 万 BDt 以上減少している。

　一方，針葉樹チップの原料は，製材工場で副次的に発生する製材端材が主であり，製材業の動向に伴って一定量発生するものであった。そのため，輸入チップに対して価格競争力も有しており，1980 年代半ばより 300 万 BDt 程度で推移してきた。

(5) 古紙利用技術の発達

　古紙とは一度読まれたり，使用されたりした後，不要となった新聞や雑誌，印刷物，あるいは段ボール箱や紙製パッケージなどのことで，製品になる前の印刷工程や断裁・加工・製本行程で発生する損紙や未利用紙，断裁片などもこれに含む[23]。

　古紙利用は，仙貨紙や板紙などの白色度の要求水準が高くない製品を主として行われ，1951 ～ 64 年に段ボールの中芯などへの使用増加により，回収率は 15％から 40％，利用率は 14％から 36％に高まった[24]。1970 年代初めには，板紙部門で古紙利用率が 60％程度に達していたものの，紙部門では品質上の制約から 10％程度に過ぎなかった（図 1-1-5）[25]。

　本州製紙（富士）が 1953 年に新聞古紙を板紙に使用するようになり，1957 年に DIP（脱墨パルプ）技術が開発されたことにより[26]，印刷情報用紙などの高白色度が要求される製品への混合使用の道が開かれた。ただし，1965 ～ 74 年には段ボール原紙に SCP が使用されるようになったこともあり，古紙回収率は 38％から 42％，利用率は 35 から 36％と大きな変化はなかった[27]。しかし，DIP は機械パルプの使用量削減やエネルギー消費の節約に貢献しうることから，石油危機を契機として 1970 年代半ばよりその利用が拡大していった[28]。その結果，古紙利用率は 41％（1980 年）から 50％（1985 年）へと上昇した。

　新聞用紙の主原料はエネルギー消費の大きい GP であったが，第 1・第 2

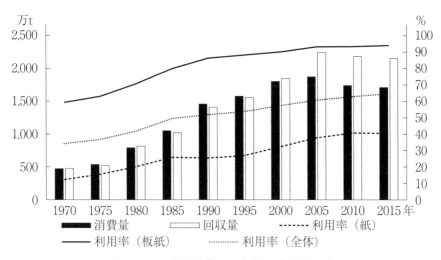

図 1-1-5　古紙消費・回収量と古紙利用率
出所：古紙再生促進センター「古紙ハンドブック」より作成。
注：古紙利用率＝古紙消費計（古紙＋古紙パルプ）÷製紙用繊維原料消費合計（古紙＋古紙パルプ＋パルプ＋その他繊維）

次石油危機をきっかけとして古紙利用が促進された。また，SCP の廃液による公害問題が生じたことによって，代替材として古紙利用が行われるようになり，それに伴い古紙回収率は 39％から 50％，利用率は 37％から 48％となった。1984 年になると，本州製紙（富士）が上質系古紙 DIP 設備の改良を行い，LBKP の代替としての古紙パルプが開発されたことによって製品利用の多角化が進展した[29]。

　1985 〜 90 年代前半には，紙・板紙製品生産量の増加によって，古紙の回収量と消費量は増加したものの，円高による原燃料コストの低下の影響により，回収率と利用率は 1985 〜 94 年にはそれぞれ 50％から 52％，49％から53％と低調な推移であった[30]。しかし，1991 年のリサイクル法の公布をきっかけとして，廃棄物対策，省資源という側面からの古紙利用が重要視されるようになり，古紙利用率は 2000 年に 57％，2003 年に 60％を達成し，板紙では 9 割を超えることとなった。また，1997 年のアジア通貨危機を契機としてアジア諸国への古紙輸出が開始され，2000 年代になると中国向けの輸出が著増していった[31]。

　2011年の紙・板紙別の古紙利用率は，紙40%，板紙93%で，分野による差が大きい。このため，今後，古紙利用率を高めるためには紙分野の古紙利用率向上が重要で，印刷用紙などへの古紙利用を更に進めていく必要がある。しかし，製品の品質維持とエネルギーコストの兼ね合いで古紙利用率の大幅な上昇は難しい段階となってきた。

(6) 輸入チップへの移行

　1961年に木材貿易自由化が行われると，1963年に木材チップの試験的な輸入，1965年に米国西海岸からチップ専用船による本格的な針葉樹（ダグラスファー）製材端材チップの輸入が行われるに至った。

　1963年10月に発せられた「木材パルプ製造設備の新増設抑制措置について」では，承認された紙製造設備に対応するパルプ製造設備で原木事情に悪影響を与えないもの，海外からの輸入原料を使用するパルプ製造設備を除き，パルプ製造設備の新増設を抑制することが求められた。この通達は1959年の設備規制を緩めるものであったが，輸入チップ利用の紙・パルプ一貫臨海型工場という方向性を示唆するものとなり，その後の紙・パルプ企業の行動を規定していくこととなった[32]。

　しかし，第1次石油危機での原油価格の引き上げにより，チップ，パルプ，古紙をはじめとして，工場資材価格が上昇し，製造コストに大幅な影響を及ぼした。特に増加傾向にあった輸入チップのFOB価格[33]は2倍近くとなった。この後の不況による減産により，1975年には木材チップ，古紙ともに消費量は減少した。1980年には第2次石油危機により再び原油価格が暴騰し，米国チップのFOB価格は前年比250%上昇するというチップショックが生じた。そのため，古紙利用によるパルプ材消費の節減，割高な輸入チップから割安な国産材へのシフト，原料の輸入依存度の低減が進められた[34]。

　輸入チップは，針葉樹チップから増加し，その後，マレーシアからは広葉樹のマングローブ，豪州からは天然林のユーカリなどが調達されるようになっていったが，輸入広葉樹チップの使用比率が本格的に増加するのは1985年以降のことであった。

　1985年のプラザ合意を契機として円高が進み，1980年代，1990年代に原油安になると急激に輸入チップ，特に輸入広葉樹チップへのシフトが加速した。古紙を除いた木材原料のみの比率では，1989年に輸入チップ比率が50％を超え，国産原木・チップの消費比率を上回った。輸入広葉樹チップでは，調達量を増やす過程で，調達地域の多角化が進められた。

　1992年にリオデジャネイロにて，国連環境開発会議（地球サミット）が開催され，森林に関する初めての世界的合意である「森林原則声明」が採択された。これにより持続可能な森林経営が世界的に意識されるようになり，紙・パルプ企業としても原料調達での社会的・環境的配慮のある原料調達が求められるようになってきた。1980年代後半より，海外産業植林地の造成が展開され，2000年代になると天然林広葉樹低質材に代替する形で人工林広葉樹低質材の調達量が増加していることが図1-1-6より確認できる。

　地域別の原料調達量の変化に注目すると，日本は天然林低質材（広）が1990年代に減少し，2000年代は人工林低質材（針）の増加があるものの，総調達量は横ばいとなっている（図1-1-7）。北米では米国西海岸地域でマダラフクロウ保護などの環境保護運動のために公有林の伐採禁止措置がとら

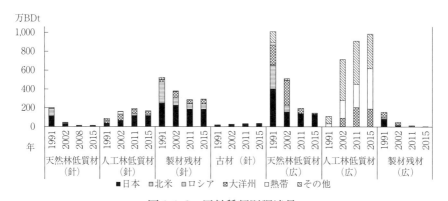

図 1-1-6　原料種類別調達量

出所：日本製紙連合会「パルプ材便覧」より作成。
注1：地域区分は北米（アメリカ・カナダ），ロシア（旧ソ連），大洋州（オーストラリア・ニュージーランド等），熱帯（フィジー・パプアニューギニア・東南アジア・ブラジル北部等），その他（チリ・南アフリカ・ブラジル南部等）。
注2：製材残材は，天然林，人工林含めた製材工場等の残材を利用したチップ。
注3：天然林低質材，人工林低質材は，丸太および丸太切削チップ。

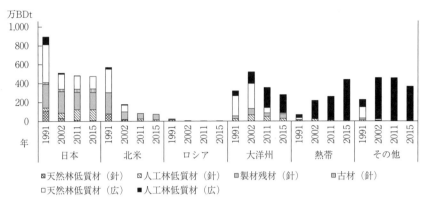

図1-1-7　地域別原料調達量
出所：日本製紙連合会「パルプ材便覧」より作成。
注：図1-1-6と同じ。

れたことで，現地の製材工場では操業短縮や工場閉鎖が行われたため，製材端材（針）の調達が減少した。また，南部の天然林低質材（広）も天然林伐採の問題により2000年代には激減することとなった。ロシアの針葉樹材の取引は2000年代では少量であり，針葉樹材の調達は主に日本と北米の製材残材，さらに大洋州のラジアータパインなどの人工林低質材によって成立している。

大洋州，熱帯，その他地域では1990年代は天然林低質材（広）の調達が比較的多かったが，2000年代には人工林低質材（広）の調達が大勢を占めるようになっていった。2000年代では，樹種も天然林，あるいは二次林からのダグラスファー，ユーカリ，ビーチなどから，人工林のユーカリ，アカシア，ラジアータパイン，カリビアンパインなどに変化していった。

(7)　原料調達の縮小

2008年以降の紙・板紙製品生産量の減産に伴って，針葉樹・広葉樹，国産・輸入，原木・チップ，古紙の全ての調達量が減少した。2008年から2009年にかけては，輸入針葉樹チップで3割，輸入広葉樹チップで2割と大幅に減少した。その後，紙・板紙製品生産量の回復とともに原料調達量も増加したものの，2008年と2015年の調達量を比較すると，国産針葉樹チッ

プが 345 万 BDt から 311 万 BDt（11％減），輸入針葉樹チップが 236 万 BDt から 159 万 BDt（33％減），国産広葉樹チップが 133 万 BDt から 121 万 BDt（10％減），輸入広葉樹チップが 1,118 万 BDt から 973 万 BDt（13％減），古紙が 1,915 万 t から 1,698 万 t（11％減）と総じて減少し，2008 年以前の水準には至っておらず，特に輸入針葉樹チップの減少が大きい。

　パルプ生産量は，1,066 万 t（2008 年），850 万 t（2009 年），873 万 t（2015 年）と推移し，KP 比率は 2007 年に 90％，2015 年では 93％（うち，BKP：79.8％，UKP：20.2％），GP/TMP/RGP が 7％，他少量となっている。そして，古紙利用率は 2000 年代に 6 割程度で定着した。つまり，2000 年代ではパルプ化技術，古紙利用比率などの生産構造に大きな変更はみられなくなってきたということである。

　輸入原料（丸太およびチップ）における 2015 年の樹種区分の比率は，広葉樹材 86.2％（うち，天然林低質材：1.2％，人工林低質材：98.5％，製材残材：0.3％），針葉樹材 13.8％（うち，天然林低質材：0.7％，人工林低質材：32.5％，製材残材：66.8％）となっている[35]。つまり，広葉樹材については植林木，針葉樹材については製材残材が主であり，それぞれの必要とされる用途とともに調達構造が異なっていることがうかがえる。

　輸入パルプの動向について，1990 年代，2000 年代と輸入比率は概ね 20％以下で推移してきた。その使用理由には，①国産パルプでは品質面で合わないか，あるいは価格が高すぎるもの（例えば白色度が高く強度のある針葉樹パルプなど），②国産パルプでは供給が十分でないので輸入で補填するもの（この中には国内企業が海外に投資してパルプを生産輸入する開発輸入が多く含まれる），の 2 点が挙げられる[36]。

注および引用文献
(1) 日本製紙連合会林材部（1997）『戦後日本における原料材対策の展開と変遷』：7 頁
(2) 財団法人日本経営史研究所（1973）『製紙業の 100 年―紙の文化と産業―』：207 頁
(3) 財団法人日本経営史研究所（1999）『三菱製紙百年史』：349 頁
(4) 財団法人日本経営史研究所（1999）『前掲』：350 頁
(5) 財団法人日本経営史研究所（1999）『前掲』：350 頁
(6) 財団法人日本経営史研究所（1999）『前掲』：405 頁
(7) 財団法人日本経営史研究所（1999）『前掲』：485 頁

(8)　財団法人日本経営史研究所（1999）『前掲』：572 頁

(9)　日本製紙連合会（1993）『紙・パルプ』1：5 頁

(10)　日本製紙連合会（1998b）『紙・パルプハンドブック 1998』：26 頁

(11)　日本製紙連合会（1998b）『前掲』：26 頁

(12)　日本製紙連合会（2015）『紙・パルプ産業の現状 2015 年版』：8 頁

(13)　日本製紙連合会（2015）『前掲』：9 頁

(14)　甘利敬正（2010）「製紙用原料」『日本の紙パルプ産業技術史』：1 頁

(15)　甘利敬正（2000）「紙・パルプ」大日本山林会『戦後林政史』：527-528 頁

(16)　鈴木尚夫編（1967）『XII　紙・パルプ』：340 頁

(17)　日本製紙連合会林材部（1997）『前掲』：13 頁

(18)　日本製紙連合会林材部（1997）『前掲』：14 頁

(19)　財団法人日本経営史研究所（1999）『前掲』：353 頁

(20)　財団法人日本経営史研究所（1999）『前掲』：354 頁

(21)　甘利敬正（2000）『前掲』：530-533 頁

(22)　日本製紙連合会（1991a）『紙・パルプ』4：26 頁

(23)　テックタイムス編（2006）『紙・パルプ産業と環境 2006』：50 頁

(24)　古紙再生促進センター（2008）『平成 20 年度 国庫補助事業　古紙の品質を守るために　異物混入と現状の対策（第 2 版）』：40 頁

(25)　紙・パルプ連合会（1962）『紙及パルプ』9：7 頁

(26)　河毛二郎（2003）『紙は生きている』：付録年表

(27)　古紙再生促進センター（2008）『前掲』：40 頁

(28)　王子製紙株式会社（2001a）『王子製紙社史　本編』：168 頁

(29)　王子製紙株式会社（2001b）『王子製紙社史　合併各社編』：424 頁

(30)　古紙再生促進センター（2008）『前掲』：40 頁

(31)　古紙再生促進センター（2008）『前掲』：40 頁

(32)　村嶌由直（1974）『木材輸入と日本経済』：54 頁

(33)　FOB（Free on board）：貨物を積み地の港で本船に積み込んだ時点の「本船渡条件価格」

(34)　甘利敬正（2000）『前掲』：541-544 頁

(35)　日本製紙連合会（2016）「パルプ材便覧」

(36)　河毛二郎（2003）『前掲』：64 頁

第2節　成熟・縮小期における紙・板紙製品生産と消費原料の関係

1　パルプ材の適性と紙・板紙製品の原料構成

(1) 紙・板紙製品の特徴

　一概に紙・板紙製品といっても，その用途によって製品の原料構成は大きく異なっている。製品別に重視される品質や特徴，原料構成は以下のようになる（表1-2-1）。

表1-2-1　紙の種類と重視される品質の概要

新聞用紙	裏抜け，インキ乾燥性，印刷適性，作業性（輪転機で切れない），軽さ
印刷情報用紙	印刷適性，印刷作業性，カール，紙詰まり，紙粉，発色性（感圧紙・感熱紙）
包装用紙	破裂強度，引張り強度，引裂き強度，
衛生用紙	柔らかさ，吸水性，溶解性（トイレット）
工業用雑種紙	加工適性（強度），平滑性
段ボール原紙	圧縮強度，撥水度，耐水強度
紙器用板紙	撥水性，耐摩耗性，層間剥離強度，食品衛生

出所：上河潔（2009b）

①新聞用紙

　新聞用紙には高速輪転機に耐えうる強度と薄さ，裏抜け対策が必要とされる。そのため，戦後の新聞用紙はGPとSPによって構成され，1949年時点ではGP配合量が70％以上となっていたが，1960年代には広葉樹材を利用したCGPやSCP，RGPも一部で使用されるようになった[1]。1970年代になると新聞用紙においてもSPからKP使用への転換が進み[2]，GPの代替としてTMP，DIPの利用が進展した。古紙利用率はおよそ10％（1979年）→35％（1986年）→42％（1999年）→70％（2005年）と上昇してきた。そのため，2000年代では古紙利用率が70％で，残りが針葉樹のKP，TMP/GPによって構成されているのが一般的とされる。

　また，日本では一概に新聞用紙といってもその仕様・品質は新聞社，印刷所ごとに異なるオーダーメイド（特注品）であったため，国際商品としての

通常の新聞用紙の輸入は伸びず，唯一国産製品と同等の品質を有する開発輸入品のみが日本市場で受け入れられてきた[3]。

②印刷情報用紙

印刷用紙は，各種書籍や雑誌の本文，カタログ，スーパーのチラシ，ノートや便箋のような紙製品にいたる様々な用途に使用されており，情報用紙には，ノーカーボン紙，フォーム用紙，PPC用紙，感熱紙などがある。

特にその品質としては，平滑性や印刷適性の良さが求められる。1950年代頃までは針葉樹を利用したSPが主流であったが，1960年代になるとLBKPの使用が主となってくる。特に上級紙では広葉樹のKPが60％と過半数を占め，中下級紙での古紙利用は，用途に求められる品質や白色度によってその配合率が変動する。また，ある程度の強度を維持するために針葉樹のKPも必要とされる場合もあるが，コスト削減のためにパルプ収率の良いTMPやGPが用いられることもある。

③包装用紙

包装用紙には，両更クラフト紙として産業用大型紙袋（米用，製粉用，肥料用，合成樹脂用など）に用いられるものや，純白ロール紙，晒クラフト紙などの小売店の包装用紙や手提げ袋，封筒に用いられるものがある。その特性上，強度が求められるため，針葉樹のKPが重要である。特に強度を必要とする産業用重袋には繊維長の長い針葉樹（ダグラスファーなど）のKPが必要とされ，古紙での代替がし難い品種項目となっている。なお，白色度はそれほど求められない製品ではUKPが使用される。

④衛生用紙

衛生用紙の中心はティッシュペーパーとトイレットペーパーであり，紙製品の中では珍しく最終消費者に直結した商品である[4]。その品質には柔らかさ，吸水性，溶解性（トイレットペーパー）が要求される。原料の配合は品質と用途によって差が大きく，古紙利用率も0～100％まで様々である。柔らかさなどの適性においては，針葉樹のKPが優れるが，コスト的に割安

な古紙や広葉樹の KP も配合される。

⑤段ボール原紙

　段ボール原紙とはライナーと中芯原紙のことであり，両更クラフト紙とともに代表的な産業用紙である。主に物品の輸送に使用されることから，強度と耐水性が求められる。包装革命における段ボール原紙の増産は，従来の古紙由来のジュートライナーよりも強度を出せる KP のクラフトライナー生産によって支えられていた。全量木材パルプの K ライナーの本格生産は，1959 年に本州製紙（釧路）で開始され，当時は広葉樹材由来の UKP 利用によって展開された。そして，SCP や CGP を主とした中芯原紙と合わせて強度が確保された[5]。1973 年の第 1 次石油危機を機に，古紙配合の K'ライナーが普及し始め，2000 年代になると古紙利用率が約 95 〜 100％と全製品の中で最も高くなっている。しかし，多くの場合，強度を維持するために針葉樹の KP の配合が必要である。

⑥紙器用板紙

　紙器用板紙は，日用品や医薬品の紙製容器，カード類，飲食店のメニューなど，極めて多岐にわたって使用されている。そのため，品質としては撥水性や耐摩耗性が求められてきた。1960 年代頃までの古紙利用は専ら白板紙用であった[6]。高級品種では表層に BKP，中層や裏層に GP が使用される製品もあるが，近年では DIP が使用されるようになり，古紙パルプ 100％の白板紙も生産されるようになっている[7]。

⑦雑種紙

　上記以外の用途の紙製品の総称。建材用原紙，電気絶縁紙，ライスペーパー（紙巻たばこ用）など，少量多品種生産で，特定用途に使用される特殊な機能が付与される。原料は UKP や BKP などが主であるとされる[8]。

⑧雑板紙

　建材原紙（防水原紙，石膏ボード原紙）や台紙・地券，防音材，断熱材，

紙管原紙などに使用される。原料は古紙を主として，麻・木綿などの檻褸も使用される場合がある[9]。

(2) パルプ材の適性

　原料の種類は，広葉樹材，針葉樹材，古紙の3つに大別できる。

　広葉樹材（繊維長 0.7 〜 1.8mm，繊維幅 10 〜 50 μ）は，繊維長が短く（表 1-2-2），針葉樹由来のパルプより強度は劣るが寸法安定性に優れ，不透明度が高いので，平滑で均質な印刷適性の良い製品を生産するのに適している（表 1-2-3）。安価で大量に入手可能という観点から利用が進められ，主な利用樹種は国産材から輸入人工林材へと移行した。広葉樹材は容積重が大きく釜への充填がよい上に，セルロース含有量（精選収率）の高い材が多く，単位面積当たりのパルプ収率がよいため，大量生産が指向される印刷情報用紙の主原料となった。最終製品を製造する上で，樹種による使い分けはないとされるが，ユーカリやアカシアでも種類や産地によって蒸解性などが異なるため，工場単位での製造レシピの調整が行われている[10]。

　針葉樹材（繊維長 2.0 〜 4.5mm，繊維幅 20 〜 70 μ）は，繊維長が長く（表 1-2-2），抄きムラができやすく，平滑性には劣るが，裂断長，比引裂，耐折性が高いため（表 1-2-3），強度が必要とされる製品を生産するのに適している。樹種では，特に繊維長がある輸入材のダグラスファーと国産材の

表 1-2-2　樹種による性質の違い

	樹種	比重	繊維長（mm）
広葉樹	ユーカリ・グロビュラス	0.55	0.8
	ユーカリ・ナイテンス	0.45	0.7
	ユーカリ・グランディス	0.5	0.8
	アカシア・マンギューム	0.5	0.8
針葉樹	スギ	0.35	2
	ヒノキ	0.4	2
	カラマツ	0.4	2.5
	ラジアータパイン	0.4	3
	ダグラスファー	0.45	3.5

出所：王子製紙編著（2009）133 頁

表1-2-3　樹種別性状比較

チップ品質		間伐 スギ丸太	間伐 スギ背板	外材 針葉樹	広葉樹 ユーカリ
容積重（kg/m³）		354 ～ 391	323	450 ～ 491	511 ～ 562
蒸解性	精選収率（%）	42 ～ 45	44	46 ～ 48	45 ～ 53
	単位面積当たりパルプ収量(kg/m³)	155 ～ 164	142	205 ～ 227	230 ～ 298
パルプ特性	密度（g/cm³）	0.69 ～ 0.76	0.69	0.57 ～ 0.72	0.62 ～ 0.65
	裂断長（km）	9.1 ～ 10.3	10.8	8.0 ～ 9.2	5.7 ～ 6.0
	比引張強さ（N·m/g）	89 ～ 101	106	78 ～ 90	56 ～ 59
	比引裂（mN/g/m²）	11.5～13.4	14.6	10.6 ～ 25.4	9.8 ～ 10.3
	耐折（回）	2,000	2,000	1,000 ～ 1,600	20 ～ 100
	不透明度（%）	66.1～68.0	64.6	55.5 ～ 59.1	70.7～77.1

出所：上河潔（2009b）を一部著者改変（換算して「比引張強さ」を追加）。

スギ・ヒノキ・カラマツでは，生産製品に要求される強度の違いによって明確に使い分けがなされている。スギの製材端材や間伐材チップは低価格で調達できるというメリットがあるが，スギは針葉樹の中でも比重が小さいため蒸解釜の充填率が低く，更に精選パルプ収率も低いので，高配合にすると工場のパルプ生産能力を低下させる。そのため，工場設備や製品種類によって配合率の上限を設けている場合が多い。しかし，スギを含む針葉樹パルプは密度が高くなるので，締まり弾力性がでるとされる。また，新聞用紙に使用されるRGPには，漂白せずともある程度の白色度が得られるマツ類が要求されることもある（スギ材は赤い）[11]。

　上述の原料樹種特性を踏まえると，紙製品との適性は表1-2-4のように示すことができる。新聞用紙では，輪転機での断紙率を下げるために針葉樹パルプが重要とされている。印刷情報用紙では，印刷適性と不透明度の重要性が高いため，広葉樹パルプが適当であることがわかる。包装用紙は，強度面を重視すると他の針葉樹（輸入材ダグラスファーなど）が優先され，それに準じてスギなどが適しているが，広葉樹利用には向いていない。衛生用紙では，柔らかさと耐折性が要求されるため，スギやヒノキなどの樹種が求められることもある。

　日本企業によって使用されてきた主要な輸入パルプ材樹種をみてみると，

表 1-2-4　紙の品種に求められる特性と使用材種

品種	求められる特性	スギ丸太	スギ背板	他の針葉樹	ユーカリ
新聞用紙	裏抜け	△	△	×	○
	輪転機で切れない	○	○	○	△
印刷用紙	印刷適性	×	×	×	○
	不透明度	△	△	×	○
情報用紙	カールしにくい	×	×	×	△
	紙粉が出ない	○	○	○	△
包装用紙	破裂強度	△	△	○	×
	引張強度	○	○	○	×
衛生用紙	柔らかさ	△	△	△	○
	耐折性	○	○	○	×

凡例：○―適，×―不適，△―どちらでもない
出所：上河潔（2009b）

　表 1-2-5 のようになり，ダグラスファーは新聞用紙・産業用紙用途で輸入されてきたが，他樹種の多くは印刷情報用紙や新聞用紙といった大量生産と印刷適性が必要とされる製品向けに輸入されてきたことが確認できる。

　古紙は，種類によるが主にスギなどの国産針葉樹材由来のパルプと代替関係にある。一部のクラフト紙の古紙は強度が高いため，別分類されて使用される場合もある。古紙は再利用する度に繊維長が短くなるという性質上，再利用回数の限界は 3 〜 5 回なので，製品には少しずつでも新たな針葉樹パルプを追加し，強度を維持していく必要がある。省資源，コスト節約にメリットがある一方で，KP を作る際に燃料として使える黒液が得られないというデメリットもあるため，生産する製品の品質要求によってコスト（他の薬品の添加や脱墨処理など）が変わってくる。

2　紙・板紙製品別原料消費量の推計

（1）紙・板紙製品種類別のパルプ構成

　2000 年代の日本の紙・板紙製品の一般的とされるパルプ構成を，日本製紙連合会資料に基づいて作成すると，図 1-2-1 のようになる。

　広葉樹材は主に KP として，平滑性や印刷適性が求められる上級印刷用紙

表1-2-5　主要輸入パルプ材樹種一覧

	樹種	特徴	主な用途
針葉樹	ダグラスファー	米国カリフォルニア州北部からカナダBC州南部の沿岸筋に分布。材は淡赤褐色，堅硬通直で繊維が長くて強い。	BKP/新聞用紙包装用紙段ボール原紙他
	ヘムロック	北米西海岸からカスケード山脈にかけて分布。材色はベイマツより白い。	KP・TMP/印刷用紙新聞用紙他
	スプルースパイン・ファー	カナダBC州のロッキー山脈の西側に広く分布。材の白色度が高い。	KP・TMP/印刷用紙新聞用紙他
	ラジアータマツ	原産は米国西南部であるが，NZ・チリでの植林成績が良く，植林地形成が進展。	TMP・GP・BKP/新聞用紙印刷用紙・産業用紙他
	カリビアマツ	原産は西インド諸島・中南米，早生樹として熱帯地方で植林。間伐材や製材残材をチップとして輸入。	KP
広葉樹	ユーカリ	豪州原産が多い。材は硬靭。早生樹として各地で地域に適した樹種が植林。	BKP/印刷情報用紙他
	オールダー	北米西海岸産。	BKP/印刷情報用紙他
	アカシア	豪州，南アフリカ等に広く分布。南アではタンニン採取用に植林したモリシマアカシア廃材チップ利用。アカシアマンギュウム等早生樹として熱帯各地で植林展開。	BKP/印刷情報用紙他
	ビーチ	チリ・NZ産の常緑高木。	BKP/印刷情報用紙他
	オーク	米国南部から産する多数の樹種。	BKP/印刷情報用紙他
	マングローブ	熱帯地域の干満潮帯に生育する多数の科，属の樹木の総称。材は堅硬。	BKP用途蒸解し難く単独使用困難他樹種と混合利用
	ゴム	マレーシア産，ラテックスを採取するために栽培されたゴムの樹の廃材利用。	SCP/段ボール原紙

出所：日本製紙連合会（1998b）143頁，全国木材チップ工業連合会（1987）149-150頁

に多く配合され，そのほかに包装用紙や紙器用板紙などの印刷適性が重視される製品への使用比率が高い。また，針葉樹材のKPよりもコスト的に割安なため，衛生紙の中には広葉樹材のKPの配合率が高いものもある。

　針葉樹材は主にKPと機械パルプ（GP/TMP）に使用され，強度を必要とする産業用の包装用紙での配合率が高く，他の製品でも比率は少ないもの

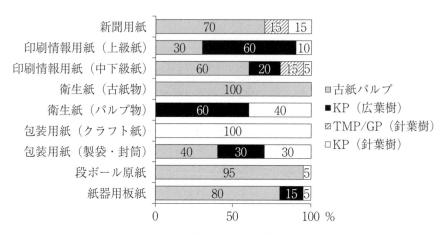

図1-2-1　紙・板紙製品のパルプ構成比率（代表例）

注：再生紙など配合率指定の銘柄を例外として，製紙工場は紙の品質，設備の効率化，製造原価
　　を勘案しながら原料配合を変える。上記に示す値は2000年代の日本の代表的な組成である。
出所：上河潔（2009b）

の強度維持のために配合される。

　古紙パルプは，高い白色度を要求されない段ボール原紙や紙器用板紙，印刷情報用紙（中下級）に多く配合されている。その他コスト削減や省資源のために，新聞用紙をはじめ多くの製品に配合されているが，高白色や強度を要求するような製品には，薬品やエネルギーの投入が必要なため，配合率の製品ごとの差が大きい。

(2) 1,000kg当たりの紙・板紙製品別原料消費量の推計

　図1-2-1の紙・板紙製品のパルプ構成比率をもとに，各製品1,000kgを生産するために針葉樹チップ，広葉樹チップ，古紙がどれほど必要とされるのかを推計する。

　この推計では，木材チップ，古紙のパルプ化比率を日本製紙連合会（2015）「パルプ材便覧」に基づき，KP：木材チップ＝1：1.84，GP/TMP＝：木材チップ＝1：1，古紙パルプ：古紙＝1：1.18とした[12]。計算式は以下の通りである。

[式1]

$a_n = ($古紙パルプ率$_n × 1.18 + KP_{広葉樹}$率$_n × 1.84 + KP_{針葉樹}$率$_n × 1.84 +$ GP/TMP$_{針葉樹}$率$× 1 × 1{,}000kg$

$= ($古紙消費率$_n +$広葉樹チップ消費率$_n +$針葉樹チップ消費率$_n) × 1{,}000kg$

$a_n = $製品 1000kg 当たりの木材チップ・古紙の合計消費量

n = 新聞用紙，印刷情報用紙（上級紙），印刷情報用紙（中下級紙），包装用紙（クラフト紙），包装用紙（製袋・封筒），衛生紙（パルプ物），衛生紙（古紙物），段ボール原紙，紙器用板紙

新聞用紙の計算例は以下の通りである。

$a_{新聞用紙} = (0.7 × 1.18 + 0 × 1.84 + 0.15 × 1.84 + 0.15 × 1) × 1{,}000kg$
$= 1{,}252kg$

ただし，内訳は古紙 826kg（0.826t），広葉樹チップ 0kg（0t），針葉樹チップ 426kg（0.426t）

　各製品別の推計結果は図 1-2-2 に示す通りである。

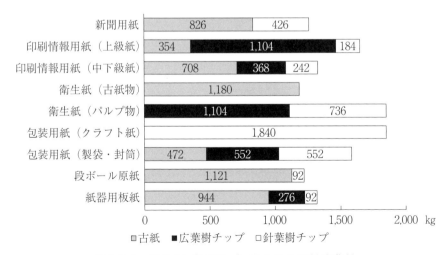

図 1-2-2　製品 1t（1,000kg）当たりの原料消費量
出所：著者作成

　新聞用紙，印刷情報用紙（中下級），衛生紙（古紙物），段ボール原紙，紙器用板紙では重量ベースで古紙消費量が過半を占める。他方，白色度，強度，肌触りなどが重要視される印刷情報用紙（上級），包装用紙（クラフト紙），包装用紙（製袋・封筒），衛生紙（パルプ物）については企業の商品ごとに差はあれどもチップを由来とするパルプを多く使用している。この推計結果より，製品種類の違いによって原料消費量に差異があることが定量的に確かめられた。

（3）2013 年における紙・板紙製品別原料消費量

　2013 年の紙・板紙製品別生産量から，図 1-2-1 を参考として消費パルプ量を推計すると表 1-2-6 のようになる。

　製品 1,000kg（1t）当たりの原料消費量（図 1-2-2）をもとに，2013 年の紙・板紙製品生産に対する木材チップ・古紙消費量の推計は以下のように表せる。

［式 2］

$$C_n = a_n \times P_n$$

ただし，

C_n ＝木材チップ・古紙の合計消費量（t）

a_n ＝製品 1t 当たりの木材チップ・古紙消費量（t）

P_n ＝ 2013 年の製品生産量（t）

新聞用紙の計算例は以下の通りである（単位は t（チップは BDt）換算）。

$C_{新聞用紙}$

$= a_{新聞用紙} \times P_{新聞用紙}$

$= (0.826 + 0 + 0.426) \times 3{,}218{,}530$

$= 2{,}658{,}506 + 0 + 1{,}371{,}094$

$= 4{,}029{,}600$（t）

ただし，古紙 2,658,506t，広葉樹チップ 0BDt，針葉樹チップ 1,371,094BDt

表 1-2-6　製品別パルプ消費量・比率（2013 年推計値）

単位：千 t，%

製品		LKP		NKP		GP/TMP		古紙パルプ	
生産量	比率	生産量	比率	生産量	比率	生産量	比率	生産量	比率
新聞巻取紙	3,219	12			483	16	483	72	2,253	14
印刷情報用紙	8,576	33	4,656	75	796	26	184	28	2,940	18
包装用紙	880	3			880	29				
衛生用紙	1,747	7	524	8	349	12			873	5
雑種紙	760	3	760	12						
段ボール原紙	8,805	34			440	15			8,365	51
紙器用板紙	1,597	6	240	4	80	3			1,277	8
雑板紙	657	3							657	4
計	26,241	100	6,179	100	3,028	100	666	100	16,366	100

出所：著者作成。
注1：印刷情報用紙（上級）・（中下級），衛生紙（古紙物）・（パルプ物），包装用紙（クラフト紙）・（製袋・封筒），雑種紙，雑板紙については，経済産業省「紙・印刷・プラスチック・ゴム製品統計年報」の製品分類中項目および日本製紙連合会（1998）『紙・パルプハンドブック』の紙・板紙の品種分類を参考に分類し，合計値を統合した。各製品の分け方は以下の通りである。
　①印刷情報用紙：晒化学パルプ使用率が 40％ 未満とされる下級印刷紙を図 1-2-1 の中下級紙の比率で推計し，残りの品種は上級紙として扱った。
　②衛生紙：品種分類の解説よりパルプ物と古紙物を分類することが困難であったため，古紙パルプ 50％，広葉樹 KP30％，針葉樹 KP20％ という中間の値をとって推計した。なお，2006 年時では古紙利用率 53％ という試算があり [13]，その値から大きくは外れておらず，ある程度妥当であると考える。
　③包装用紙：品種分類上古紙配合製品の分離が困難であったため，全てクラフト紙として扱った。なお環境省（2007）の推計では古紙利用率は 5％ と少量に留まっている。
　④雑種紙：品種分類の解説を参考に全て広葉樹 KP と仮定して扱った。
　⑤雑板紙：品種分離の解説を参考に全て古紙パルプと仮定して扱った。
注2：填料・薬品の重さは考慮していない。

　表 1-2-6 の全ての品種にこの推計を当てはめると，図 1-2-3 のように示すことができる。

　図 1-2-3 および表 1-2-7 より，原料消費量に対する製品の割合を「原料（①新聞用紙，②印刷情報用紙，③包装用紙，④衛生紙，⑤段ボール原紙，⑥紙器用板紙，⑦雑種紙・雑板紙）」のように示すと，「古紙（① 14％，② 18％，③ 0％，④ 5％，⑤ 51％，⑥ 8％，⑦ 4％）」，「木材チップ（① 8％，② 58％，③ 9％，④ 9％，⑤ 5％，⑥ 3％，⑦ 8％）」となる。木材チップの種類別の比率は，「広葉樹チップ（① 0％，② 75％，③ 0％，④ 8％，⑤ 0％，⑥ 4％，⑦ 12％）」，「針葉樹チップ（① 22％，② 26％，③ 26％，④ 10％，⑤ 13％，⑥ 2％，⑦ 0％）」であった。

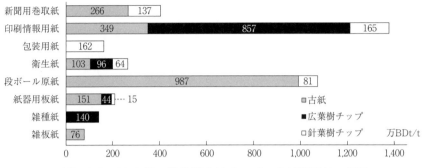

図 1-2-3　2013 年の製品別木材チップ・古紙消費量の推計
出所：著者作成。
注：木材チップの重量単位は万 BDt，古紙の重量単位は万 t。填料・薬品は除く。

　このように，日本の紙・板紙製品生産における木材チップの 58％，広葉樹チップの 75％は印刷情報用紙に消費されており，印刷情報用紙と同様に生産量の大きい段ボール原紙は古紙の 51％を消費する一方で，木材チップの消費量に対しては 5％を占めるにすぎない。そして，広葉樹チップの多くは印刷情報用紙生産に消費されているため，その生産量の増減が広葉樹チップ需要の増減に与える影響は大きいと考えられる。針葉樹チップは包装用紙以外では使用比率が少なく，包装用紙自体は生産量が大きくないため原料としての消費量は小さい。しかし，前述したように強度などの品質維持に必要なため，針葉樹チップは多くの製品に用いられている。

（4）紙・パルプ製造技術の成熟と消費原料の落着
ⅰ）1990 年以降における紙・板紙製品生産と原料消費の相関
　1990 ～ 2015 年の紙・板紙製品とその主な構成原料である KP，古紙，さらに KP の主原料となる広葉樹チップおよび針葉樹チップの相関係数をみると，表 1-2-8 のように表せる。KP では使用比率が大きく，消費量も大きい印刷情報用紙との相関が高い。そして，表 1-2-7 で示したように広葉樹の印刷情報用紙への利用が大きいことから，印刷情報用紙と広葉樹，広葉樹とKP の相関も比較的高くなっていることは妥当である。
　ここで KP の構成について分類すると表 1-2-9 のようになり，2000 年代で

表 1-2-7　2013 年の紙・板紙製品別原料消費量の推計

単位：古紙（千 t），チップ（千 BDt）

	古紙		木材チップ						パルプ輸出入（輸入－輸出）
	計		計		広葉樹チップ		針葉樹チップ		
	生産量	比率	生産量	比率	生産量	比率	生産量	比率	
新聞用巻取紙	2,659	14%	1,371	8%			1,371	22%	
印刷情報用紙	3,490	18%	10,216	58%	8,567	75%	1,649	26%	
包装用紙			1,619	9%			1,619	26%	
衛生紙	1,031	5%	1,607	9%	964	8%	643	10%	
段ボール原紙	9,871	51%	810	5%			810	13%	
紙器用板紙	1,507	8%	588	3%	441	4%	147	2%	
雑種紙・雑板紙	775	4%	1,398	8%	1,398	12%			
①推計値	19,332	100%	17,609	100%	11,370	100%	6,239	100%	
②統計値	17,056		18,400		10,917		5,051		2,432
誤差率（①／②）	114%		96%		104%		124%		

出所：表 1-2-6 と同じ，日本製紙連合会（2014）「パルプ材便覧」をもとに著者作成。
注 1：パルプ輸出入は輸入パルプと輸出パルプの差を KP 換算でチップ重量（BDt）とした。
注 2：古紙②統計値には古紙消費量に古紙パルプ消費量を古紙換算した値を加えてある。
注 3：針葉樹チップの推計値は統計値より，24％大きい数値となっているが，輸入パルプが北米等からの針葉樹パルプが主であることから，輸出入パルプを加えた計で推計値と統計値の差が縮まることは妥当であると考える。誤差率より，実際は推計値より木材チップの消費量が多く，古紙消費量が少ないことが考えられるが，総重量での差異を推計すると，誤差率は 104％となり，推計値は大きくは外れておらず，一定の妥当性があると判断される。

表 1-2-8　紙・板紙製品，KP，木材原料の相関係数（1990 ～ 2015 年)

	新聞用紙	印刷情報用紙	包装用紙	家庭用紙	段ボール原紙	紙器用板紙	KP	広葉樹	針葉樹
KP	0.67	0.96	0.43	0.07	0.66	0.49			
広葉樹	0.48	0.91	0.62	-0.16	0.56	0.7	0.95		
針葉樹	-0.02	0.31	0.98	-0.82	-0.2	0.95	0.41	0.61	
古紙	0.74	0.57	-0.52	0.77	0.76	-0.45	0.52	0.27	-0.53

出所：図序-1 と同じ，著者作成。
注：小数第 3 位を四捨五入。

7 割以上が LBKP となり，広葉樹を主とした構成となっている。NUKP は主に産業用の包装用紙に多く用いられていたが，包装用紙の需要減少に加えて，古紙への代替も行われているとされ，KP 内での構成比率は減少してきた。そのため，針葉樹と包装用紙の相関は高いが，針葉樹と KP の相関は低い値となり，古紙と針葉樹が負の相関を示していることが示唆される。

表 1-2-9 KP の構成比率

単位：%，千 t

年	NBKP	LBKP	NUKP	LUKP	KP 計
1990	14	66	18	2	8,721
1995	13	68	15	3	9,078
2015	13	74	13	0	8,109

出所：日本製紙連合会「パルプ統計」

ⅱ）印刷情報用紙需要縮小に伴う原料調達への影響

　紙・板紙製品生産と原料消費の変遷を踏まえると，紙・板紙製品生産は（A）高度成長期：1950 ～ 73 年，（B）安定成長期：1974 ～ 91 年，（C）成熟期：1992 ～ 2007 年において，第 1 次・第 2 次石油危機での停滞はあったものの，概ね経済成長に伴って印刷情報用紙，段ボール原紙を主として生産量を増加させてきた。原料は国産の針葉樹材から広葉樹材，原木から木材チップ，そして輸入チップおよび古紙利用へと，主となるものが変化してきた。しかし，日本の紙・パルプ産業は，1990 年代には，紙・板紙製品の種類，パルプ化技術，消費原料において大きな変化はみられなくなってきた。つまり，印刷情報用紙と段ボール原紙を主とした LBKP と古紙パルプの利用，その原料となる輸入広葉樹チップと古紙の調達率の高さが，日本の紙・パルプ産業の特徴といえる。さらに輸入広葉樹チップについては，1990 年代より天然林材から人工林材への移行が顕著に進められていった。

　2008 年以降には，紙・板紙製品生産量は減少に転じ，特に生産量の大きかった印刷情報用紙が継続的な減少傾向を示すようになった。近年の紙・板紙製品別の原料構成を勘案すると，印刷情報用紙の生産量減少は広葉樹チップ消費量の減少に直結している部分が大きい。

　以上のことを総括すると紙・板紙生産量の（D）縮小期：2008 ～ 15 年における日本の紙・パルプ産業の紙・板紙製品と原料調達関係は図 1-2-4 のように表すことができる。

　（D）縮小期の各紙・板紙製品生産量の変化率は，衛生紙・段ボール原紙以外では減少を示し，特に生産量シェアの 33％を占める印刷情報用紙の減少が進んでいる。紙・板紙製品の原料となるパルプ生産では古紙が 6 割以上

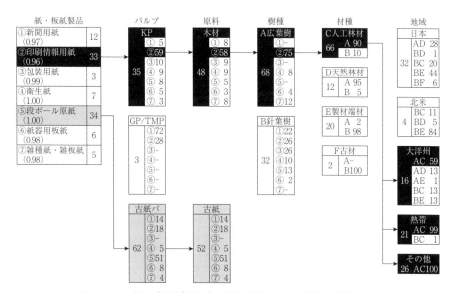

図1-2-4　紙・板紙製品生産縮小期の原料消費・調達関係

出所：経済産業省（2014）「紙・印刷・プラスチック製品・ゴム製品統計編」，日本製紙連合会（2014）「パルプ材便覧」より著者作成。

注1：地域区分は北米（アメリカ・カナダ），大洋州（オーストラリア・ニュージーランド等），熱帯（フィジー・パプアニューギニア・東南アジア・ブラジル北部等），その他（チリ・南アフリカ・ブラジル南部等）。

注2：紙・板紙製品項目の（　）内の数値は縮小期における製品生産量の平均変化率を示す。

注3：天然林低質材，人工林低質材は，丸太および丸太切削チップ。

注4：図中の数値の単位は％，各項目の先頭行の数値の合計は100％，項目内の細分化された数値は項目内合計で100％となる。なお，数値は小数点第一位を四捨五入しているため，100％とならない項目も存在する。

注5：「－」は本稿における推計上は「無し」とみなした数値。

注6：パルプ消費量には本稿での推計値を用いたため，公益財団法人古紙再生利用促進センター発表の2013年の古紙利用率63.9％とは一致していない。

図の見方：図中の〇付きの数字はそれぞれ紙・板紙製品（①②③④⑤⑥⑦），樹種（AB），材種（CDEF）を示しており，各項目の製品・樹種・材種が占める比率を説明している。図中最右列の例を示すと，「日本 AD28」は国産チップにおいて広葉樹天然林材が28％を占めているということを表している。

使用され，木材由来のパルプは4割程度で，そのうちKPの生産が9割以上を占めている。古紙の利用率は板紙で9割に達し，その消費量は古紙消費量の51％を占める段ボール原紙の生産量に影響される。そして，古紙の使用率は製品の品質維持の面からほぼ上限になりつつあり，今後大幅に上昇する可能性は低いとされる。KPの生産量に最も影響を与えうるのは，KP消費量の59％を占めるとみられる印刷情報用紙である。

　印刷情報用紙は，KP を最も使用するため，木材の消費量比率も 58％と最も大きくなる。樹種別にみると，広葉樹材が 68％と大半を占め，そのうちの 75％が印刷情報用紙の生産に使用されている推計となる。

　広葉樹材は主に人工林材と天然林材で構成されており，その比率はおよそ人工林材（8）：天然林材（2）である。広葉樹人工林材の主な調達地域は，大洋州・熱帯・その他の地域で，早生樹のユーカリやアカシアの産業植林地経営が成立してきた。広葉樹天然林材の調達先は主に日本国内であるが，その数量は 1990 年代に大きく減少し，2000 年代は横ばいで推移してきた。

　（D）縮小期において，印刷情報用紙の生産量が減少したことによって，KP・広葉樹材需要は減少し，現行の広葉樹材調達体制を縮小せざるを得ない状況となった。つまり，国内外で構築してきた原料調達システムをいかに縮小させ，どのような原料調達戦略を選択するのかということが，日本の紙・パルプ企業の課題となってきたことが示唆される。

注および引用文献

(1) 公益財団法人紙の博物館（2010）『日本の紙パルプ産業技術史』：356-359 頁

(2) 公益財団法人紙の博物館（2010）『前掲』：81 頁

(3) 王子製紙編（2001）『紙・パルプの実際知識　第 6 版』93-94, 130-132 頁

(4) 王子製紙編（2001）『前掲』：137 頁

(5) 本州製紙株式会社（1966）『本州製紙社史』：79, 139 頁

(6) 公益財団法人紙の博物館（2010）『前掲』：613 頁

(7) 公益財団法人紙の博物館（2010）『前掲』：614 頁

(8) 日本製紙連合会（1998b）『紙・パルプハンドブック 1998』：38-39 頁

(9) 日本製紙連合会（1998b）『前掲』：42-43 頁

(10) 紙・パルプ企業聞き取り調査（2014 年 9 月 1 日）

(11) 紙・パルプ企業聞き取り調査（2014 年 9 月 1 日）

(12) 古紙 1t から 850kg の古紙パルプが再生（歩留り 85％）されると想定（中島隆吉ホームページ「「FAQ（16）古紙 1t は立木，20 本に相当する」算出根拠」『紙への道』，引用 URL：http://dtp-bbs.com/road-to-the-paper/faq/faq-016.html（2017 年 10 月 18 日取得）。

(13) 古紙再生促進センター（2008）『平成 20 年度 国庫補助事業　古紙の品質を守るために　異物混入と現状の対策（第 2 版）』：22 頁

第2章 国産チップ調達システムの組織間関係

第1節 紙・パルプ企業の合併と立地調整

1 パルプ工場の立地展開

　日本の紙・パルプ工場の新設は主に原料と工業用水の利用環境によって規定され，表2-1-1のように時代区分できるが[1]，地域の政治的環境も新設企業の操業にかかわる重要な要素であった。そのため，紙・パルプ工場の新設要因について各社社史などによると，地域振興のための工場誘致や地元の企業家による操業というケースもまま見受けられる。

　第Ⅰ期は日本の洋紙産業，つまり現代に続く紙・パルプ産業の創業期であり，その原料は襤褸や稲藁であった。洋紙の国産化を図るために官民双方で機械抄き洋紙工場が東京・大阪・京都・神戸という原料の襤褸集荷が容易な大都市に勃興した。

　第Ⅱ期では王子製紙と富士製紙が木材パルプの工業化に成功し，天然林の

表 2-1-1　製紙技術の変化に伴う工場立地の変遷

時代区分	年代	技術	パルプ原料	工場立地	代表的工場
Ⅰ	1874 ～		襤褸・稲藁	都市近郊	王子，高砂
Ⅱ	1890 ～	GP・SP法	天然林モミ・ツガ	静岡県	入山瀬，気田
Ⅲ	1908 ～		エゾマツ・トドマツ	北海道・樺太	苫小牧，泊居
Ⅳ	1937 ～ 1938 ～		アカマツ・クロマツ ブナ	中国 東北	岩国 石巻，秋田
Ⅴ	1952 ～	KP, SCP, CGP法	その他広葉樹	中国・東北	米子，白河
Ⅵ	1956 ～ 1965 ～	木材チップ チップ専用船開発	製材端材 輸入チップ	全国 港湾近接	八戸，秋田
Ⅶ	1985 ～ 1991 ～	調達地域多角化 産業植林地造成	輸入天然林材 輸入人工林材		

出所：塩川亮（1977a）86頁に著者加筆修正。

モミ・ツガが得やすい静岡県に気田工場や入山瀬工場が設立された。

　第Ⅲ期になるとエゾマツ・トドマツを利用するために北海道・樺太への工場進出が行われた。この時期，王子製紙・富士製紙・樺太工業の3企業で北海道と樺太の木材資源は独占され，3企業以外の工場新設は困難であった。他方で内地では，東海パルプ（島田）や北越製紙（新潟）などが操業していった。

　第Ⅳ期にはアカマツ・クロマツの利用により中国に山陽パルプ（岩国）が，ブナの利用により東北に東北振興パルプ（秋田，石巻）が設立された。

　戦後の第Ⅴ期には樺太喪失による資源不足とブナ以外の広葉樹のパルプ化成功が相まって，中越パルプ工業（能町）や東洋パルプ（呉），日本パルプ工業（米子）などの新興会社の進出が促進され，東北には白河パルプ工業が操業した。

　第Ⅵ期においては樹種の転換ではなく，木材チップ利用という原料の利用形態変化であったため，パルプ工場の立地や新設にはほとんど影響を与えなかった。しかし，1960年代に輸入チップの利用が普及し始めると，三菱製紙（八戸）や東北製紙（秋田）といった輸入チップの調達も考慮した港湾立地型の新設工場が設立されるようになった。

　第Ⅶ期にはパルプ工場の新設はなくなり，企業合併による他工場の吸収，既存工場の変化が主となっていく。特に輸入チップ調達を視野にいれた，臨海部の工場への積極的な設備投資が行われていった。

　2015年のパルプ工場立地は図2-1-1のようになる。紙・パルプ業界では，好況期における工場の新設・増設，不況期における大企業による中小企業工場の吸収・合併が繰り返されてきた。利用可能原料の変化によって第Ⅰ～Ⅵ期に新設工場が現れるが，それらの多くは後に吸収・合併されていった。戦後は王子ホールディングス，日本製紙グループへの統合が進み，この2企業は複数地域に工場を有する全国展開型の企業となっていった。これらの企業は他工場を吸収・合併することにより生産技術，製品流通網，原料調達網を統合し，既存工場における不採算設備の廃棄など，パルプ製造設備の適正化を図っていった。

①日本製紙（勇払）
②日本製紙（白老）
③日本製紙（旭川）
④日本製紙（釧路）
⑤日本製紙（秋田）
⑥日本製紙（石巻）
⑦日本製紙（岩沼）
⑧日本製紙（江津）
⑨日本製紙（岩国）
⑩日本製紙（八代）
⑪王子HD（苫小牧）
⑫王子HD（江別）
⑬王子HD（釧路）
⑭王子HD（名寄）
⑮王子HD（春日井）
⑯王子HD（米子）
⑰王子HD（呉）
⑱王子HD（富岡）
⑲王子HD（日南）
⑳大王製紙（三島）
㉑大王製紙（可児）
㉒北越紀州製紙（新潟）
㉓北越紀州製紙（紀州）
㉔中越パルプ（能町）
㉕中越パルプ（川内）
㉖三菱製紙（八戸）
㉗三菱製紙（北上）
㉘丸住製紙（大江）
㉙兵庫パルプ（谷川）
㉚特種東海製紙（島田）
㉛大興製紙（富士）
㉜東邦特殊パルプ（小山）

図 2-1-1　2015 年のパルプ工場立地

出所：日本製紙連合会（2016）「パルプ統計」，帝国書院「日本地図（河川入り）」をもとに作成。

2　紙・パルプ産業の低収益構造

（1）生産体制の調整

　紙・パルプ産業を構成する企業経営の特徴に注目すると，戦後日本の紙・パルプ企業は自由競争を行い続けるだけでなく，カルテル活動や企業提携・合併などの様々な取り組みを行ってきた。

　それはしばしば供給過剰による紙価の低下，過当競争，低価格輸入紙との競合を抑制するためになされてきた。戦後，紙・板紙製品需要が増加傾向にあった 1960 〜 80 年代までの日本の紙・パルプ産業に特徴的な低収益性については，図 2-1-2 のように表すことができる[2]。

　この低収益構造を王子製紙編（2001）によって要約すると，以下の 4 点にまとめられる[3]。

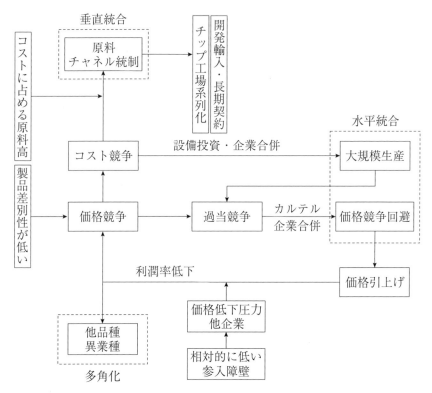

図 2-1-2　紙・板紙製品需要増加期における紙・パルプ産業の低収益構造
出所：加藤隆（1987）6頁参考に一部著書加筆修正。

　①紙の製造技術は，それらが開発された約2000年前から，植物繊維を抽出し，シート状にして乾燥させるという基本原理には変化がなく，参入に際して大きな技術上の障壁がない。また，一連のハードウェアとしての製造設備については，紙・パルプ企業独自の開発による部分が少なく，ハードメーカーから購入できる。こういった事情から，必要以上の設備投資が行われ，設備過剰をもたらし，市況下落のつながるケースが多い。

　②大規模かつ巨額の生産設備投資を必要とする装置産業であるため，新設備稼動直後は操業度をできるだけ高めようとして安値品が出回る傾向がある。一般にシェア競争にはしりがちであるが，紙・パルプ企業の財務体質が弱く，投下資本の回収を急ぐあまり換金売りにでる傾向があることも，値崩

れの原因となっている。さらに，品種間の転抄が比較的容易なものもあるため，少しでも採算性のよいものを生産しようとすることが，競争を激化することにつながっている。

③紙・板紙の生産シェアが低く，安定勢力が存在しないこと，流通機構としての代理店，卸商の数が多い上に流通ルートが複雑多岐にわたり，事後の価格調整などの取引慣行もあることで市況の安定が図られにくい状況があった。これは紙・パルプ企業間や代理店間の合併などにより安定化が図られてきた。

④パルプはもちろんのこと，紙についても最終需要に至るまでの中間製品であり，製品に差別性を持たせることは難しく，価格競争に陥りやすい。

上述のように，好景気で紙・板紙需要の増加が見込まれると，各企業が一斉に設備の増強を図り，生産能力が需要の伸びを上回るという状況が繰り返されてきた。その対応策としての紙・パルプ業界の協調行動の歴史をまとめると，表 2-1-2 のようになる。

1960 年代に入ると，再び紙・パルプ企業の設備投資競争が活発化し，原木価格の高騰と上質紙などの供給過剰により，「原木高製品安」という状態となり，企業収益は悪化した。そのため，1962 年の上質紙やクラフト紙などの自主的，あるいは行政による勧告操短に続いて，紙・パルプ企業 29 社の申し合わせによる紙製造設備の新増設停止が行われた（1965 年度末まで）[4]。

1985 年以前までは不況時の対応策としては主に，1）カルテルの結成による価格協定や生産調整，2）操業短縮やコスト削減などの自助努力による利益確保，が通産省などの行政もかかわりながら行われてきた。特に戦後生産量を著しく増加させてきた印刷情報用紙（上級紙など），包装用紙（クラフト紙など），段ボール原紙（外装用ライナー，中芯原紙）における勧告操短や不況カルテルが多くなされてきた。

カルテルや操業短縮以外にも「産業体制の整備」政策の下，1966 年に王子製紙・北日本製紙・国策パルプの業務提携強化，三菱製紙・白河パルプの合併，十条製紙・東北パルプの業務提携，本州製紙・北越製紙の業務提携が行われ，1967 年には十条製紙・東北パルプが合併した（図 2-1-3）。実現に

表2-1-2　戦後紙・パルプ産業における協調行動

年	企業間の協調行動
1958	戦後初の勧告操短（市販用製紙パルプ，上質紙，クラフト紙）
1962	勧告操短（上質紙，両更クラフト紙）， 通産省，紙製造設備の新増設停止の行政指導
1963	勧告操短（セミ上質紙・雑種紙，純白ロール紙，コート紙）
1965	不況カルテル（白板紙，外装用ライナー，中芯原紙）
1972	不況カルテル（外装用ライナー，中芯原紙）
1973	通産省，洋紙，板紙の増産と価格の値上げ自粛要請
1974	政府，トイレットペーパー・チリ紙の指定物資の標準価格設定 通産省，上質紙，段ボール原紙，値上げ回避要請
1977	不況カルテル（段ボール原紙） 板紙構造改善委員会
1978	不況カルテル（両更クラフト紙）
1979	段ボール原紙製造業を特安法に基づく構造不況業種に指定
1981	不況カルテル（上質紙，コーテッド紙，両更クラフト紙） 通産省，抄紙機の新増設の2年間抑制措置の実施
1982	紙需給協議会
1983	特定産業構造改善臨時措置法（産構法）施行 洋紙（新聞用紙除く）製造業が産構法の指定業種に 洋紙構造改善基本計画（1988年まで新増設・改造の禁止） 洋紙構造改善指示カルテル発効（38社）
1984	段ボール原紙構造改善基本計画告示 段ボール原紙第二次構造改善指示カルテル発効（66社）

出所：北越製紙百年史編纂委員会（2007）722-748頁より作成。

は至らなかったが1968年には王子製紙・十条製紙・本州製紙の旧王子系3社による大合併が目指されるなど，国際競争力の強化と国内の過当競争の解消を目的とした業界の再編が進められた。それに伴って，各企業の工場において生産調整が行われ，その原料調達にも影響を及ぼしていくこととなった。

　印刷情報用紙への古紙の配合やKPの他製品への使用もあるので，印刷情報用紙生産量とKP生産量は一致するわけではないが，その配合率の高さにより両生産量の関連性は高いため，印刷情報用紙の減少はKP生産量の減少，ひいては木材チップ消費量の減少につながりうることは先述の通りである。

　また，日本の紙・パルプ工場の特徴が，大規模な紙・パルプ一貫生産であるということから，企業合併とともにKP生産シェアも特定企業に集中して

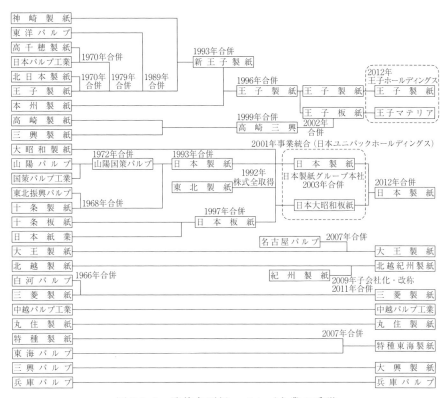

図 2-1-3　戦後主要紙・パルプ企業の系譜
出所：日本紙パルプ商事株式会社秘書室広報課（2013）51-52 頁

いった。

　原料調達面に注目すると（図 2-1-2 上），製品需要が増加傾向にある時期
においては，生産拡大のための原料の安定確保が必要不可欠であった。その
ため，原料（原木・木材チップ）調達の確実性を担保することを目的とし
た，紙・パルプ企業による垂直統合的な国内チップ工場の系列化や，海外で
の開発輸入―長期契約取引というチャネル統制戦略が展開されていった。

　業界団体としては，1946 年に紙及びパルプ工業会が紙統制会社の生産部
門を引き継ぐ形で設立され，1947 年に紙及びパルプ協会に改組された。
1949 年になると業種別団体としてパルプ工業会，日本洋紙会，板紙連合会，
機械すき和紙同業会が独立したが，1955 年に紙・パルプ連合，パルプ工業

会，日本洋紙会が合併して紙・パルプ連合会となった。その後，日本パルプ
材協会を統合し，1972年に紙・パルプ連合会と板紙連合会が合併して日本
製紙連合会となった。2005年には日本製紙連合会が紙パルプ経営者懇談会
を統合し，会員相互の親睦および意見，情報の交換，紙・板紙・パルプ製造
業に関する調査，研究および広報，統計資料収集などの事業を行っている。

(2) 国産原料自給への協調行動と国内社有林の産業備林化の停滞

　戦後の原料調達において，第一にパルプ原木の安定供給が目指された。
1946年に日本パルプ材協会が設立され，パルプ材増産運動を開始した。
1949年には造林臨時法案へパルプ備林造成の陳情を行い，占領軍総司令部
天然資源局から，紙・パルプ業界は将来的に消費原木の50％を自給する指
示を受けた。その後，各社社有林経営計画や造林計画を策定し，造林補助金
や造林費に対する法人税の適用緩和などを活用しつつ，政策金融の低利資金
による自力造林を各社実行していった。1949年の第1期造林計画時の社有
林面積は7社11万6,000haであったが，造林目標の達成のために各社は私
有林を主として山林購入を進め，1960年には21社25万haへと拡大した
（図2-1-4）。

　既存の社有林では採取を主体とする経営から，積極的な育林経営へと転換
すべく，産業備林造林計画などが策定されたが，最大の社有林を持つ王子製

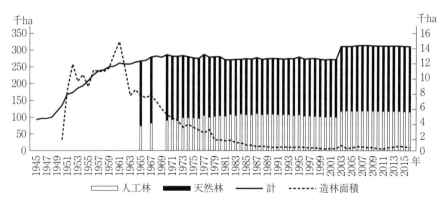

図 2-1-4　紙・パルプ企業の社有林面積（左軸）と造林面積（右軸）
出所：大嶋顕幸（2009）35頁より作成。
注：2003年の面積増加は王子造林の社有林面積が王子製紙に編入したことによる。

紙（苫小牧）ですら，1954 年度の原木調達比率は社有林 9 ％，民有林 45 ％，国有林 36 ％であった [5]。社有林はパルプ備林として戦前から集積されてきたが，年間の取得面積は 1951 年をピークに減少していった。

　社有林は原木の供給源として想定されるので，本来ならばパルプ工場周辺に配置されることが望ましかったが，予算と売渡希望山林の制約によって，1959 年における社有林分布は表 2-1-3 のように全国にわたって不規則に存在し，各企業のパルプ工場の分布と必ずしも一致していなかった [6]。しかも，多くは奥地に位置したため，産業備林としての原料需給への貢献は限定的であった。

　通産省は 1957 年にパルプ企業の設備の新増設に対して，広葉樹材の利用促進を加味した算式による義務造林の実行を勧告した [7]。義務造林の実行は 1967 年度で終了し，その累計は 39 社 79 工場 74,666 町歩の造林指導のうち，64,548 町歩となり，達成率は 88 ％であった。その後，分収造林なども行われてきたが，拡大造林面積も減少傾向となり，紙・パルプ企業の社有林面積は，1965 年の約 27 万 ha を維持して推移してきた。

　その後は，立木市況の低迷，労賃上昇による管理費の高騰から，副業的な間断経営として，主業の紙・パルプ産業の動向に林業投資面を規制されるようになった。その経営方針は，パルプ材供給面での緊急的避難の場合を除

表 2-1-3　社有林の地域分布

地区	企業数	面積(町)	分布(％)	1 社平均面積(町)	企業名
北海道	6	109,052	44.2	18,175	王子，北日本，国策，十条，東北，北越
東北	8	13,652	5.6	1,706	北日本，興人，白河，十条，大昭和，東北，北越，本州
関東	5	6,456	2.6	1,291	十条，高崎，東北，北越，本州
北陸	9	11,581	4.7	1,286	王子，興人，十条，大昭和，中越，東洋紡，東北，北越，本州
東海	10	39,697	16.1	3,969	王子，興人，十条，高崎，大昭和，東洋紡，東海，東北，北越，本州
近畿	11	14,972	6.1	1,361	王子，神崎，興人，十条，大昭和，東洋紡，東海，東北，巴川，日パ，本州
中国	15	17,296	7.0	1,153	王子，神崎，興人，山陽，十条，高千穂，大昭和，東洋パ，東洋紡，東海，東北，巴川，日パ，北越，本州
四国	10	5,530	2.2	553	神崎，興人，山陽，十条，大王，東洋紡，東北，巴川，日パ，本州
九州	7	28,483	11.5	4,120	興人，山陽，十条，高千穂，大王，東洋紡，日パ
計	21	246,720	100.0		

出所：紙・パルプ連合会（1961b）7 頁

き，長伐期の一般的な林業経営へ回帰することとなり，パルプ備林としての
役割は後退していった[8]。2000年代になると，持続的な森林経営の観点か
ら，各社社有林では SGEC/PEFC および FSC の森林管理（FM）認証の取
得が進められ，木材生産のみならず，生物多様性などの CSR 的な役割も担
うようになっていった。

3　パルプ工場の立地調整：KP 工場への転換と集中

（1）KP 生産への転換

　1950年代は紙需要に紙・パルプ企業の生産体制が追いつかず，品質は悪
くとも生産すれば売れるという状況下であったため，中小規模の紙・パルプ
工場および設備投資コストが比較的安価な GP 工場が全国に乱立していた。
1954年では全国にパルプ工場が 274 工場存在し，そのうちの 213 工場が GP
設備を有し，パルプの生産・販売のみで紙生産を行っていない工場が 101 工
場であった。パルプ種類別のシェアは KP（21％），GP（43％），SP（31％），
その他（4％）という構成であり，KP 法および SP 法を用いる紙・パルプ一
貫工場は 33 工場，パルプの製造・販売専門は 9 工場となっていた。パルプ
生産量では，針葉樹資源の逼迫と広葉樹利用の推進によって，KP の増加量
が大きく，SP の生産量は 1959 年以降減少傾向となった。

表 2-1-4　パルプ製造設備運転開始年

単位：基（台）数

	大正期	昭和期						
		1 ～ 20	21 ～ 25	26 ～ 30	31 ～ 35	36 ～ 40	41 ～ 45	46 ～ 49
DSP		9		15	4	1		
SP	3	4	4	9		3	2	1
KP		3	2	21	63	25	43	25
SCP				3	15	11	22	4
CGP				15	12		22	3
その他							2	1
RGP	4					7	53	14
GP	4	10	7	24	37	21	33	4
計	11	26	13	72	134	80	177	52

出所：通商産業省（1975）「紙・パルプ製造設備調査報告」16 頁

　表 2-1-4 より，パルプ製造設備の運転開始年をみると，1951 ～ 74 年に KP 設備 177 基が運転を開始したのに対し，それまで印刷情報用紙などの原料として主であった SP 設備は 15 基に留まるなど，パルプ生産構造の転換が大きく進展した。しかし，この紙・パルプ業界の一斉的な設備転換・増設は紙・板紙製品の供給過剰を招き，表 2-1-2 で示したように 1958 ～ 72 年に行政による勧告操短や不況カルテルが実施されることになった。

　1950 ～ 72 年に SP 設備を廃棄した工場は 10 工場，KP 設備を廃棄した工場が 8 工場となっているが，KP 新設工場が圧倒的に多いため，1972 年時点で KP 工場が 39 工場，SP 工場が 13 工場となった。SP 生産からの撤退は 1958 ～ 64 年に相次いでおり，この要因としては，排水問題が注目されてきたこと，針葉樹原木の入手困難化，生産規模の相対的劣化などが挙げられる [9]。総工場数については，SP 工場は，1954 年 14 企業 21 工場，1964 年 16 企業 20 工場，1975 年 6 企業 11 工場，1983 年 4 企業 5 工場と，企業数・工場数ともに減少の一途を辿った。他方，KP 工場は，1954 年 21 企業 22 工場，1964 年 33 企業 39 工場，1975 年 27 企業 40 工場，1983 年 23 企業 37 工場と，工場数は 1960 年代まで増加し，横ばいとなったが，1 社 1 工場体制から 1 社で複数工場を有して操業を行う企業が増加する傾向となった。

　KP 法と同様に，広葉樹利用という観点から SCP や CGP などの半化学パルプ生産も同時期に進められ，歩留まりのよさから段ボール原紙などの板紙への利用が拡大したが，紙分野では品質面で KP 法に代替するまで普及するには至らなかった。

　1985 年のパルプ生産の構成比は，KP（76％），機械パルプ（18％），SP（0％），半化学パルプ（5％）となり，1950 年代に多数存在した GP および同種の機械パルプ（TMP/RGP）工場は 11 社 14 工場まで減少したが，生産量は 59 万 t から 163 万 t へと増加した。GP の生産・販売のみを行う小規模工場は姿を消し，KP 生産を主とする紙・パルプ一貫工場が，併設して機械パルプを生産する場合がほとんどとなっていった。この要因には，小規模な GP 生産が大規模な化学パルプ・紙一貫工場に生産効率・品質両面で対抗し難くなってきたことが挙げられる。

(2) KP工場の分布変化

　紙・板紙の大量生産を達成するためには，化学パルプ（SP・KP）の大量
生産が必要不可欠であり，パルプ生産量の増減は原料である木材チップの調
達量の多寡に比例的に影響を与える。紙・パルプ産業が大規模な装置産業で
あるという特性上，木材消費量は他の木材利用工場に比して極めて大きくな
る場合がほとんどであり，歴史的に各地域で原料調達競争とその抑制対策が
繰り広げられてきた。そのため，化学パルプ工場，特に戦後日本において
は，KP工場の規模と立地は各地域の木材需給の安定性を考慮する上で非常
に重要であり，その操業・撤退，原料調達戦略は地域の木材需給動向に大き
な影響を与えてきた。

　KP工場数は，1950年代から増加し，1970年代に40工場とピークを迎え
る（表2-1-5）。その間にKP生産から撤退した工場を挙げると，1950年以
前からKP設備を有していた工場では，北越製紙（埼玉），大極東パルプ（大
阪），谷本産業（愛知）の3工場，1951年以降にKP設備を設置した工場で
は，春日製紙工業（静岡），新日本産業（鳥取），京都製紙所（京都），大洋
製紙（徳島），中越印刷（富山）の5工場となっている[10]。

　各企業・工場の詳細な撤退理由は不明であるが，1960年代は大手企業の
KP設備の新増設に伴う原料集荷・チップ工場の系列化競争が激化する時期
となっており，原料高製品安といった経営環境の悪化が一因として挙げられ
る。この時期には木材需給の逼迫により，中国・東海で輸入チップの本格的
な利用が開始された。

　工場数だけをみれば，1970〜80年においてKP工場があるのは26道県
で，北海道は木材資源量や面積の点からも5〜6工場と最も多く，静岡4〜
5工場，広島3工場，宮城・愛媛・鹿児島2工場，その他20県で1工場ず
つとなっており，工場立地についてはほぼ変動がなかった。静岡を除いては
各地域に分散した工場立地となってはいるが，原料集荷は木材資源の多寡の
偏りもあり，1県内に納まり得なかったので，次節で述べるように，紙・パ
ルプ企業の原料調達競争は県境を越えて熾烈を極めた。

　1990年代になると，企業の自助努力による業界秩序の安定を達成するた
めに，大企業同士の合併が進められていった。その結果，KP企業・工場数

表 2-1-5　都道府県別 KP 工場数の推移

単位：工場

	1954	1964	1970	1975	1980		1954	1964	1970	1975	1980
全　国	22	39	39	40	40	三　重	1	1	1	1	1
北海道	3	5	5	6	6	滋　賀	-	-	-	-	-
青　森	-	-	1	1	1	京　都	-	1	-	-	-
岩　手	-	-	1	1	1	大　阪	1	-	-	-	-
宮　城	-	1	2	2	2	兵　庫	1	1	1	1	1
秋　田	-	-	-	1	1	奈　良	-	-	-	-	-
山　形	-	-	-	-	-	和歌山	1	1	1	1	1
福　島	1	1	1	1	1	鳥　取	1	2	1	1	1
茨　城	-	1	1	1	1	※島根	-	-	-	-	-
栃　木	1	1	1	1	1	岡　山	-	-	-	-	-
群　馬	-	-	-	-	-	広　島	2	3	3	3	3
埼　玉	1	-	-	-	-	山　口	-	1	1	1	1
千　葉	-	-	-	-	-	徳　島	-	2	2	1	1
東　京	-	-	-	-	-	香　川	-	-	-	-	-
神奈川	-	-	-	-	-	愛　媛	1	2	2	2	2
新　潟	-	1	1	1	1	高　知	-	1	-	-	-
富　山	-	1	2	1	1	福　岡	-	-	-	-	-
石　川	-	-	-	-	-	佐　賀	-	-	-	-	-
福　井	-	-	-	-	-	長　崎	-	-	-	-	-
山　梨	-	-	-	-	-	熊　本	-	1	1	1	1
長　野	1	1	1	1	1	大　分	-	1	1	1	1
岐　阜	-	1	1	1	1	宮　崎	-	1	1	1	1
静　岡	4	5	4	5	5	鹿児島	1	2	2	2	2
愛　知	2	1	1	1	1	沖　縄	-	-	-	-	-

出所：通商産業省「紙・パルプ製造設備調査報告」より作成。
注：※島根県には 1937 年より DP 生産を行う日本製紙（江津）（設立当初は新日本レーヨン）が存在している。

は 1990 年 22 企業 37 工場，1995 年 20 企業 35 工場，2000 年 18 企業 34 工場，2005 年 13 企業 32 工場，2010 年 11 企業 28 工場，2015 年 9 企業 28 工場と，企業数と工場数が減少し，生産量の適正化が進められていった。

(3) 紙・パルプ工場の生産体制の類型化

戦前，KP 法はパルプの漂白技術が未発達であったために，未晒パルプの色が黒く，採用してきたパルプ工場は富士製紙（落合），高崎板紙（日光），大昭和製紙（鈴川），国策パルプ（旭川），北越製紙（戸田）の5工場のみに留まっていた。いずれも包装用紙などの比較的強度が必要だが白色度が求められない製品向けに使用・販売された。1950 年代前半に KP 設備を導入した富士製紙（江別），三興パルプ（富士），東海パルプ（島田），紀州製紙（紀州），大王製紙（三島），中越パルプ（川内）も当初はクラフト紙生産が指向されていた（表 2-1-6）。

1952 年に，国策パルプ（勇払）で広葉樹晒クラフトパルプ（LBKP）利用の上質紙生産，日本パルプ（米子）の多段漂白 BKP による人絹パルプ製造，王子製紙（春日井）では日本初の連続蒸解釜による BKP および上質紙生産，というように KP の漂白技術の革新がなされると，KP 利用の主要製品に印刷情報用紙が加えられることとなった。1950 年代後半以降には，北日本製紙（江別），紀州製紙（紀州），中越パルプ（川内），十條製紙（八代），国策パルプ（旭川）などの工場で BKP 設備の導入，印刷情報用紙生産が行われ，大昭和製紙（白老）や神崎製紙（富岡）といった LBKP による印刷情報用紙生産を行う工場が新設されるに至った。

KP 設備は GP とは異なり，薬品回収装置を必要とするため，高額な設備投資が必要であり[11]，資本力の小さい小規模企業の参入は困難であった。そのため，従来から化学パルプの製造販売を行ってきた中越パルプや山陽パルプ，東洋パルプなどの，比較的大規模なパルプ製造企業の工場が KP 装置の導入ないし増設，さらにはクラフト紙や印刷情報用紙などの抄紙分野へと進出し，紙・パルプ一貫生産という日本の紙・パルプ産業の特徴が顕著になっていった。1952 年に王子製紙（春日井）で導入された連続蒸解釜は，1950 年代後半以降，各企業の主要工場に導入されていくようになり，KP・紙製品生産力の拡大が進んだ。しかし，その設備投資競争は，需要の拡大量よりも生産能力の拡大量が上回る状況を生じさせ，紙・パルプ産業の構造的不況を招くこととなった。

SP は特殊紙生産などへの需要が一部で存在してはいるものの，大量生産

品目である印刷情報用紙への利用は LBKP に取って代わられたため，KP 設備の導入・操業の安定化とともに SP 設備の停止が進められていった。その結果，SP の生産比率は，1955 年のパルプ総生産量の 31％から 1970 年には5％，1985 年には生産はあるものの構成比としては 0％へと縮小した（図 1-1-3）。

　広葉樹の利用拡大は，東北へのパルプ工場の進出を促し，1960 年以降に白河パルプ（北上），三菱製紙（八戸），大昭和パルプ（岩沼），東北製紙（秋田）の 4 工場が新設された。1960 年代の国産広葉樹材価格の高騰とチップ輸入の開始により，港湾立地型パルプ工場の有利性が見出されるようになった。その結果，三菱製紙（八戸），東北製紙（秋田）は港湾からチップのトラック輸送を必要としない臨海工場として計画・設立された。他方で白河パルプ（北上，1966 年に三菱製紙と合併）は岩手県を中心とする東北の豊富な広葉樹資源を利用するための内陸工場として設立された。

　巨大な装置産業であるという紙・パルプ一貫工場の性質上，工場の移転は困難であり，輸入チップ利用を指向しての工場新設というのは上記の 2 例だけであった。パルプ工場の大量に水を使用するという特性上，主要工場は河口付近に建設されてきたということもあり，他企業では比較的港湾に近い工場の設備を増強し，港湾からトラックで輸入チップを運送するという調達体制が形成されていった。そのため，紙・パルプ一貫工場の新設は 1970 年の東北製紙（秋田）以来行われておらず，既存工場での設備増強，あるいは縮小によって製品需要に対応していくこととなった。

　古紙の利用については，大昭和製紙（富士）が高比率利用の先駆をなしていたが，紙・パルプ産業全体として利用率が向上してきたのは，前述のように第 1 次・第 2 次石油危機の影響を受けた 1970 年代からである。王子製紙（春日井）や十條製紙（石巻），山陽国策パルプ（旭川），本州製紙（釧路），東北製紙（秋田），十條製紙（八代）などの主要工場では，1975 ～ 83 年に古紙利用設備の導入が進められている。

　この時期の古紙設備導入は主にコスト面でのメリットを求めて行われたものであったが，1990 年代では環境配慮の観点から古紙配合製品のニーズが高まり，北越製紙（新潟）や三菱製紙（八戸）が新たに古紙設備を導入し，

表2-1-6　企業別KP・SP設備導入・撤退年表

西暦		19 ~46	49	50	51	52	53	54	55	56	57	58	59	60	61	62	63	65	66	67	70	71	72	75	76	80	81	82	85
北海道	1910 王子製紙（苫小牧）	Ⓢ																		合								Ⓚ×	
	1908 富士製紙（江別）			Ⓚ																									
	1958 本州製紙（釧路）											Ⓢ																	
	1959 大昭和製紙（白老）											Ⓢ																	
	1940 大日本再生紙（勇払）					Ⓚ																							
	1938 国策パルプ（旭川）	ⓈⓀ																									×Ⓢ		
	1920 富士製紙（釧路）	Ⓢ																							×Ⓢ				
東北	1940 東北振興パルプ（秋田）	Ⓢ																											
	1940 東北振興パルプ（石巻）	Ⓢ													Ⓚ											×Ⓢ			
	1970 東北製紙（秋田）																				Ⓚ								
	1968 大昭和パルプ（岩沼）																	Ⓚ											
	1951 白河パルプ（白河）					Ⓚ																							
	1965 白河パルプ（北上）																Ⓚ		合										
	1967 三菱製紙（八戸）																	Ⓚ											
関東	1916 日光板紙（日光）	Ⓚ																											
	北越製紙（戸田）	Ⓚ					×Ⓚ																						
	1954 高萩パルプ（高萩）								Ⓚ																				
北陸	1914 北越板紙（新潟）	Ⓢ								Ⓚ	×Ⓢ																		
	1949 中越パルプ（能町）		Ⓢ																										
	1938 日曹人絹パルプ（富山）	Ⓢ																							×Ⓢ				
	1919 北海工業（伏木）	Ⓢ																											
東海	1951 王子製紙（春日井）					Ⓚ																							
	1908 中央製紙（中津）	Ⓢ														×Ⓢ													
	1908 富士製紙（富士）	Ⓢ														×Ⓢ													
	1950 大昭和製紙（富士）										Ⓢ													×Ⓢ					
	1933 昭和製紙（鈴川）	Ⓢ									Ⓚ																		
	1907 東海板料（島田）	Ⓚ																											
	1956 名古屋パルプ（可児）									Ⓚ																			
	1950 三興パルプ（富士）	Ⓢ																											
	1947 南信パルプ（上伊那）	Ⓢ																											
	1939 春日産業（富士）																×Ⓚ												
	東洋紡（大山）	Ⓢ															×Ⓢ												
	谷本産業（名古屋）									Ⓚ																			
近畿	1950 紀州製紙（紀州）				Ⓚ																								
	1939 興亜繊維工業（谷川）						Ⓚ																						
	1938 新宮木材パルプ（新宮）	Ⓚ																											
	1894 真島製紙所（神崎）	Ⓢ																											
	京都製紙所（京都）																	Ⓚ											
	大極東パルプ（大阪）	Ⓚ						×Ⓚ																					
中国	1951 東洋パルプ（呉）				Ⓚ																								
	1952 日本パルプ（米子）					Ⓚ																							
	1948 大竹紙業（大竹）			Ⓚ																									
	1906 芸防抄紙（芸防）											Ⓚ																	
	1937 山陽パルプ工業（岩国）	Ⓢ		Ⓚ			合									Ⓚ													
	1937 新日本レーヨン（江津）				Ⓚ																								
	新日本産業（鳥取）										Ⓚ							×Ⓚ											
四国	1959 神崎製紙（富岡）											Ⓚ																	
	1943 大王製紙（三島・川之江）							Ⓚ																					
	1954 丸住製紙（川之江・大江）							Ⓚ																					
	1950 西日本パルプ（高知）			Ⓢ																				×Ⓢ					
	大洋製紙（徳島）							Ⓚ															×Ⓚ						
	土佐紙（高知）																		Ⓚ										
九州	1957 兵庫パルプ（大分）	Ⓢ										Ⓚ																	
	1938 日本パルプ（日南）	Ⓢ												Ⓚ		×Ⓢ													
	1937 高千穂製紙（古賀）	Ⓢ																					×Ⓢ						
	1926 樺太工業（坂本）	Ⓢ																											
	1924 九州製紙（八代）	Ⓢ									Ⓚ															×Ⓢ			
	1954 中越パルプ（川内）						Ⓚ																						
	1953 興国人絹パルプ（佐伯）						Ⓚ																						
	1960 出水製紙（出水）	Ⓢ																		×Ⓚ									
総工場数		22	23	28	35	40	41	44	43	44	46	47	51	52	53	52	51	46	46	47	48	48	47	46	45	44	44	44	

凡例：Ⓚ：クラフトパルプ，Ⓢ：サルファイトパルプ，×：生産停止，Ⓦ：古紙パルプ，Ⓜ：機械パルプ，◖：半化学パルプ，印：印刷情報用紙，新：新聞用紙，段：
合：合併，×：撤退，→：事業転換，L：広葉樹利用，N：針葉樹利用

資料：紙パルプ技術協会（1979～2015）「工場紹介」「紙・パ技協誌」，各工場紹介頁，通商産業省（1964，1971，1975，1980）「紙・パルプ製造設備調査報告」，日本
注：網掛けは化学パルプ生産事業開始・継続を示し，白は化学パルプの生産実績なし（古紙利用や生産品目転換等の生産形態の転換，あるいは工場の撤退も含む）を示す。

86	88	89	90	93	95	96	98	02	03	04	08	09	12	14	15（全生産品種）	樹種	KP種類	変遷	
⑤						合									ⓀⓂⓌ新印	N	BKP/UKP	49 苫小牧／52 王子／93 新王子／96 王子	北海道
															Ⓚ印包雑	L	BKP/UKP	33 王子／47 北日本／70 王子／04 王子特殊／12 王子F	
												×Ⓚ			ⓂⓌ段	→		96 王子／03 日本／12 王子M	
															Ⓚ印	L	BKP	01 日本事業統合／03 日本	
				合			合								ⓀⓌ印新	L	BKP	45 国策／72 山陽国策パ／93 日本	
				合			合								Ⓚ◐Ⓦ印包雑器板	LN	BKP	72 山陽国策パ／93 日本	
															ⓀⓂⓌ⑤新印包化	N	BKP/DP	33 王子／49 十条／93 日本	
×	⑤														1986 年停止	×		68 十条／86 撤退	東北
				合			合								ⓀⓂⓌ印	LN	BKP	68 十条／93 日本	
				合			合								ⓀⓌ段	L	BKP/UKP	92 十条全株式取得／03 日本大昭和板紙／12 王子F	
															ⓀⓂⓌ新印	LN	BKP	83 大昭和製紙／03 日本	
				×Ⓚ											1993 年停止	→		66 三菱製紙／93 プレスボード生産	
															Ⓚ衛印	L	BKP	66 三菱製紙／05 北上ハイテクペーパー（分社化）	
															Ⓚ◐Ⓦ印器			67 三菱製紙	
×	Ⓚ														Ⓦ段板	→		27 高崎板／49 高崎／99 崎三興／02 王子板／12 王子M	関東
															1954 年停止	×			
									×Ⓚ						2002 年停止	×		65 日本加工製紙／02 倒産	
															ⓀⓌ印器	L	BKP	17 北越／09 北越紀州	北陸
															ⓀⓌ印包雑	LN	BKP/UKP	49 中越パルプ	
															1980 年停止	×		興人／1980 佐伯工場に集約化	
×	⑤														1986 年停止	×		33 王子／49 十条／93 日本／08 閉鎖	
					合										ⓀⓌ印包衛	LN	BKP/UKP	93 新王子／96 王子	東海
															雑	→		33 王子／49 本州／96 王子／04 王子特殊紙／12 王子F	
				×Ⓚ											Ⓦ段	→		33 王子／49 本州／96 王子／02 王子板／12 王子M	
				×Ⓚ											Ⓦ新印雑	→		03 日本	
													×Ⓚ		2012 年停止	→		03 日本／12 製造設備停止	
															ⓀⓌ印包衛雑段	N	UKP	07 特種東海HD／07 特種東海製紙	
															ⓀⓌ印包衛雑	LN	BKP/UKP	83 大王製紙G／07 大王製紙	
															Ⓚ包雑器	N	UKP	53 大興製紙	
										×Ⓚ					2004 年停止	×			
															1965 〜 70 年の間に停止	×		52 春日製紙工業／古紙利用・家庭紙分野主体へ	
															1951 〜 63 年の間に停止	×			
															ⓀⓌ印包	L	BKP	09 北越紀州	近畿
															Ⓚ	N	UKP	55 兵庫パルプ／58 兵庫パルプ工業	
				×Ⓚ											1995 年停止	→		58 巴川製紙所／95 年パルプ事業撤退	
															印包	→		48 神崎／93 新王子／96 王子／12 王子IM	
															1965 〜 70 年の間に停止	×			
															1951 〜 63 年の間に停止	×			
		合													ⓀⓌ印包	LN	BKP/UKP	89 王子／93 新王子／96 王子／12 王子M	中国
															Ⓚ印器化	LN	BKP/DP	79 王子／93 新王子／96 王子	
				合								×Ⓚ			Ⓦ印包	→		02 日本子会社／04 三島／08 日本	
												×Ⓚ			Ⓦ印器段	→		14 上佐内／25 日本紙業／97 日本板紙／03 日本大昭和板	
															Ⓚ印	LN	BKP	43 ミヨシ化学／46 山陽パ／72 山陽国策／93 日本	
															Ⓚ化	L	DP	51 山陽パルプ／72 山陽国策／93 日本	
															1965 〜 70 年の間に停止	×			
															ⓀⓌ印衛	LN	BKP	93 新王子／96 王子	四国
															Ⓚ◐ⓂⓌ新印包衛雑段	NL	BKP/UKP	43 大王製紙	
															ⓀⓌⓂ新印	NL	BKP	54 丸住製紙	
															1972 年停止	×		※大王製紙系／61 高知パルプ	
															1971 〜 75 年の間に停止	×			
															1965 〜 70 年の間に停止	×			
						合	×Ⓚ								Ⓦ段包板器	→		58 鶴崎パ／87 本州／96 王子／02 王子板／12 王子M	九州
															Ⓚ印雑	L	BKP	79 王子／93 新王子／96 王子	
															1970 年停止	×		70 設備移転（日本パルプ工業）	
	×⑤														1988 年停止	×		33 王子／49 十条／67 西日本（十条製紙子会社）	
															ⓀⓌⓂ印	LN	BKP	26 樺太工業／33 日本／49 十条／93 日本	
															Ⓚ印包雑	LN	BKP/UKP	54 中越パルプ	
							×⑤								1998 年停止	×			
															1982 年停止	×			
41	40	40	39	38	37	37	36	34	34	33	31	30	29	29	29				

段：ボール原紙，包：包装用紙，雑：雑種紙，衛：衛生紙，器：紙器用板紙，板：雑板紙，化：化成品

製紙連合会（1973）17-19 頁より作成。

他社でも設備の増設が進められていった。また，板紙分野では，SCP から
中芯，KP から外装用ライナーなどの段ボール原紙を製造する工場もみられ
たが，従来から古紙利用率が高かったために，その多くは古紙利用のみ，あ
るいは購入パルプと古紙の併用へと転換していった。

　各工場の生産製品の組み合わせでは，2015 年において BKP 設備がある
23 工場のうち，全てで印刷情報用紙生産，15 工場で包装用紙生産，8 工場
で新聞用紙生産が行われていた。UKP 設備を有する工場は 11 工場で，その
うち BKP 設備も併設されている工場は 8 工場で，UKP 設備のみは 3 工場と
なっている。LBKP 生産が主な工場では，印刷情報用紙（上級）・包装用紙・
紙器用板紙（白板紙），NBKP，あるいは UKP 生産が主な工場では，新聞用
紙・印刷情報用紙（中下級紙）・包装用紙という組み合わせがみられる。

　段ボール原紙生産は古紙利用率が高いため，段ボール原紙工場が木材由来
のパルプ製造設備を有している例は少なく，王子マテリア（名寄，SCP 工
場のため表 2-1-6 には記載していない）や日本製紙（秋田）などの一部の工
場で SCP や KP から段ボール原紙を製造しているのみである。木材由来の
パルプ（主に NUKP）を要する段ボール原紙製造を行う場合は購入パルプ
を用いることが多いとされる。そのため，兵庫パルプ（谷川）などの産業用
紙向けの NUKP の生産・外販を専門に行っている企業も一部で存続してい
るが，パルプ専売工場の多くは古紙や輸入 NKP に代替される形で撤退を余
儀なくされてきた。

　2015 年で木材チップから化学パルプを製造する工場が 29 工場存在するが，
相次ぐ合併によってそのうちの 7 工場が王子 HD，10 工場が日本製紙と 2 社
で半数以上を占めており，グループ工場間でのパルプ取引や他社工場への外
販も行われている。

（4）印刷情報用紙・KP の減産対応

　1950 年代以降，KP は増加する段ボール原紙・包装用紙・新聞用紙・印刷
情報用紙と様々な製品に使用されてきた。しかし，1970 年代，1980 年代に
段ボール原紙・包装用紙・新聞用紙用途の NKP が古紙に代替されていく過
程で，KP の使用比率は印刷情報用紙へと集中していった。そのため，1990

年代には印刷情報用紙生産量と KP 生産量，そして主な原料となっている広葉樹チップの調達量が概ねパラレルで推移することとなった（図 2-1-5）。もちろん KP の産業用紙分野への使用や印刷情報用紙への古紙利用率の上昇もあるため，完全に一致するわけではないが，第 1 章で示したようにその関係は深い。

　1980 年代後半のバブル景気では紙製品需要，特に新聞用紙と印刷情報用紙の需要が伸びたため，1986 ～ 90 年の 5 年間で紙・パルプ企業全体で約 2 兆円に迫る設備投資が行われた[12]。それにより，紙・板紙製品生産の設備能力は 1.5 万 t/ 日（約 500 万 t/ 年）増加，特に印刷情報用紙に分類される上質紙と塗工紙の生産量は約 7,500t/ 日増加した[13]。

　しかし，各社の大型設備が操業するころにはバブル景気は終焉を迎え，製品需要の減退によって過剰供給状態となった。その結果，投資コストの回収のために操業度を維持しようとする企業が続出し，紙価格の低下が続くこととなり，各企業に深刻な経営悪化をもたらした。その後も値上げ交渉はほとんど効果なく，各紙・パルプ企業の減産強化や新設備の稼働率の抑制，輸出促進などに努めたが，供給過剰は改善されず，洋紙相場は全面的に下落し，

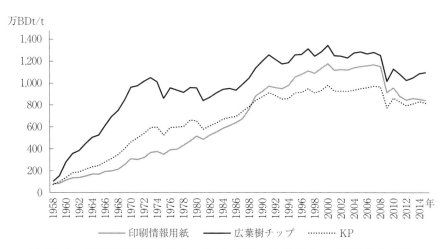

図 2-1-5　印刷情報用紙生産量・KP 生産量・広葉樹チップ消費量の推移
出所：図序-1 と同じ。
注：単位は印刷情報用紙生産量 /KP 生産量（万 t），広葉樹チップ消費量（万 BDt）。

各社はコスト削減と過当競争による持久戦に入らざるを得なくなった[14]。

　1990年代になると，行政指導による需給調整の不透明性が国際的に指摘されるようになり，行政当局に支えられた協調行動はとりえなくなった[15]。そのため，それまで行われていた大企業による中小企業の系列化や吸収合併だけでなく，大企業同士の大型合併が行われ，1993年に日本製紙（十条製紙と山陽国策パルプの合併），新王子製紙（王子製紙と神崎製紙の合併）が誕生し，1996年に王子製紙（新王子製紙と本州製紙の合併）が発足した。

　王子製紙や日本製紙といった企業の生産シェアの拡大によって，企業・工場間の過当競争低減と製品価格安定化が図られるようになっていった。大規模合併の結果，品種別製品生産集中度は上昇し，1990年代半ばに輸入紙が増加する中で市況が維持されたのは，印刷情報用紙分野で合わせて40％強のシェアを持つ日本製紙と王子製紙が減産を行いながらも，価格の維持を堅持したことが大きいとされる（表2-1-7）。その後も日本製紙と大昭和製紙の合併など，大手同士の合併が進められることによって，過剰生産能力の適正化，旧設備の廃棄による効率的生産体制の構築が目指された。

　2000年代には紙需要の伸びは小さくなり，原燃料の輸入依存率が高く，エネルギー多消費型の紙・パルプ産業は，円安になると材料コストの上昇に悩まされ，円高になると輸出産業不振による紙需要の減少や輸入紙の増加に悩まされるという状況であった。このような状況下で，日本製紙と大昭和製紙が2001年に事業統合，2003年に合併し，日本製紙グループとなった。これにより，印刷情報用紙の生産シェアは日本製紙と王子製紙で5割強とな

表2-1-7　印刷情報用紙生産シェア

単位：％，千t

年	王子HD 王子	神崎 1993	本州 1996	日本製紙 十條	山陽国策 1993	大昭和 2003	大王 大王	名パ 2007	三菱	北越紀州 北越	紀州 2009	その他	生産量
1990	14	7	5	13	8	14	7	1	7	5	2	17	9,251
1995	19		5	21		12	7	1	7	5	2	18	10,565
2000	25			21		12	7	1	7	7	2	17	11,756
2005	25			31			8	1	8	8	2	16	11,476
2010	22			32			10		8	12		16	9,547
2015	21			30			13		7	16		13	8,384

出所：日本製紙連合会「紙統計年報」，日本製紙連合会「紙・板紙統計年報」より作成。

り，この2社を中心として過剰設備の適正化が図られていった。しかし，2008年のリーマンショック後の不況により，紙需要が大幅に減少したことで各社はかつてない減産を余儀なくされた。

表2-1-7によれば，印刷情報用紙の総生産量の減少とともに王子製紙と日本製紙のシェアが減少したことが確認できる。上位5社の生産量シェアは2015年で86％となっている。その後も国内洋紙需要の減少傾向は続き，さらに，安い人件費や原料を背景に東南アジアの新興紙・パルプメーカーが，日本への輸出を積極化させたことで，PPC（plain paper copier）用紙などの品種では輸入が増加した。そのため，日本の紙・パルプ企業は生産能力の調整，高収益製品への注力，海外市場への進出，他分野への展開を進めていくこととなった。

印刷情報用紙生産量と同様にKP生産量も，1993年の新王子製紙と日本製紙の誕生によって，両者合算で4割強の生産シェアとなり，2003年の日本製紙と大昭和製紙の合併で5割強の生産シェアを持つに至った（表2-1-8）。その後，2000年代後半に2社が中心となって生産量を減少させながら，そのシェアを縮小させ，上位6社のシェアは2015年で91％となった。

図2-1-6の1990～2015年のKP工場別の生産量をみると，2015年では大王製紙（三島）と北越紀州製紙（新潟）が80万t以上となった。日本製紙（北海道）は3工場の合計値なので1工場当たりの生産量とはしない。大王製紙（三島）は1990年時点でも71万tと大きかったが，北越紀州製紙（新潟）は1990年の37万tから2015年には86万tと2倍以上の増加となった。

表2-1-8　KP生産シェア

単位：％，千t

年	王子HD			日本製紙			大王	三菱	中パ	北越紀州		その他	生産量
	王子	神崎 1993	本州 1996	十條	山陽国策 1993	大昭和 2003				北越	紀州 2009		
1990	18	3	4	8	9	12	10	8	6	4	2	13	8,721
1995	23		3	20		11	12	6	7	5	2	11	9,078
2000	26			21		11	12	7	6	6	2	8	9,792
2005	26			33			12	7	6	8	2	6	9,490
2010	25			29			12	7	7	12		8	8,614
2015	23			26			15	5	7	13		9	8,109

出所：日本製紙連合会「パルプ統計」より作成。

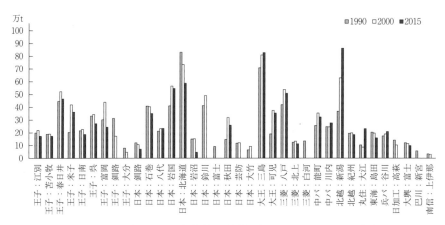

図 2-1-6　工場別 KP 生産量の変化（1990，2000，2015 年）
出所：日本製紙連合会「パルプ統計」より作成。

　2008 年以降にリーマンショックによる減産があったため，2015 年が
1990，2000，2015 年の 3 か年のうちで生産量が最も高くなっている工場は，
上述の 2 工場と兵庫パルプ（谷川，21 万 t），丸住製紙（大江，23 万 t），中
越パルプ（川内，28 万 t）の 5 工場にすぎず，他工場は横ばいないし減産と
なっている。

　KP 生産を停止した工場は，1990 年から 2000 年には三菱製紙（白河），大
昭和製紙（富士），巴川製紙（新宮）の 3 工場，2000 年から 2015 年には王
子製紙（釧路），日本加工製紙（高萩），日本製紙（鈴川），南信パルプ（上
伊那），日本製紙（芸防），日本製紙（大竹），王子製紙（大分）の 7 工場で
あった。

　他の工場は，この期間で横ばいないし減少傾向で推移した。特に従来から
生産量が大きかった王子 HD と日本製紙の工場での減少量が大きく，KP 生
産量の各工場合計で，日本製紙は 2000 年の 322 万 t から 2015 年に 209 万 t
と約 112 万 t（木材チップ概算にして約 190 万 BDt）の減産，王子 HD では，
2000 年の 258 万 t から 2015 年には 188 万 t へと約 70 万 t（木材チップ概算
にして約 132 万 BDt）の減産が行われた。

（5）紙・パルプ企業の合併による地域内競合の削減

1990 ～ 2000 年代のパルプ企業の大型合併は，原料調達競争の削減という点で，各地域の原料調達構造に大きな影響を与えてきた（表 2-1-9）。

北海道では，1990 年までは王子製紙，十条製紙，本州製紙，山陽国策パルプ，大昭和製紙という 5 社 6 工場で，各企業の KP 生産量シェアは多くとも 2 割台と分散していたが，王子 HD と日本製紙への合併の進展により，2015 年には王子 HD が 35%，日本製紙が 65% と 2 企業 5 工場に収斂した。

東北では，1990 年までに十条製紙，大昭和製紙，東北製紙，三菱製紙の 4 企業 6 工場となっていたが，十条製紙による東北製紙の株式取得・合併，大昭和製紙との事業統合・合併，三菱製紙（白河）のパルプ事業撤退によって，2 企業 5 工場となった（三菱製紙北上工場は分社化されて北上ハイテクペーパーとなったが，三菱製紙グループとしている）。

関東では，KP 生産から撤退が進み，1990 年代には日本加工製紙の 1 企業 1 工場のみとなっていた。そして，2002 年に日本加工製紙が倒産したことにより，関東における KP 生産のための木材需要はなくなった。

北陸では，1980 年代に興人と十条製紙が SP 生産から撤退した後は，北越製紙（後の北越紀州製紙）と中越パルプの 2 企業 2 工場での KP 生産が継続されてきたが，輸入チップの使用比率が大きい。

東海では，歴史的に SP/KP 生産企業・工場が多かったが，1990 年代までに王子製紙，大昭和製紙，名古屋パルプ（大王製紙グループ），東海パルプ，大興製紙，南信パルプの 6 企業 7 工場となり，大昭和製紙（富士，鈴川），南信パルプの KP 生産停止によって，2015 年には 4 企業 4 工場に集約した。

近畿では，1995 年に巴川製紙がパルプ事業から撤退して以来，北越紀州製紙（広葉樹パルプ）と兵庫パルプ（針葉樹パルプ）の 2 企業 2 工場での KP 生産が継続されているが，北越紀州製紙は輸入広葉樹チップ，兵庫パルプは国産針葉樹チップが主であり，原料調達における競合関係はない。

中国では，戦後，東洋パルプ，日本パルプ，山陽パルプなどの原料調達競争が激化してきた地域であったが，王子製紙への合併によって，1990 年には王子製紙，山陽国策パルプ，日本紙業，大竹紙業の 4 企業 5 工場となり，2015 年までには日本製紙への合併が進展し，王子 HD と日本製紙の 2 企業

表2-1-9 地域別KP工場の生産量推移

単位：万t

年	企業1990	工場	1990	1995	2000	2005	2010	2015	企業2015
北海道	王子製紙	江別	20	18	22	21	21	17	王子HD
	王子製紙	苫小牧	19	19	19	18	17	17	王子HD
	本州製紙	釧路	31	24	17	9	×	×	×
	十條製紙	釧路	12	6	11	11	8	7	日本製紙
	山陽国策	旭川	22	19	17	17			
	山陽国策	勇払	18	18	17	18	61	59	
	大昭和	白老	44	36	39	30			
	総生産量		165	144	142	126	107	100	
東北	十條製紙	石巻	41	42	40	40	38	35	日本製紙
	大昭和	岩沼	15	15	15	13	11	5	
	東北製紙	秋田	15	29	32	28	24	26	
	三菱製紙	八戸	42	46	54	54	52	51	三菱製紙
	三菱製紙	北上	12	13	13	13	12	11	
	三菱製紙	白河	14	×	×	×	×	×	×
	総生産量		138	147	154	149	137	127	
関東	日本加工紙	高萩	14	13	10	×	×	×	
	総生産量		14	13	10	×	×	×	
北陸	北越製紙	新潟	37	41	63	71	87	86	北越紀州
	中越パルプ	能町	25	37	35	35	32	32	中越パルプ
	総生産量		62	77	98	106	119	118	
東海	大昭和	鈴川	41	47	49	49	23	×	×
	大昭和	富士	9	×	×	×	×	×	
	王子製紙	春日井	45	55	52	52	54	47	王子HD
	名古屋パ	可児	19	34	37	36	34	35	大王製紙
	東海パルプ	島田	20	20	20	18	17	16	特種東海
	大興製紙	谷川	12	11	11	10	9	10	大興製紙
	南信	上伊那	3	3	3	×	×	×	
	総生産量		150	170	173	166	137	108	
近畿	紀州製紙	紀州	20	19	20	20	17	18	北越紀州
	兵庫パルプ	谷川	18	20	19	20	20	21	兵庫パルプ
	巴川製紙	新宮	6	3	×	×	×	×	
	総生産量		43	43	39	39	37	39	
中国	王子製紙	米子	20	24	42	46	44	36	王子HD
	王子製紙	呉	33	35	34	33	32	27	王子HD
	山陽国策	岩国	41	43	56	58	47	55	日本製紙
	日本紙業	芸防	12	12	12	12	12	×	×
	大竹	大竹	7	9	9	10	×	×	
	総生産量		112	122	154	158	136	118	
四国	大王製紙	三島	71	77	81	82	72	83	大王製紙
	神崎製紙	富岡	30	41	44	43	27	24	王子HD
	丸住製紙	大江	11	8	9	9	20	23	丸住製紙
	総生産量		111	127	133	134	119	130	
九州	王子製紙	日南	22	21	23	21	20	19	王子HD
	本州製紙	大分	8	6	5	×	×	×	×
	十條製紙	八代	21	23	23	25	23	23	日本製紙
	中越パルプ	川内	25	23	24	26	25	28	中越パルプ
	総生産量		76	72	75	72	69	70	

出所：日本製紙連合会「パルプ統計」
地域区分：北海道（北海道一円），東北（青森，岩手，宮城，秋田，山形，福島），関東（茨城，栃木，群馬，埼玉，千葉，東京，神奈川），北陸（新潟，富山，石川，福井），東海（山梨，長野，岐阜，静岡，愛知），近畿（三重，滋賀，京都，大阪，兵庫，奈良，和歌山），中国（鳥取，島根，岡山，広島，山口），四国（四国一円），九州（九州一円，沖縄），日本製紙連合会「パルプ材便覧」の地区区分参照。

3 工場となった。

　四国では，1990 年には大王製紙，神崎製紙，丸住製紙の 3 企業 3 工場となっており，神崎製紙が王子製紙と合併したことで大王製紙，王子製紙，丸住製紙の 3 企業 3 工場で，輸入チップを主とした KP 生産を行っている。

　九州では，1990 年において王子製紙，本州製紙，十条製紙，中越パルプの 4 企業 4 工場体制であったが，本州製紙が王子製紙と合併し，板紙生産への古紙利用増加によって KP 生産から撤退したことで，2015 年では王子製紙，日本製紙，中越パルプの 3 企業 3 工場となった。

　このようにパルプ企業の合併によって，各地域の企業数は 2 ～ 4 企業に集約され，チップ業者による供給先の選択可能性は削減されていった。そのため，木材チップ取引は最寄りのパルプ工場に固定化していき，パルプ企業主導で交錯輸送の解消などの経営効率化が進められることとなった。

注および引用文献

(1) 塩川亮（1977a）「原料転換に伴うパルプ工場の立地変化」『経済地理学年報』23（1）：86 頁

(2) 宮辺健次郎（1983）「紙パルプ産業の現状とその対応」『林業経済』36（4）：10 頁

(3) 王子製紙編（2001）『紙・パルプの実際知識』：149-150 頁

(4) 財団法人日本経営史研究所（1999）『三菱製紙百年史』：354 頁

(5) 大嶋顕幸（1991）『大規模林業経営の展開と論理』：182 頁

(6) 紙・パルプ連合会（1961b）『紙及パルプ』10：7 頁

(7) 大嶋顕幸（2009）「紙・パルプ産業の造林の推移（戦後編）—パルプ備林的役割の終焉—」『山林』1498：36 頁

(8) 大嶋顕幸（1991）『前掲』：324 頁

(9) 日本製紙連合会（1973）『紙・パルプ』5：18 頁

(10) 日本製紙連合会（1973）『前掲』5：19 頁

(11) 木島常明（2010）「広葉樹晒クラフト上質紙の創製（前編）」『紙パ技協誌』64（4）：47 頁

(12) 日本製紙株式会社（1998）『続十条製紙社史』：217 頁

(13) 王子製紙株式会社（2001a）『王子製紙社史　本編』：302 頁

(14) 財団法人日本経営史研究所（1999）『前掲』：573 頁

(15) 財団法人日本経営史研究所（1999）『前掲』：573 頁

第2節 国産チップ需給環境の変遷：チップ供給先の収斂

1 木材チップ取引の組織間関係

（1）木材チップの流通経路

第2次世界大戦以前のパルプ工場は，原料調達として原木集荷が中心であったが，戦後の1956年頃より木材チップの流通が普及し，全国的に一般化した。パルプ工場が原木を利用していた1955年頃までの集荷機構は，図2-2-1①のようにパルプ工場が森林所有者から原木を直接仕入れるか，素材生産業者が生産したものをパルプ工場に納入するという単純な形態であった[1]。国有林，社有林，社有林以外の民有林という所有構造に起因する流通過程の違いはあったが，原木産地と工場立地の結びつきが強かった。そのため，パルプ原料が国産材に限られていた時期は，パルプ工場の新設・増設・撤退は工場周辺の木材需要を大きく左右するものであった。

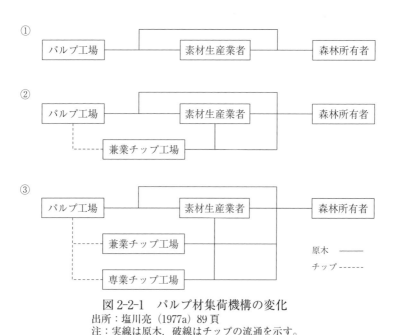

図 2-2-1　パルプ材集荷機構の変化
出所：塩川亮（1977a）89頁
注：実線は原木，破線はチップの流通を示す。

　1950 年代半ばより製材端材の木材チップ利用が開始されたため，製材業との兼業による木材チップ生産が拡大し，集荷機構は図 2-2-1 ②のようになった。そして，広葉樹材のパルプ化が一般化し，木材チップ利用が普及した 1965 年以降には大規模な専業チップ工場が出現し始め，集荷機構は図 2-2-1 ③のように編成された。

(2)　木材チップ工場の経営形態

i ）兼業工場

　兼業工場は，主に製材工場などの木材加工業とチップ製造業を兼業しており，針葉樹チップの割合が比較的大きい。チップ原料においては，自家製材端材が使用可能であり，作業員や輸送手段などで遊休があればそれらを合理的に利用可能である。一概に兼業工場といっても，自家製材端材処理主義に徹するか，自家製材端材に加えて，他工場の製材端材および原木を集荷して，チップ生産量の拡大を図るかという経営方針の差異がある。

　兼業工場の製材端材は，従来，薪として処分されていたもので，他の燃料との競合関係から価格高騰が抑制されてきた面があったが，1960 年代初め頃には大部分がパルプ原料となっていったため，地域によっては薪不足による若干の価格高騰が生じたとされる[2]。しかし，針葉樹原木を調達してパルプ化するよりも格段に安価であることから，パルプ工場による製材端材チップの集荷は小規模な製材工場にまで普及していった。

　木材チップ工場は 1955 年に 22 工場とされていたものが，1961 年には 3,104 工場へと著しく増加し，そのうちの 2,539 工場が兼業工場であった。1963 年には紙・パルプ工場の操業短縮の影響もあり，工場稼働率が停滞したが，1970 年代前半のピーク時には 6,815 工場となった（図 2-2-2）。その後，古紙利用の拡大と国内製材業の縮小に伴って，中小製材工場の減少傾向が続いたため，兼業チップ工場数もその数を大きく減少させ，2015 年には 1,067 工場と，1974 年の 6 分の 1 以下となった。減少要因の 1 つには，外材の原木輸入・国内製材という体制が外材製品輸入へと移行したことによる，臨海木材工業団地などからの製材端材チップ生産の減少が挙げられる。製材端材チップの納入が早期に始まった清水でも，米ツガ原木輸入・国内製材か

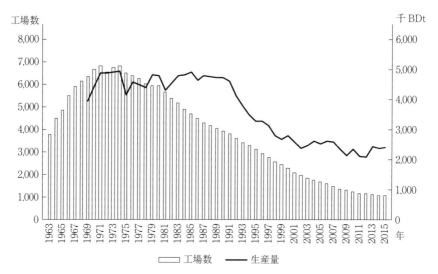

図 2-2-2 兼業チップ工場数とチップ生産量
出所：農林水産省統計情報部「木材需給報告書」より作成。
注：m³/BDt 換算は針葉樹比率（2.2m³/t）で統一している。

ら，米ツガ製品輸入へと 1970 〜 80 年代に転換されていった。

　木材チップ生産量（針広込み）は，1990 年までは 400 万 BDt/ 年台後半で推移してきたが，その後 2000 年にかけて減少し，200 万 BDt 台半ばとなった。しかし，1 工場当たりの生産量は 1969 年に 621BDt/ 年であったものが，2015 年には 2,251BDt/ 年へと増加しており，中小製材工場の減少と大規模製材工場への生産集中がみられる。

ⅱ）専業工場

　専業工場では兼業工場と異なり，その経営基盤がチップ生産にあるため，一定の高稼働率と原料の安定調達を可能とする集荷体制の構築が必要不可欠となってくる。そのため，十分な製材端材が確保できず，割高な原木を集荷・チップ化することで採算が悪化したために，製材業を付帯して原料費負担を低減しようと兼業工場に移行する工場も現れた。また，専業工場はパルプ工場の需要の変化にその操業を大きく左右されることに加え，同地域での競合工場の出現など，原料価格の高騰による採算悪化も懸念されるため，事

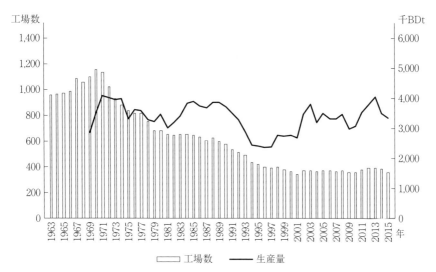

図 2-2-3　専業チップ工場数とチップ生産量
出所：農林水産省統計情報部「木材需給報告書」より作成。
注：m³/BDt 換算は広葉樹比率（1.7m³/t）で統一している。

業継続の安全性という点では兼業工場の方が優れているとされてきた⁽³⁾。

　専業工場数は，1961 年の 565 工場から 1970 年のピーク時にはおよそ 2 倍の 1,150 工場へと増加したが，その後は減少の一途を辿り，2015 年には 357 工場となった（図 2-2-3）。生産量は 1971 年に 407 万 BDt を記録したが，増減を繰り返しながら推移し，1996 年に最低の 236 万 BDt となった。1990 年代後半からは生産量の増加がみられ，2013 年には 400 万 BDt へと増加した。この要因としては，1990 年代までは専ら広葉樹チップ生産量の減少によって総生産量が減少してきたが，2001 年のグリーン購入法の施行によって原木からの間伐材針葉樹チップ生産⁽⁴⁾が増加したことが挙げられる。1 工場当たりの生産量は 1969 年の 2,605BDt/ 年から 2013 年の 10,342BDt/ 年へと増大し，小規模工場の減少と工場の大規模化が進展した。

（3）木材チップ業者のグループ化・系列取引

　木材チップ工場は小規模工場が多数を占めるが，パルプ工場の受け入れの都合上，量がまとまるということが非常に重要であるため，いかにチップ生

産・流通を集約化し，効率的な集荷網を構築するかが重要であった。そのため，図2-2-4のようにチップ生産，あるいはチップ集荷において協同経営形態がとられる場合もあった。また，協同出荷や協同生産のようなチップ生産・流通の集約機能を大規模なチップ業者や流通業者が担う場合もあった。パルプ工場はそれらの有力な業者を木材チップの取引交渉における窓口業者とし，その窓口業者を中心に各地域で集荷グループを形成していった（系列化）。こうしてパルプ企業はチップ集荷量の調整やチップ価格交渉の効率化などを図っていった（図2-2-5）。

　協同経営は，チップ生産・出荷の一部，あるいは全てを複数の組織が協同

図2-2-4　協同組合によるチップ製造・出荷
出所：米沢保正（1963）176頁を参考に著者作成。

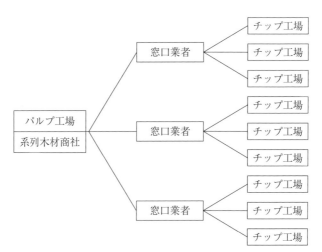

図2-2-5　チップ工場グループ化の模式図
出所：塩川亮（1977）93頁を参考に著者一部改変。

で行うことであり，協同組合を作っている場合もある。図2-2-4の①協同出荷では，小規模な兼業工場が各工場で木材チップ生産を行い，パルプ工場への出荷を協同で行うという協同形態であり，出荷量をまとめることでパルプ工場との交渉を有利にすることができる。②協同生産では，構成員である製材工場がチップ設備を協同利用して生産を行い，協同，あるいは個別に出荷を行うという形態である。

　木材チップの集荷者には，パルプ企業だけでなく，パルプ企業系列の木材商社や住友林業などの商社機能をもった系列外企業も存在し，木材チップの集荷効率化や価格調整の機能を担っていた。系列関係の詳細とその変化については第3節にて詳述する。

2　国産チップ調達の地域的差異

（1）針葉樹チップの遍在性と国産材回帰

　国産針葉樹チップ調達量は，製材端材を主として全国的には1980年頃までは増加傾向であったが，その後は古紙パルプとの代替もあり，横ばいで推移してきた。2015年ではUKP生産工場がある東海が最も大きく，調達量を増加させてきた東北，横ばいの北海道と続いているが，広葉樹利用が主の北陸で減少傾向，関東では工場の撤退による供給先の喪失が生じた。

　針葉樹の国産チップ比率は，1965年では北陸・東海・中国以外は100％となっており（表2-2-1），紙・板紙製品需要の増加とも相まって原料調達競争は厳しさを増していった。そんな中，特に原料価格の高騰に悩まされていた中国・東海で，東洋パルプと大昭和製紙が輸入針葉樹チップの輸入を開始した。

　1965年から1975年の10年間で国産針葉樹材価格の高騰もあり，全国的に針葉樹チップの国産材比率が大きく低下，総調達量が少ない関東・近畿は例外として，国産針葉樹チップ比率は北海道31％，東北42％，北陸53％，東海35％，中国43％，四国23％，九州73％となった。

　輸入チップの導入成功によって，各地域の紙・パルプ企業は国産チップへの一方的な依存から解放され，国産チップと輸入チップの価格条件の良い方

表 2-2-1　　地域別国産針葉樹チップ調達量と国産率

単位：％，千 BDt

	年	1965	1970	1975	1980	1985	1990	1995	2000	2005	2010	2015
北海道	国産率	100	49	31	28	49	34	45	47	60	68	79
	調達量	363	372	407	505	631	627	647	572	608	521	554
東北	国産率	100	62	42	43	55	56	61	68	72	81	90
	調達量	117	177	272	305	399	499	511	511	530	486	585
関東	国産率	100	100	98	97	100	98	100				
	調達量	64	60	62	86	95	75	12				
北陸	国産率	99	58	53	59	69	56	53	51	47	32	30
	調達量	69	109	168	225	213	185	206	176	168	94	68
東海	国産率	90	44	35	40	58	53	55	57	61	62	70
	調達量	625	655	492	605	770	773	768	703	793	783	810
近畿	国産率	100	100	100	97	98	80	80	84	100	93	89
	調達量	111	149	184	336	316	283	243	256	320	338	358
中国	国産率	83	42	43	47	63	71	68	61	62	59	68
	調達量	246	224	266	296	342	346	344	427	491	396	370
四国	国産率	100	44	23	18	29	28	35	31	37	43	36
	調達量	98	207	237	238	360	375	465	401	484	437	346
九州	国産率	100	81	73	76	82	61	63	81	60	78	78
	調達量	146	118	203	283	254	285	320	284	205	214	220

出所：日本製紙連合会「パルプ材便覧」より作成。
地域区分：表 2-1-9 と同じ。

を選択する余地が生じ，国内チップ業者に対する交渉力を強化しえた。しかし，チップショックと代替材である古紙利用の促進によって，チップ輸入量は減少し，国産スギ・ヒノキ・マツなどの製材端材チップの調達が主流へと回帰した。2015 年の国産材比率は北海道 79％，東北 90％，東海 70％，近畿 89％，中国 68％，九州 78％と各地域で 6 割以上となっている。

　国産針葉樹チップ調達量における自地域内での調達比率に注目すると（図 2-2-6），北海道・東北・北陸・九州では 1965 年以来概ね自地域内で約 9 割を賄っており，他地域からの調達比率は少量であった。北陸については，北越紀州製紙（新潟）がほぼ広葉樹チップ調達ということもあり，針葉樹チップ調達量は 2015 年で 6.7 万 BDt と，調達がなくなった関東を除けば，全国で最も少なくなっている。

　東海は，NKP を主として生産する工場が静岡に複数あり，かつ日本列島

縦軸：調達量（万BDt），横軸：地域内調達依存度

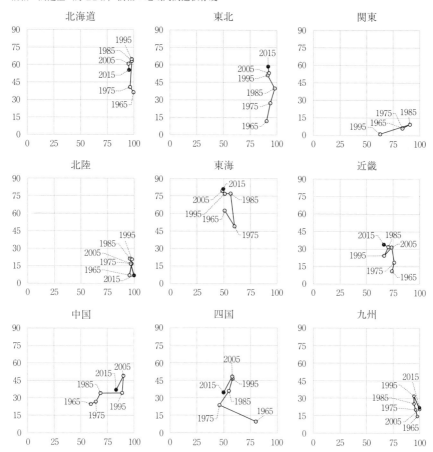

図2-2-6　国産針葉樹チップの調達量と地域内調達依存度（1965〜2015年）
出所：日本製紙連合会「パルプ材便覧」より作成。
地域区分：表2-1-9と同じ。

の中央部に位置しているということから，1965年には東北（3％）・関東（8％）・北陸（5％）・東海（51％）・近畿（25％），中国（7％），四国（1％）と広範囲にわたる針葉樹チップ調達が行われていた。そのため，東海圏内での調達比率は5割前後で推移してきた。年を経るにつれて四国・中国からの調達はなくなってきたが，東海・関東・近畿からの調達を主としながら，2000年代においても東北・北陸などの比較的遠い地域からの集荷も行っている。

国産針葉樹チップ調達量は輸入チップの増加によって 1970 年代は減少したものの，その後に増加し，2010 年代には 80 万 BDt を超え，北海道や東北よりも多くなっており，日本国内で一番まとまった量の国産針葉樹チップ需要が創出される地域となっている。

　近畿・中国・四国では，歴史的に有力なパルプ企業の競合が激しく，隣接地域から内航船を利用しての調達が行われてきたため，東日本の地域よりも自地域での調達比率は低くなっているが，概ね自地域内での調達比率について 5 割以上は維持されてきた。

　近畿では，針葉樹チップ調達の主となっているのは兵庫パルプ（谷川）の製材端材チップおよび解体材チップ集荷であると考えられ，近畿・中国・四国を主として針葉樹チップ調達が行われてきたが，1990 年代後半からは四国からの調達はなくなり，2015 年においては近畿 66％，中国 30％，東海 3％，北陸 1％となっている。

　中国の地域内調達比率は，1965 年の 60％から 1988 年には 88％となり，1990 年代後半から 9 割台で推移したが，2008 年以降は九州からの調達比率が増加し，2015 年では中国 83％，四国 4％，九州 13％となった。

　四国は地域内での調達比率は 1970 年代以来 40％後半〜 60％前後で推移してきており，1970 〜 80 年代は中国，1990 〜 2000 年代は九州からの調達比率が高くなった。また，中国木材（鹿島）ができてからは，関東から製材端材のダグラスファーチップ調達が行われてきた。そのため，2015 年の調達比率は四国 50％，九州 33％，関東 10％，中国 6％，近畿 1％となった。

　九州は盛んな製材業を背景として，地域内のパルプ需要を賄うのみならず，中国・四国への製材端材チップの移出地域となっている。

　以上より，針葉樹チップが国産比率を高めた理由をまとめると，①製材によって生じる副産物であるということから製造コスト面において低廉であり，輸入材に対して価格競争力を持っていたこと，② NKP と古紙の代替関係と製品への使用条件から，広葉樹チップほどまとまった量を必要としなかったこと，③供給源は製材兼業チップ工場が主であり全国に分布していること，と表すことができる。

(2) 広葉樹チップの偏在性と国産材離れ

　国産広葉樹チップ調達量は，全国的には 70 〜 80 年代をピークに減少し，90 年代から輸入チップへの代替が顕著に進められた（表 2-2-2，図 2-2-7）。2015 年では，北海道や東北といった広葉樹資源量が比較的充実している地域において，30 万 BDt 以上の調達が行われているが，他地域では 20 万 BDt 以下で低位安定した調達となっている。

　広葉樹チップの地域別の国産材比率の変化をみると，各地域で 50％を割り込むのは北海道・東北・関東・近畿・九州で 1990 年代前半，北陸・東海・中国・四国で 1980 年代後半となっており，1985 年以降に急激な輸入チップへの転換が進行したことがわかる。国産広葉樹チップの調達量を 1990 年と 2015 年で比較すると，北海道 3 分の 1，東北 2 分の 1，関東調達撤退，北陸

表 2-2-2　地域別国産広葉樹チップ調達量と国産率

単位：％，千 BDt

	年	1965	1970	1975	1980	1985	1990	1995	2000	2005	2010	2015
北海道	国産率	100	100	81	74	73	51	32	27	27	29	29
	調達量	865	1,471	1,555	1,838	1,558	1,223	717	592	432	390	362
東北	国産率	100	100	64	60	63	51	25	23	24	22	21
	調達量	215	954	878	958	1,067	961	514	512	507	442	400
関東	国産率	100	100	97	95	95	76	38	48			
	調達量	141	230	265	325	257	189	90	90			
北陸	国産率	100	94	81	55	59	49	15	8	6	7	5
	調達量	165	327	387	320	350	442	174	114	109	131	103
東海	国産率	100	79	59	50	50	32	12	8	5	7	10
	調達量	481	891	623	539	575	482	242	153	100	88	97
近畿	国産率	100	100	100	88	90	73	38	26	17	11	2
	調達量	123	243	257	256	295	285	147	101	61	32	8
中国	国産率	100	99	76	52	54	35	15	12	9	12	10
	調達量	279	565	568	682	702	661	297	276	206	230	194
四国	国産率	100	98	53	47	59	27	10	4	2	2	1
	調達量	77	430	346	395	518	431	171	71	25	32	21
九州	国産率	100	99	87	73	78	52	18	9	11	15	13
	調達量	220	541	574	688	677	532	175	100	118	160	138

出所：日本製紙連合会「パルプ材便覧」より作成。
地域区分：表 2-1-9 と同じ。

縦軸：調達量（万BDt），横軸：地域内調達依存度

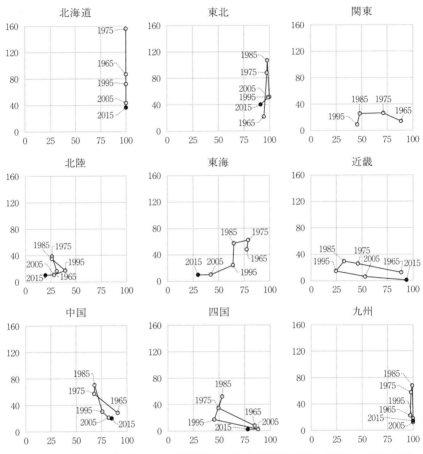

図 2-2-7　国産広葉樹チップの調達量と地域内調達依存度（1965 〜 2015 年）
出所：日本製紙連合会「パルプ材便覧」より作成。
地域区分：表 2-1-9 と同じ。

4分の1，東海5分の1，近畿35分の1，中国3分の1，四国20分の1，九州4分の1と西日本を中心に大きく減少した。

　1990年において北海道，東北，関東，近畿，九州は国産材比率が50%以上であるのに対し，東海・中国・四国は35%以下である。それが2015年になると北海道29%，東北21%，10%以上は東海・中国・九州のみである。関東は木材チップの調達量が1990年から大きくなかったため，国産材比率

が高かったが，2005 年になると日本加工製紙（高萩）の倒産によって関東での木材チップ調達はなくなった。

　国産広葉樹チップは，全国的に分布する製材工場から供給される針葉樹チップと異なり，広葉樹資源の量的なまとまりの有無と生産コストの多寡によって供給可能性が偏在する。そのため，北海道・東北・九州は 1965 ～ 2015 年に 9 割以上を自地域内で調達し，北陸は山形・福島を主とした東北地域，近畿は四国・東北（後述の紀州造林など）・九州，中国は九州，四国は中国・九州というように自地域よりも比較的広葉樹資源が豊富な地域からの調達ルートの確保が目指されてきた。

　しかし，上述した通り，紙・パルプ企業にとっての国産広葉樹チップへの依存度は 1985 年以降の低下が著しく，北海道・東北の一部のパルプ工場以外では，長期契約取引によって調達量がある程度固定されている輸入チップを前提として，一定程度の数量を維持しつつも調整的な取引関係となっていった。

3　紙・パルプ企業とチップ業者の需給環境の変化

（1）KP 生産量と国産チップ生産量の乖離

　ⅰ）1980 年代の都道府県別 KP 工場のパルプ材消費と木材チップ生産量

　輸入チップの使用が本格化する前の 1983 年の KP 工場と，都道府県の木材チップ生産量の関係についてみると，表2-2-3，表2-2-4 のようになる。なお，KP 工場では LKP と NKP の生産比率が不明なため，広葉樹比率が高い BKP と針葉樹比率が高い UKP 比率によって樹種区分の代替とする。木材チップ消費量（推定）は当該年の日本製紙連合会「パルプ材便覧」を参考とし（年によってはパルプ化歩留まりは異なっている），KP を 1t 当たり生産するのに必要な木材チップ量を試算して示した。

　1983 年の工場別の KP 生産量では，大王製紙（三島）が 40 万 t 以上で最も大きい。次いで 30 万 t 台が 4 工場，20 万 t 台が 6 工場，そして 10 万 t 台が 20 工場と最も多かった。針葉樹を主な原料とする UKP のみを生産している工場（BKP 率 0％）は 9 工場あり，20 万 t 台が 1 工場，10 万 t 台が 3

表2-2-3　1983年のKP工場分布（37工場）

生産量		BKP率				木材チップ推定消費量
		100%～(15)	90%～(6)	10%～(7)	0%(9)	
	40万t～(1)			三島（愛媛）		87万BDt～
	30万t～(4)	岩国（山口）	白老（北海道）	旭川（北海道）春日井（愛知）		65万BDt～
	20万t～(6)	石巻（宮城）八戸（青森）新潟（新潟）富岡（徳島）		釧路（北海道）	鈴川（静岡）	43万BDt～
	10万t～(20)	米子（鳥取）日南（宮崎）勇払（北海道）八代（熊本）北上（岩手）可児（岐阜）紀州（三重）高萩（茨城）芸防（広島）	江別（北海道）岩沼（宮城）釧路（北海道）白河（福島）大江（愛媛）	高岡（富山）川内（鹿児島）呉（広島）	島田（静岡）秋田（秋田）谷川（兵庫）	22万BDt～
	～9万t(6)	富士（静岡）			静岡（静岡）新宮（和歌山）日光（栃木）上伊那（長野）大分（大分）	～20万BDt

出所：日本製紙連合会「パルプ統計」より著者作成。
注：木材チップ消費量推定値はKP1t＝木材チップ2.18tとして換算。

工場，9万t以下が5工場となっており，KP工場としては比較的小規模な工場を主として構成されてきた。

　KP工場での木材チップ消費量は，37工場中31工場で約22万BDt以上／年であり，大王製紙（三島）の消費量の約87万BDt以上は当然ながら四国のチップ生産量を上回り，輸入チップなしでは賄いきれない。木材チップ生産量が大きい北海道についても，道内のKP工場（白老，旭川，釧路，江別，釧路）の消費量の合計で生産量を上回り，輸入チップ無しでは生産量を維持できない状況であった。国産チップを主とした経営が確認できるのは，広葉樹チップでは岩手の三菱製紙（北上），福島の三菱製紙（白河），針葉樹チップでは兵庫の兵庫パルプ（谷川）などであるが，いずれもKP生産量10万t台の工場となっている。

表 2-2-4　1983 年の地域別チップ生産量

		広葉樹比率				
		90%(3)	70%〜(14)	50%〜(13)	30%〜(11)	〜29%(6)
生産量	200 万 BDt 〜(1)		○北海道			
	50 万 BDt 〜(1)		○岩手			
	30 万 BDt 〜(2)		○鹿児島	○福島		
	20 万 BDt 〜(8)	○宮崎	○青森 ○秋田 ○岐阜 ◐島根	山形 ○広島	○静岡	
	10 万 BDt 〜(21)		○宮城 群馬 福井 ○山口 高知	○新潟 ○長野 ○兵庫 ○徳島 ○熊本	○茨城 栃木 ○三重 大阪 ○和歌山 岡山 ○愛媛	○富山 ○愛知 京都 大分
	〜9 万 BDt(14)	長崎 沖縄	滋賀 佐賀	埼玉 千葉 東京 山梨 ○鳥取	神奈川 奈良 福岡	石川 香川

出所：農林水産省統計情報部「木材需給報告書」より著者作成。
注 1：○は KP 工場を有する道県。◐の島根は DP 生産で江津工場の集荷がある。
注 2：解体材チップの生産量は含んでいない。

ⅱ）2015 年の都道府県別 KP 工場のパルプ材消費と木材チップ生産量

　1990 年代の国産チップ調達量の大幅な減少が一段落した後の 2015 年のチップ生産地域とパルプ工場の関係についてみてみると，表 2-2-5，表 2-2-6 のように示せる。全体的な傾向としては，パルプ工場の集約化（1 パルプ工場当たりの生産量拡大）と各地域のチップ生産量の縮小が進んだ。

　北海道は 2 企業 6 パルプ工場を有しており，チップ生産量は 80 万 BDt と国内最大であるが，1980 年代の半分以下となっている。岩手は北上ハイテクペーパー（三菱製紙グループ）が国産チップでのパルプ生産を堅持しているため，減少傾向ではあるものの，30 万 BDt の生産が保たれている。広島は針葉樹チップを主として 30 万 BDt の生産を行っているが，この要因としては，ダグラスファー製材大手の中国木材の製材端材チップ供給が挙げられ，隣接した王子マテリア（呉）を主として，まとまった量の取引が続いて

表 2-2-5　2015 年の KP 工場分布（25 工場）

生産量		BKP 率						木材チップ推定消費量
		100%(13)	90%～(2)	80%～(5)	70%～(1)	60%～(1)	0%(3)	
	80万t～(2)	新潟（新潟）		三島（愛媛）				150万BDt～
	50万t～(2)	岩国（山口） 八戸（青森） 北海道（北海道）						94万BDt～
	40万t～(1)			春日井（愛知）				75万BDt～
	30万t～(4)	米子（鳥取） 石巻（宮城）	可児（岐阜）	高岡（富山）				56万BDt～
	20万t～(7)	富岡（徳島） 八代（熊本） 大江（愛媛）		川内（鹿児島）	秋田（秋田）	呉（広島）	谷川（兵庫）	38万BDt～
	10万t～(6)	日南（宮崎） 紀州（三重） 北上（岩手）	江別（北海道）	苫小牧（北海道）			島田（静岡）	19万BDt～
	～9万t(3)	釧路（北海道） 岩沼（宮城）					富士（静岡）	～18万BDt

出所：日本製紙連合会「パルプ統計」より著者作成。
注：木材チップ消費量推定値は KP1t＝木材チップ 1.88t として換算。

いる。

　福島では，1984～92 年に広葉樹チップを年間 30 万 BDt 以上生産していたが，三菱製紙（白河）が 1993 年に KP 生産を停止したことによって，BKP 約 13 万 t 分の広葉樹チップ需要が喪失し，広葉樹チップ生産量は 1990 年の 36 万 BDt から，1994 年には 11 万 BDt へと減少，1990 年代は横ばいで推移し，2000 年代に 10 万 BDt を下回った。この時期において，国有林伐採の減少という供給減少要因も存在したが，パルプ工場の喪失がそのまま広葉樹チップ需要の喪失につながり，代替供給先によるチップ製造業の維持は行われなかったことが窺われ，県内の専業チップ工場数も 22 工場から 17 工場へと減少した。その後は，北越紀州製紙（新潟）へ広葉樹チップ，宮城の日本製紙（石巻・岩沼）に針葉樹チップの供給が数量は減少しながらも維持されている。

　木材チップ生産量が 10 万 BDt 台の地域では，島根・日本製紙（江津），

表 2-2-6　2015 年の地域別チップ生産量

		広葉樹比率				
		90%～	70%～(1)	50%～(5)	30%～(13)	～29%(23)
生産量	80 万 BDt ～(1)				○北海道	
	30 万 BDt ～(2)			○岩手		○広島
	20 万 BDt ～(1)				福島	
	10 万 BDt ～(9)	●島根		○鹿児島	○青森 ○秋田	○宮城 茨城 ○愛媛 ○熊本 ○宮崎
	～ 9 万 BDt (29)			滋賀 ○鳥取 長崎	※ 1	※ 2

出所：農林水産省統計情報部「木材需給報告書」より著者作成。
※：数値無し：東京・神奈川・大阪・香川
※ 1：山形，埼玉，千葉，○富山，石川，福井，山梨，○山口，佐賀
※ 2：栃木，群馬，○新潟，長野，○岐阜，○静岡，○愛知，○三重，京都，○兵庫，奈良，
　　和歌山，岡山，○徳島，高知，福岡，大分
※ 3：○は KP 工場を有する道県。●の島根は DP 生産で江津工場の集荷がある。
注：解体材チップの生産量は含んでいない。

鹿児島・中越パルプ（川内），青森・三菱製紙（八戸），秋田・日本製紙（秋田），宮城・日本製紙（石巻・岩沼），愛媛・大王製紙（三島）・丸住製紙（川之江），熊本・日本製紙（八代），宮崎・王子製紙（日南）と各地域にパルプ工場が存在している。

　ただし，新潟・鳥取・岐阜・静岡・愛知・三重・兵庫・徳島でのチップ生産量は 10 万 BDt 未満であり，資源量や集荷コストなどの関係で，県内にパルプ工場が存在するからといって，必ずしもチップ生産量が増加する経営環境ではないことがわかる。例外的に，パルプ工場が存在しない茨城が 10 万 BDt 以上の生産を行っているが，これはダグラスファー製材大手の中国木材鹿島工場の影響であり，ダグラスファーチップは内航船によって大王製紙（三島）を主として北海道・東北・東海などへ供給されている。

　KP 工場の生産量と木材チップ生産量の関係を踏まえると，北海道・東北での資源蓄積は比較的多く，KP 生産量が 10 ～ 20 万 t/ 年の 1 製造ラインを操業させるのに応えうるロットが集荷できるというメリットがある。しかし，林業労働者の高齢化や他産業への流出によって充分な集荷体制が築けて

いないという現状は解決されていない。本来ならば木材チップ買取り価格を上げて対応すべきところであるが，国内他企業，海外企業との競争の中では紙価格を容易に上げることはできないため，その原料となる木材チップの価格を上げることも困難な状況となっている。そのため，内陸型工場といえども最寄りの港（多くは自社の別工場が立地している）から木材チップを輸送する，もしくはパルプを購入するという形態を組み合わせている。

　1製造ラインを安定操業させるという観点からみると，北上ハイテクペーパー（三菱製紙グループ）のように少量生産工場を国産チップのみで操業させるという形態と，他の大規模工場のように大量生産の際に，輸入チップに対して国産チップを少量（数％）配合させるという形態がある。北上ハイテクペーパーは国産材利用率100％の工場として，岩手県の広葉樹チップの7割を集荷していたが，伐採労働力の高齢化，合板需要拡大による針葉樹伐採や建設業への労働者の流出があり，広葉樹施業・伐採の優位性が見いだせない限り，素材生産業者の確保は難しくなってきている。

　近畿の兵庫パルプ（谷川）は，ほぼ国産針葉樹チップのみを使用してNUKPの生産・販売を行っている。2015年におけるUKP生産量は約21万tであるため，針葉樹チップの推定消費量は約40万BDtとなる。内訳としては製材端材46％，解体材・開梱材27％，間伐材・林地残材6％，人工林・天然林低質材21％となっており[5]，製材端材に加え姫路港や神戸港での開梱材なども重要な資源となって経営が成立していることが考えられる。

(2) 国産チップの地域別需給環境の変化

　図序-6を踏まえて，地域別の化学パルプ（SP/KP）工場を有する企業数（左縦軸）と国産チップ使用比率（上横軸）から，1965～2015年の国産針葉樹および広葉樹チップの地域別の需給環境を捉えると，図2-2-8，図2-2-9の折れ線のように描くことができる。国産チップ使用比率（国産チップ調達依存度）は，当該地域内の化学パルプ工場が国産チップを使用した比率であり，必ずしも地域内の木材チップのみの値ではない（東北から北陸，関東・近畿から東海への流通などが含まれる）。

　国産針葉樹チップの需給環境の全体的な傾向として，パルプ企業数が多

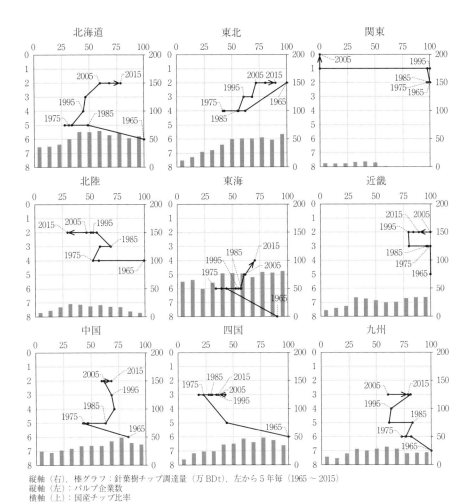

縦軸（右）、棒グラフ：針葉樹チップ調達量（万 BDt）、左から 5 年毎（1965 ～ 2015）
縦軸（左）：パルプ企業数
横軸（上）：国産チップ比率

図 2-2-8　針葉樹チップ調達量と需給関係の動態（1965 ～ 2015 年）
出所：日本製紙連合会「パルプ材便覧」、日本製紙連合会「パルプ統計」より著者作成。

く、国産チップ使用比率が高い、木材チップ供給者に交渉力優位な図中右下から、1965 ～ 70 年代初めの輸入チップへの移行によりパルプ企業の交渉力優位な左方にシフトした。しかし、1970 年代の石油危機、それに伴うチップショックの影響により国産材回帰が生じ、関東・近畿以外は国産チップ使用比率が高い右方へと推移した。そして、1980 年代後半以降、パルプ企業

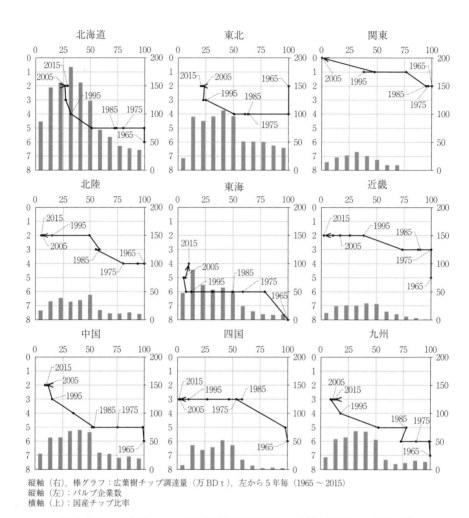

縦軸（右），棒グラフ：広葉樹チップ調達量（万 BD t），左から 5 年毎（1965 ～ 2015）
縦軸（左）：パルプ企業数
横軸（上）：国産チップ比率

図 2-2-9　広葉樹チップ調達量と需給関係の動態（1965 ～ 2015 年）
出所：日本製紙連合会「パルプ材便覧」，日本製紙連合会「パルプ統計」より著者作成。

の合併による供給先の減少が生じると，右上の企業数が少なく，国産チップ
使用比率が高い需給環境へと推移したことが確認できる。さらに，1990 ～
2000 年代におけるパルプ企業の合併の進展によって，各地域の競合企業の
工場が同一企業の工場となり，実質的に木材チップの供給先が統合され，限
定されるようになっていった。特に北海道，東北での動きが典型的である。

つまり，国産針葉樹チップ取引では，パルプ企業の国産チップへの依存度は高いが，各地域のチップ業者の供給先が限定されるようになったことで，双方依存的な需給環境が構築されてきたことが読み取れる。

　国産広葉樹チップの需給環境においては，1980 年代前半までは国産チップ使用比率が過半数を占める地域が多く，パルプ企業の調達も各地域間を跨いで行われていたので，図 2-2-9 に示すよりも企業間の競争は熾烈であったと考えられる。そのため，パルプ企業数が多く，国産チップ使用比率が高い 1960 ～ 70 年代では，広葉樹チップ確保のために，パルプ企業にはより強力なチャネル統制，チップ工場の系列化が必要とされてきた。しかし，国内広葉樹資源の減少，パルプ企業の合併と輸入チップの主流化によって，国産チップの集荷圏は次第に縮小し，広葉樹チップの供給先は地理的に限定されていった。図 2-2-9 でみると，1980 年代以前では，各地域とも右下の，国産チップ使用比率が高く，競合するパルプ企業数が多い，チップ業者の交渉力優位な需給環境であったが，次第に左上の，パルプ企業数が少なく，国産チップ使用比率が低い，パルプ企業が交渉優位な需給環境へと移行してきたことがわかる。特に国産チップ使用比率については，1985 年以降の低下が著しく，2015 年では，生産量の比較的大きい北海道や東北でも 30％未満となっており，チップ供給者がパルプ企業に対して交渉力を発揮することは困難な需給環境が確立してきたことが示唆される。

　次節では，図 2-2-8，図 2-2-9 のように木材チップの需給環境が変化してきた中で，パルプ企業とチップ業者が具体的にどのような取引関係を形成し，変化させてきたのか，その組織間関係の時系列的な変遷を既往の実証研究・文献と照合しながら明らかにしていく。

注および引用文献
(1)　塩川亮（1977a）「原料転換に伴うパルプ工場の立地変化」『経済地理学年報』23（1）：89 頁
(2)　米沢保正（1963）『木材チップ：技術と経営』：173 頁
(3)　米沢保正（1963）『前掲』：175 頁
(4)　林野庁（2009）「間伐材チップの確認のためのガイドライン」
(5)　兵庫パルプ工業株式会社（2017）「木材原料調達の取り組み状況」

第3節　国産チップ取引における系列関係の態様

1　チップ工業の勃興：パートナーシップ的取引関係の構築

　国内チップ工業の勃興期である 1950 年代後半から 1960 年代初頭のパルプ
企業とチップ業者の関係は，図序-6 および図 2-2-8 と図 2-2-9 のそれぞれの
図中右上に該当するようなパートナーシップ的関係性であった。

　つまり，一概に木材チップといっても，パルプ工場によって需要される樹
種はパルプ設備と生産製品ごとに異なり，広葉樹では工場によっては受入拒
否の樹種が存在するなど，チップ工場とパルプ工場間での樹種およびチップ
規格の打ち合わせが必要不可欠であった [1]。針葉樹については，最も汎用
性があったのが，KP 法が普及する以前から使用されていたアカマツ，クロ
マツ，エゾマツ，トドマツであった。スギ，ヒノキ，カラマツは使用を制限
する工場があり，特定の工場のみ受け入れ可能などの要求が出されていた。

　紙・パルプ企業による購入チップの使用は，1954 年に東洋パルプが中国
チップ工業株式会社（会社は 1955 年設立，現中国木材株式会社）から製材
端材チップを購入したのがはじめとされる [2]。同時期に静岡県清水市の製
材業界が東海パルプに試験的に製材端材チップを納め，1956 年より本格的
に製材端材チップ生産が開始され，アカマツ製材端材チップが本州製紙の富
士工場に納入されることとなった [3]。東北では 1955 年の福島に続き，1957
年に岩手をはじめ他県にチップ設備が導入され，福島の白河パルプ工業（白
河）などにチップの納入が行われ始めた [4]。

　1955 年の木材チップ工場数は 22 工場で，パルプ原料に占める木材チップ
の比率は 0.2％にすぎなかったが（表 2-3-1），1960 年には 1,788 工場，24％，
1970 年では 7,790 工場，75％と，木材チップはパルプ工場の原料調達形態と
して劇的に拡大した [5]。これによってパルプ工場と製材工場の関係は原木
獲得をめぐる競合関係から，製材端材チップ取引における協調関係へと変化
した。

　1958 ～ 59 年において，①木材チップの原料構成は，製材端材 60％，林地
残材 18％，薪炭材転用 10％，一般小径材 9％，その他 3％，②経営形態別生

表2-3-1　チップ工場の普及過程

西暦	操業開始工場数							総工場数					
	1955	1956	1957	1958	1959	1960	1961	1961	1975	1985	1995	2005	2015
北海道	1	1	8	11	47	96	150	314	907	721	501	258	210
青森	-	-	-	-	1	1	8	10	147	118	85	38	20
岩手	-	-	1	5	15	32	23	76	235	154	107	73	60
宮城	-	-	1	2	2	13	17	35	109	104	73	44	37
秋田	-	-	1	5	8	28	9	51	204	131	69	37	37
山形	-	-	1	-	4	20	6	31	212	156	107	60	40
福島	1	1	1	5	16	15	44	83	302	198	145	69	40
茨城	-	-	1	2	7	10	10	30	138	165	106	56	37
栃木	-	2	5	2	12	8	98	127	279	218	134	67	34
群馬	-	-	1	1	4	3	16	25	130	63	38	21	19
埼玉	-	-	1	1	-	6	5	13	72	59	37	22	10
千葉	-	-	-	-	5	5	13	23	73	35	19	14	11
東京	2	-	8	-	1	11	19	41	108	77	39	11	8
神奈川	-	1	1	2	3	2	1	10	39	15	10	2	6
新潟	1	-	2	-	9	13	4	29	158	112	78	45	20
富山	-	1	13	8	12	6	3	43	135	101	69	43	19
石川	1	1	3	-	5	2	6	18	61	41	26	13	10
福井	3	-	1	2	9	12	20	47	52	51	35	24	16
山梨	2	3	2	1	14	8	14	44	158	112	70	36	14
長野	-	1	11	14	13	33	73	145	393	255	168	90	60
岐阜	1	1	10	4	19	21	36	92	279	148	98	51	42
静岡	-	12	17	14	24	48	164	279	456	303	209	114	69
愛知	1	4	13	9	9	18	36	90	180	119	91	51	23
三重	-	2	7	3	13	17	31	73	235	173	138	80	54
滋賀	-	-	1	2	6	13	9	31	27	21	16	11	3
京都	-	-	2	6	13	14	27	62	115	95	67	47	36
大阪	1	-	1	8	5	12	5	32	46	17	4	6	5
兵庫	2	-	12	17	45	22	25	123	145	112	63	61	39
奈良	-	-	2	1	16	13	53	85	97	72	44	21	22
和歌山	-	2	1	2	3	6	48	62	100	98	45	39	25
鳥取	-	1	1	2	29	15	11	59	48	33	20	12	7
島根	-	-	6	13	46	20	34	119	78	56	37	25	17
岡山	-	-	1	6	23	15	13	58	128	95	61	45	31
広島	4	1	8	10	35	23	15	96	176	123	80	42	38
山口	-	-	1	4	12	12	9	38	119	70	43	18	15
徳島	1	-	3	8	12	28	47	99	144	88	48	33	25
香川	-	-	-	4	8	3	5	20	80	81	53	32	12
愛媛	-	2	1	3	17	24	91	138	239	183	138	84	43
高知	-	3	3	11	22	36	48	123	171	118	82	50	32
福岡	1	-	-	3	13	5	9	31	114	68	50	32	19
佐賀	-	1	-	5	4	-	-	10	43	27	16	7	7
長崎	-	-	-	1	4	1	4	10	28	17	12	7	8
熊本	-	-	-	4	11	7	13	35	62	52	35	34	31
大分	-	-	4	9	11	5	5	34	89	106	73	45	39
宮崎	-	-	1	4	9	24	25	63	125	77	46	40	43
鹿児島	-	-	3	4	12	14	14	47	83	74	49	30	29
計	22	40	160	213	609	744	1,316	3,104	7,319	5,315	3,534	2,040	1,424

出所：農林省統計情報部（1962）「素材生産量および木材需給動態」，農林水産省統計情報部「木材需給報告書」

産割合・工場数は，兼業 55%・440 工場，専業 45%・162 工場であり，製材端材がチップの主原料となっていた⁽⁶⁾。製材端材チップの生産は設備投資額も低額で，製材工場の合理化に役立ったことから急速に拡大した。

　木材チップ生産の初期において，紙・パルプ企業は木材チップの均質化の問題，異物混入の不安などから，チップ工場の設置を積極的には推進していなかった。しかし，1961 年以降になると，木材価格の高騰に伴いパルプ原木の集荷が容易でなくなったため，紙・パルプ企業が製材工場を系列化し，チップ生産を担わせるという対策をとるようになった⁽⁷⁾。これは原木調達で競合していた紙・パルプ企業と製材工場双方にメリットがあった。というのも紙・パルプ企業は原木よりも安価な製材端材チップを得られ，製材端材チップの生産は，原木高製品安に悩まされていた製材工場の経営合理化，取引先・条件の安定をもたらしたからである⁽⁸⁾。

　具体的には，①大手パルプ企業との取引ということから，代金の支払い面で不安がない，かつ現金払いが多かったために工場経営の運転資金を賄える点で有利だったこと，②設備資金をパルプ企業から借り入れることができたこと，③大手パルプ系列に入ることによって，特に金融機関に対する信用力がつくこと，というメリットが挙げられ，パルプ企業からの系列化の働きかけのみならず，製材工場側から要請する動きも盛んであった⁽⁹⁾。

　パルプ産業の製材端材チップ利用を促進させた要因の1つとして，製材業における米材・ソ連材輸入の増加，それに伴う大規模製材工場の増加が挙げられる⁽¹⁰⁾。特に米材輸入による木材工業団地が形成された静岡，広島に加えて，輸入ラワンの製材端材が豊富であった愛知などで兼業チップ工場数の増加がみられた⁽¹¹⁾。これは採算を主目的とする経営合理化という観点よりも，鋸屑を含む製材工場廃棄物処理問題の解決策としての利益が大きかった⁽¹²⁾。

　1951 ～ 61 年の地域別パルプ材価格に注目すると，1951 年時点では北海道で最も高く，南部の中国や九州では安く，北海道材価格の半分程度であった（表 2-3-2）。1950 年に木材統制が撤廃されると，北海道の苫小牧製紙・北日本製紙・国策パルプは東北のアカマツ材の集荷に進出し，地元の東北パルプ（秋田・石巻）は中国・四国を集荷圏にするなど，パルプ材集荷競争は熾烈

表 2-3-2　パルプ材価格（内地：アカマツ・クロマツ，北海道：エゾ・トド）

単位：円 /m³

年	1951	1952	1953	1954	1955	1956	1957	1958	1959	1960	1961
北海道	2,950	4,300	–	4,670	3,770	3,050	3,410	2,980	2,980	3,959	4,680
東北	1,800	3,050	3,050	5,390	3,950	3,590	4,850	4,670	4,670	4,560	4,970
関東	1,800	3,170	3,860	5,900	4,670	4,730	–	–	–	5,390	6,300
北陸	1,640	3,110	3,150	5,580	4,980	4,500	–	–	–	5,390	–
東海	1,800	2,160	3,050	5,570	3,950	3,770	4,670	5,680	5,680	5,730	6,300
近畿	1,800	2,160	2,870	5,210	3,770	3,700	4,850	5,250	5,250	5,750	6,480
中国	1,220	1,980	2,800	4,670	3,840	3,700	4,850	4,850	4,850	5,140	5,580
四国	1,700	2,770	3,260	5,030	3,770	3,700	4,676	5,210	5,210	5,320	6,300
九州	1,190	2,160	2,190	3,450	3,230	2,980	4,310	4,200	4,200	5,030	5,760

出所：紙・パルプ連合会（1961a）5 頁

なものとなった [13]。

　その後は 1954 年の北海道の風倒木処理の影響で 1955 ～ 56 年に価格の低下がみられたものの，概して上昇傾向が続き，1961 年には関東・東海・近畿・四国で 6,000 円 /m³ を上回り，1951 年の 3 倍以上の価格を示すようになった。関東・近畿・東海は都市近郊，四国は海上輸送が可能なことにより遠隔地域からの集荷圏にも入り，需要の競合によって価格高騰が顕著であったことが考えられる [14]。

　1956 年から 1961 年では，一般物価は約 4％の値上がりであったが，原木価格は約 80％高騰し，紙・パルプ製品価格が約 20％値下がりしたことで，紙・パルプ企業の業績は悪化の一途を辿った [15]。

　1962 ～ 63 年にはパルプ工場の新増設が過剰となり，紙・パルプ工場において操業短縮が実施されるなど，木材チップ需要は抑制された [16]。チップ工場の新設数と稼働率が顕著に減少し，生産さえすれば売れるという環境ではなかったが，1964 年に基本法林政が始まり，第 1 次林業構造改善事業が開始されると，チップ生産施設の設置も資本装備高度化事業として取り上げられた。当時の拡大造林推進のための広葉樹林地の樹種転換促進措置として，チップ生産設備の設置に国庫補助が出されるようになったことで森林組合経営のチップ工場が増加した [17]。

2　系列取引の進展：チャネル統制による木材チップ調達競争

　1960年代半ば頃になると，木材チップの利用・生産技術が汎用化し，チップ工業が日本全国に普及することとなったが，パルプ需要の急伸によってパルプ企業間の調達競争が激化した。図序-6および図2-2-8と図2-2-9のそれぞれの図中では右下の位置に該当し，需要過多のためにチップ業者側の交渉力が優位な中，安定調達を指向するパルプ企業が系列化によるチャネル統制の強化を図っていった。

(1)　資金・設備貸与による製材・チップ兼業工場系列化の普及

　チップ工業の普及に伴い，1957年には業界団体として全国木材チップ工業連絡会が発足し，1960年より全国木材チップ工業連合会が設立された。1960年代前半までには全国各地に県単位の協議会・協会・工業会・協同組合といった業界団体が設立され，製材端材チップ供給の安定化が目指された[18]。全国木材チップ工業連合会からは，①チップの計画的生産を図るため，パルプ会社は都道府県チップ団体に加入しないチップ業者よりのチップ購入を避けられたい，②チップ原木とパルプ原木との競合による値上がり防止のため，チップ需要者であるパルプ会社は，原木購入の場合チップ適材は努めてチップ生産者に譲り，手山処理の際にもチップ増産を推進するため同様の措置を図られたい，③チップ取引価格の安定化を図られたい，という旨の要望書がパルプ業界に提出されている[19]。

　チップ業者の系列化について，①高次の系列化（役員派遣，株式取得），②低次の系列化（資金貸与，機械貸与），③その他（原料供給），という3区分5種類に分類できる[20]。北海道の1965年の調査では，道内の677チップ工場のうち，①13，②589，③75と，資金または機械貸与による系列化が圧倒的に多かった。北海道パルプ材協会資料によると，木材チップ業者983工場のうち，1パルプ工場のみにチップを販売する専属工場は786工場（80％），2社以上に販売する工場は197工場（20％）となっており，木材チップの販路を1社に依存している木材チップ工場が主であることが確認できる[21]。

　この木材チップ工業黎明期の系列化は単なる購入系列ではなく，パルプ企業のチップ生産を下請けするという，いわば下請生産系列であり，チップ価格については製造原価方式によりパルプ企業とチップ業者双方の協議で決定していた[22]。しかし，木材チップの計量手法が統一されておらず，距離制や納入量制による価格差が設けられるなど[23]，価格決定に不明瞭な点もあることから，全国木材チップ工業連合会において検収方法の技術的統一や取引量・価格の安定化などの要望が出されている[24]。

　地域によって差異はあるものの，全国木材チップ工業連合会を中心とする各地の業界団体は，紙・パルプ企業に対して，交渉力の強化という機能は果たしえなかった。チップ価格の交渉については，紙・パルプ企業と系列工場によって行われたため，系列を越えての連携は困難であり，道府県単位の業界組織は，情報交換によって価格交渉を援護する程度の機能しか持つことができなかった。

　しかし，1960年代のチップ需要は極めて速い速度で増加し，パルプ企業の需要が安定していたため，チップ業者にとって受注競争というものがなく，業界団体などの協同組織化による経営の合理化や交渉力の強化を図るほどの経営危機に見舞われることはなかった。

　系列化はパルプ企業側に有利であるとみられていたが，系列化初期の段階のチップ工場は，貸与された資金，あるいは機械の償却が完了すると，より有利な条件を提示するパルプ企業への系列替えを図ることもあり，資金貸与などの低次の系列化ではチップ工場の浮動性を払拭しきれず，必ずしもチップ調達の安定性が確保されているとはいえなかった[25]。このチップ需要の急拡大は，チップ工場間の競争ではなく，パルプ企業間の系列化競争・買取価格の引上げ競争を激化させることとなり，チップ工場側に取引先のパルプ工場を選択する余地があったほどであった[26]。このチップ需要過多の状況では，チップ取引価格の引下げは起こらないにしても，チップ業者間の原料（製材端材・原木）調達競争の過熱を招き，チップ価格の上昇率よりも原木価格の上昇率が高くなることで，チップ業者の利益が減少するというリスクがあった。

（2）系列化による取引関係の強化・再編

ⅰ）パルプ企業によるチップ業者のグループ化，協力会の形成

　原料価格の高騰により 1963 年以降，パルプ企業の原料集荷体制は輸入チップ利用も指向していくこととなるが，パルプ企業の不況カルテルによる生産調整に伴って，系列取引の再編が進められた。パルプ工場とチップ工場が比較的多い東海のチップ業者の再編（グループ化）は，1960 年代後半から各パルプ工場で進められ，従来直接取引を行ってきたチップ工場が 5 ～ 10 の窓口業者の下に再編成されていった。窓口業者は主に大規模な専業チップ工場が担い，傘下に小規模な兼業チップ工場が組み込まれるという構造であり，チップ取引価格は，窓口業者間で取引年数や納入量などによって異なっていた [27]。また，大手商社や地元資本が製材工場経営者のチップ工場を系列下に置き，複数のチップ工場の生産量を一括してパルプ企業と契約をするという形態も 1960 年代後半には現れ，当該地域に後発で進出したパルプ企業の主な取引先となった [28]。

　1966 年頃までは，チップ設備導入のための資金援助を主として，製材工場などの小規模兼業チップ工場の量的掌握による集荷網の拡大が指向されたが，1967 年以降は，設備資金・原木資金援助を主とする大型チップ専業工場の選別的掌握が行われるようになっていった [29]。

　東北では，パルプ企業の系列ごとに協力会が組織され，チップ集荷窓口の集約化が進められていった [30]。これらのパルプ企業によるチップ業者の系列化は，1960 年代に相次いで行われ，1970 年代に強化され，集荷基盤と価格調整弁としての役割を果たしていくこととなった [31]。

　このような系列関係の強化とともに，窓口業者単位のグループで待遇を変えることにより，チップ業者間の横の連携を抑制し，チップ価格の値上げ競争の回避や，後の輸入チップ増加時の国産チップでの調達量の調整を容易にしようとするパルプ企業の戦略がみられた。系列関係下でのチップ納入・販売形態は伝票上の仲介機関・企業を除けば，パルプ工場に直結したものであった。チップ価格はパルプ企業と個別チップ工場との協議決定方式とされていたが，小規模チップ工場や製材端材チップ工場では，パルプ工場の指値で決まる場合が多かった [32]。さらに木材チップの納入規模や系列関係の強弱，

一方的な検収方法が、同一樹種・品種であっても基準価格に差異を生じさせるため、系列関係の違いが価格の違いを招くこととなり、チップ価格はチップ工場別の価格調整によって格差が生じているという不満がチップ業者側には積もっていた[33]。

　産業構造審議会紙パルプ部会の報告（1981）によると、1パルプ工場当たりの取引相手は多いところで数百、平均すれば50～80で、多くの場合は系列化された出荷協同組合（協力会）との取引を行っていたとされる。また、同報告の4,394工場に対するアンケート調査によると、木材チップ取引において約4割が契約書無し、契約書有りの7割が契約期間3か月未満である一方で、パルプ工場23工場の約半数がチップ工場（178工場）への出資を行い、1979年度においては長期短期の合計で約132億円の融資が行われていた[34]。つまり、木材チップ取引における系列関係というものは、必ずしも契約書によらない長期取引を指向するものであったといえるが、契約期間の短期性など取引の不安定性が課題として指摘されている。

ⅱ）広葉樹チップ利用の進展と専業工場の変化

　広葉樹チップでは、多くの場合は原木からチップ化を行うため、樹皮を剥くための大型バーカーが必要であった。そのため、製材端材チップ工場に比べて設備投資が大規模化し、専業工場の形態をとる傾向があった。パルプ企業の広葉樹利用技術の進展に伴い、1960年以降に専業工場が増加し、1961年に565工場だったものが、1963年には958工場に増加している[35]。1950年代半ばからの広葉樹利用の促進は、パルプ企業の原料集荷圏を大幅に縮小させ、各地域の買手数を減少させるという点で一時的な価格競争の抑制に一定の役割を果たした。

　1957～1961年の広葉樹パルプ材価格は、針葉樹パルプ材価格に比べて2分の1程度で推移したが、広葉樹のパルプ収率の良さが認識されるに従い、パルプ企業間で広葉樹の原木集荷競争が始まり、1960年代に入ると東海や四国で急騰し始めた（表2-3-3）。高度経済成長期の紙需要量の増加から、チップ専業工場が各地で設立され、好不況での変動はあるものの、チップ工場はパルプ企業の制約を受けずに生産量を拡大することができた。

表 2-3-3　広葉樹パルプ材価格の推移

単位：円 /m³

年	1957	1958	1959	1960	1961
北海道	2,590	2,440	2,260	2,400	2,410
東北	3,050	3,050	2,700	2,700	2,700
東海	2,520	3,230	2,870	3,410	3,420
中国	2,770	2,520	2,520	2,520	2,810
四国	2,520	2,160	1,980	2,700	3,960
九州		2,340	2,340	2,520	2,880

出所：紙・パルプ連合会（1961a）6 頁

　　原木集荷競争緩和のためのチップ業者の系列化・グループ化の進展にもかかわらず，1970 年の西部地区（中国・四国・九州）[36] では，前年比で広葉樹原木価格（都城市場価格参考）が 2,000 円 /m³ 高騰し，6,000 円 /m³ となった。これに伴い木材チップ価格も上昇することとなるが，この価格高騰の全国的な要因としては，①輸入パルプの値上がりによる国産パルプ生産の増加，②広葉樹原木輸入の低調，があり，西部地区特有の要因には，①元来，中国，四国，九州は山が浅くかつ海に囲まれているので，他地区にパルプ工場を有する企業の船などによる進出・集荷が容易であること，②生産業者が従前からの有力な坑木業者などが多いため，必ずしも 1 つのパルプ企業との系列関係を構築しておらず，有利な条件の提示さえあれば販売先を変更しやすいこと，③大阪万博関係工事などで山林労働者が流出し，労働者確保のために労賃の大幅アップが必要であったこと，④資源の賦存状況に対して規模・集荷量が類似しているパルプ企業が多いこと，⑤従来は北海道などの他地区からの応援材で需要増加を賄っていたが，東北での需要増加もあって応援材の集荷が困難化したこと，などが挙げられた [37]。

　　広葉樹パルプ材価格について，1960 ～ 70 年代前半の全国的な価格高騰の詳細な推移は把握し難いが，北海道では 1973 年よりパルプ材価格の高騰が進行し，1972 年の針葉樹パルプ材 5,500 円 /m³，広葉樹パルプ材 3,800 円 /m³ から，1974 年には針葉樹パルプ材 10,000 円 /m³，広葉樹パルプ材 10,800 円 /m³ とそれぞれ 1.8 倍，2.8 倍という暴騰が生じた [38]。それまで全国的に針葉樹パルプ材よりも低価格で推移していた広葉樹パルプ材であったが，1973 年 12 月に針葉樹パルプ材 8,100 円 /m³，広葉樹パルプ材 8,400 円 /m³

となり，史上初めて針葉樹パルプ材と広葉樹パルプ材の価格の逆転が起こった。岩手県でも1972年に針葉樹パルプ材価格6,317円/m³，広葉樹パルプ材価格4,908円/m³であったものが1974年にはそれぞれ8,400円/m³，9,200円/m³となり，広葉樹パルプ材価格の逆転が生じた。

　しかし，第1次石油危機後の長期にわたる不況を機に，チップ工場は生産数量の制約を受けるようになり，その取引関係はパルプ企業の下請生産系列から購入系列へと変化していった[39]。1960年代後半には，チップ需要量の増加と価格高騰に伴い，系列に所属しない浮動型のチップ業者が出現したが，製造技術が比較的容易であり，製品の差別化が難しいという木材チップの特徴から，不況に伴う需要減少期に系列業者優先の集荷が行われたために姿を消してしまったとされる[40]。専業工場数は拡大造林面積の減少に伴う広葉樹伐採量の減少によって，1970年の1,150工場をピークに，1工場当たりの生産量は増加しつつも，1979年には682工場まで減少した。

iii）パルプ企業別の系列化の動向

　広葉樹利用への転換期であった1962～1963年頃では，零細なパルプ材取引業者が多く，材の値上がり時には売り惜しみによりさらに価格の騰貴をもたらす業者も存在した。このようなパルプ材価格の変動を抑制・軽減し，安定したパルプ材集荷を行うために，取引業者の系列化が各社で進められていった。全国木材チップ工業連合会の1965年の名簿には系列のパルプ企業が記載されており，地域ごとに集計すると表2-3-4のように示すことができる。会員となっていないチップ業者も存在するため，正確な系列業者数は不明だが，各企業の主要な集荷圏と競合の概況把握は可能である。

　王子製紙（春日井）は，中小製材工場に兼営されるチップ工場および周辺の伐採請負人の系列化にいち早く着手し，1959年に王子チップ懇談会を結成した。その後，チップ調達量の増加に伴いチップ工場数を増加させ，地区ごとに王子チップ協議会を設置した。1961年には各地区の協議会を連合会組織とし，静岡県から岡山県までの200以上のチップ工場の系列化を行い，当時の1工場では国内最大級の約2万9,000m³/月の調達を達成した[41]。

　日本パルプ工業日南工場では社有林事業を請け負わせていた協栄木材株式

表 2-3-4　地域別系列木材チップ業者数（1965年）

北海道		東北		関東		北陸		東海		近畿		中国		四国		九州	
○王子	87	◆東北	200	○高崎	141	○十條	33	東海パ	117	○王子	111	○王子	137	○東洋パ	84	中越パ	39
◆国策パ	86	白河	75	◆大昭和	35	×興人	32	◆大昭和	109	○巴川	74	○日本パ	95	大王	66	◆十条	32
○本州	77	○高崎	30	×高萩	34	◆大昭和	9	○王子	70	兵庫パ	50	○山陽パ	88	○不二	63	○日本パ	27
○北日本	67	◆大昭和	22	白河	32	○王子	7	大興	65	海南パ	25	○東洋パ	24	○高知	15	×出水	17
○天塩川	46	秋木	22	大興	19	×西野	7	○本州	58	◆大昭和	24	◆大竹	12	?土佐	14	○鶴崎	17
◆十条	32	北越	7	○本州	16	×巴川	3	日本HB	21	○神崎	22	?新日本	7	?大洋	7	○佐賀板	12
◆大昭和	26	×北上	1	×日本紙	12	◆大昭和	1	?三井	12	日本HB	14	摂津	7	○鶴崎	7	◆大竹	7
○北見	8	その他4		×巴川	5	その他	51	×南信	10	摂津	13	○鶴崎	7	その他 9		○東洋パ	7
–				その他	3			その他 15		その他 10		その他 9				その他 6	21
計	429	計	385	計	297	計	164	計	603	計	456	計	475	計	319	計	180

出所：全国木材チップ工業連合会（1965）「全チップ連会員業者名簿」より著者作成。
注1：2社以上の系列が記載されている工場は重複計上しているので会員数とは不一致。
注2：会員統計なので農林水産省統計情報部「木材需給報告書」の工場数とは不一致。
注3：表中の記号は2015年時点の企業区分であり，○は王子HD，◆は日本製紙グループ，×はパルプ生産停止企業，? は現状把握不明を示している。

会社に，米子工場では1963年に設立した山陰丸和林業株式会社に，買材業務，零細浮動業者の吸収を行わせ，主力2社を中心とした取引業者の系列化が図られた。系列業者に対しては資金援助や役員派遣を行ってその関係を強化していき，1962年に180あった取引業者数を1972年には76にまで集約することで[42]，過当競争の抑制と取引の効率化を指向した。

　小径木のチップ化が可能になると，原木集荷が容易な地域にパルプ企業が自ら資本参加を行う大型チップ専業工場が設置されるようになった[43]。岐阜県の例では，チップ工場の採算ラインが3,000m³/年といわれていたところで，2.5万〜3万m³/年の専業チップ工場が設立され，王子製紙，名古屋パルプ，中越パルプ，興人によって集荷圏の分割支配体制が形成された[44]。

　北越製紙（新潟）は1959年に岩手木材興業の設立にチップ増産目的で資本参加を行い，その後，福島・奥羽・中部の各林業事務所管内の地元業者と共同で2.5〜3万m³/年の大型チップ工場を設立していった。さらに，1968年に福島県に北越会津株式会社（出資比率100％，チップ生産能力2.5万m³/年），1975年になると，新潟県に東蒲チップ工業株式会社（出資比率24％，チップ生産能力2.5万m³/年），山形県に神町チップ工業株式会社（資本比率94％，チップ生産能力2.5万m³/年）など林業部の管轄下に16の大型チップ工場を擁するようになった[45]。その結果，1956年に27％前後であった広葉樹比率は1963年には60％に達し，原料集荷圏は九州・四国・中

国・北陸・岐阜地区などの広域から，新潟県を中心として山形県・福島県・群馬県・長野県などの近隣地域に集中するようになった[46]。

3　輸入チップ卓越下の国産チップ取引：調整集荷体制への移行

　1970年代より徐々に輸入チップ比率が増加するとともに，1980年代後半よりパルプ企業の合併が進められたことにより，国産チップ取引の需給環境は広葉樹チップを主として，図序-6および図2-2-8と図2-2-9のそれぞれの図中の左上，つまり，パルプ企業の交渉力が優位な状況へと移行してきた。ただし，紙製品をつくる上での原料特性や，供給源の違いにより，針葉樹チップと広葉樹チップでは需給環境は異なっていた[47]。また，パルプ企業の国産チップ集荷体制は，輸入チップとの価格差が広がるにつれて努力集荷，自然体集荷，調整集荷へと移行していくこととなった[48]。

(1) 輸入チップへの転換

　日本の紙・パルプ産業の原料調達の特徴である木材チップ購入，専用船による輸入チップの利用という転換点は，いずれも東洋パルプ（呉）から起こっている。同工場は1952年の創業以来，激しい原料集荷競争に晒されてきた。というのも表2-1-6で示したように，中国においては，山陽パルプ（岩国，江津），日本パルプ（米子）などの有力同業他社が存在するのみならず，全国から主要企業がアカマツ材を求めて進出し，調達競争が激化していたからである。さらにKPから産業用クラフト紙を製造するという呉工場の性質上，容易には広葉樹材への転換は図ることができなかった。

　当時の原料転換の状況について，東洋パルプ25年史の記述を引用すると，「有力ナ　同業他社ト　競争シ，山林部ガ　中四国地区デ　集材競争ヲ　スル　コトワ　非常ニ　困難デ　アッタ　コトワ　マエニ　ノベタ　トウリデアル．工場ノ　原木消費ワ　増設ニ　ヨッテ　チクジ　増加ノ　傾向ニ　アリ，集材対策ニ　苦慮シテ　イタ．オリシモ　29年10月　工場ノ　至近距離デ　ワガ国　チップ業界ノ　先駆者　堀川宇一氏ガ　ハジメテ　チップ製造ヲ　開始シタノデ，当社ワ　ソノ　使用ニ　フミキッタ．32年ゴロ　カ

ラ，同業他社モ　購入チップノ　有利性ヲ　認識シ，チクジ　増量ヲ　ハカッタ　ノデ　集荷競争ノ　激化ト　価格ノ　高騰ヲ　マネキ，当社ノ　計画シタ　オールチップ体制ノ　実現ガ　困難ニ　ナッタ．コノタメ　39年本邦　初ノ　専用船ニ　ヨル　米国チップ，サラニ　45年　スモールチップ　輸入エノ　キッカケヲ　ツクル　コトト　ナッタ．」[49]と述べられている。上述したように，紙・パルプ企業による木材チップ工場の系列化は，表向きは木材チップ供給量と価格の安定化を目標としていたが，「国内ノ　木材事情ヲ　背景ト　スル　パルプ原料集荷競争ワ，各社ノ　工場増設ニ　ヨル　需要増ニ　ヨリ　一層ノ　拍車ヲ　カケラレ，イキオイ　同業他社ノチップ利用熱ワ　急速ニ　タカマリ，ソレゾレ　自社系列ノ　チップ工場ノ育成ノミニ　満足デキズ，裏表カラ　万策ヲ　モッテ　他社系列ノ　業者獲得ニ　ハシル　傾向ガ　日ヲ　オッテ　ツヨク　ナッタ．」[50]と表されるように，この一連の原料転換の流れは技術革新・普及・過当競争という日本の紙・パルプ企業の行動様式を端的に示している。

その後，北米西海岸からの針葉樹チップ輸入が本格化すると，各パルプ企業は競争的に輸入契約を結び，調達量の増加が工場設備の増強に先行したことによって，国内チップ工場に対して生産制限を行ったパルプ工場も現れた[51]。一部のパルプ工場が輸入チップへの依存度を一挙に高めたために，系列のチップ工場が強度の生産制限を強いられることとなったことが，全チ連や行政において問題となり，これらのチップ工場の生産分を他のパルプ工場が肩代わりするという事例も発生した[52]。この時期の国内チップ工場の生産制限は，他のパルプ工場が国産チップ需要量を増加させることで一応の解決がなされた。しかし，木材チップが輸入されるまでは，チップ工場間における受注競争というものはほとんど存在しなかったため，1967年の輸入チップの急増によって，木材チップ業者は初めて競争的な立場に立たされたといえる。

輸入チップの長期契約取引は，国産チップの納入制限や在庫保管場所の不足，操業率の低下を招き，価格を下げてでも製材端材チップを処分せざるを得ない状況を生じさせた。そのため，木材チップ価格のコントロールが容易となり，製材業などと兼業の針葉樹チップ工場に対する紙・パルプ企業の交

渉力は強化されていくこととなった。そして，1976 年末には国産広葉樹チップよりも豪州広葉樹チップの方が輸送費込みで安価となり，針葉樹チップにおいても 1977 年半ばには国産チップよりも米国チップの方が安価となった[53]。

(2) 国産チップ調達の合理化と集荷調整

1985 年のプラザ合意以降の円高により，輸入チップが急激に価格優位性を持ち，1990 年代には木材チップの開発輸入，海外植林地造成などが積極的に展開され，木材チップの輸入体制が確立されてきた。輸入チップは品質が均一，かつ長期契約による安定供給が担保されているという理由から，価格差がなければ国産チップよりも輸入チップを選好するパルプ企業も現れた。そのため，パルプ企業によって系列化されていた国内チップ業者も，木材チップ取引における調整弁的な役割に変化せざるをえなかった。

1990 年代の円高の定着による輸入広葉樹チップ価格の低下や，拡大造林面積の減少による広葉樹原木の生産量減少は，国産広葉樹チップ業者の経営環境をより厳しいものとした。そのため，林野庁やパルプ企業によって，国内チップ業者の事業転換や高性能伐出機械の導入，設備廃棄に対する補助などが行われ，国内チップ製造業の合理化が進められていった（努力集荷）[54]。具体的には，林野庁では，設備の廃棄や撤去，経営の多角化に対する利子助成，素材生産対象林分の転換および木材チップの新用途開発への助成などの対策を講じた[55]。パルプ企業では，高性能機械の導入などの経営合理化に対する支援を行う一方で，チップ製造業からの撤退・事業転換に対して援助金などを設ける事例もあったとされる[56]。

国産広葉樹チップ価格は，輸入チップのように為替や輸送費の変動によって価格が乱高下することはないが，1985 年以降，概して輸入チップ価格の方が低廉であったため，国産チップ価格も徐々に輸入チップ価格の水準に向けて引き下げられていった（自然体集荷）。

各地域の広葉樹チップ価格と輸入チップ価格を比較すると，1986 年にはシェアの大きい米国と豪州の価格が全国平均価格を下回り，その状態が定着するに至った（表 2-3-5）。国内チップ価格においては，コスト的に有利な

表2-3-5　広葉樹チップ価格の変化

単位：円／m³

	1984	1985	1986	1987	1988	1989
全国平均	12,608	12,958	12,458	11,608	11,417	12,058
北海道	12,208	12,942	12,200	11,283	11,133	11,725
岩手	13,825	13,875	13,242	11,817	11,417	12,717
岐阜	12,567	12,992	12,567	11,858	11,758	12,492
静岡	12,200	12,200	11,850	11,150	10,800	10,950
和歌山	12,133	12,575	12,050	11,475	11,700	12,342
広島	10,300	10,308	10,275	9,725	9,908	9,950
愛媛	10,500	10,500	10,500	10,275	9,700	9,925
熊本	11,400	11,350	10,700	10,433	10,300	10,525
米国	14,890	15,390	11,380	9,960	9,310	10,470
豪州	13,580	12,540	10,270	10,070	10,600	11,580
インドネシア	19,990	19,110	14,190	11,440	13,570	11,990
マレーシア	16,590	16,950	14,230	11,870	11,480	10,880
南アフリカ	14,190	12,980	11,150	9,610	8,940	9,730
円／米ドル	236.9	240.2	170.1	146	128.2	137.4
円／豪ドル	211.3	170.1	116	103.9	103.1	111.4

出所：日本製紙連合会「パルプ材便覧」，農林水産省統計情報部「木材需給報告書」より作成。

　輸入チップへの移行が比較的早い段階で進められたとされる中国・四国をみ
てみると，広島で1987年から，愛媛では1988年から9,000円／m³台となっ
ており，他地域に比較して安価な水準となった。広葉樹生産量の大きい北海
道・岩手においても，1986年以降は価格低下が進行していった。

　北越製紙（新潟）では，国内チップ関連6社において，広葉樹チップ生産
以外の事業（伐出請負，商材，オガ粉販売，針葉樹チップ生産，バーク販
売）への転換を図り，国有林生産事業からの撤退や，広葉樹原料不足による
広葉樹チップ生産の停止・工場閉鎖を余儀なくされた(57)。

　パルプ業界側としては，過去のチップショックなどによる輸入チップ価格
高騰への懸念から，国産材集荷体制の維持を図り，1985〜1990年までの5
年間の国産広葉樹チップ生産量は，労働力や資源不足などの事情による年2
％程度の減少に留まっていた。しかし，円高の一層の進行と石油価格の安値
安定により，輸入チップ調達量が増加すると，国産チップの受入れ数量に制
限をかけるパルプ工場も出現した（調整集荷）(58)。

紙・パルプ工場のチップの受入制限については，①パルプ工場にトラブルがあった場合，②パルプ工場のメンテナンス期間，③為替の変動による輸入チップの増加，によって起こりえた。特に③為替の変動については，紙・パルプ企業は為替を，数か月単位で固定して輸入チップの取引を行っているので，国産チップの取引制限がかけられる場合は制限の数か月前に予告されて生産量の調整が行われるようになった[59]。2008 年以降に需要が減少に転じると，規模の大きいチップ工場について，紙・パルプ企業側も引取保証はできないが，他の企業と取引してよい風潮となってきたとされる。

　2009 〜 13 年度の全国木材チップ工業連合会の調査[60],[61],[62],[63],[64] によると，針葉樹チップを生産する兼営工場では，納入量の規定はなく，生産した分を随時納入するということで，その分，原木チップより安価に取引がなされている。他方，ある程度規模の大きい専業工場では，納入量による取引契約がなされているが，過去にみられたような契約量達成および超過による特別措置や，未達によるペナルティなどは存在しなくなり，取引の実態としては通常の売買関係となっている。ただし，2000 年代においても，各地域の有力なチップ業者にはパルプ企業との人事的な交流などが維持され[65]，一定量の木材チップの円滑な集荷調整が指向されている場合もある。

(3) 地域別国産チップ調達調整の差異

　1986 年は円高メリットによる輸入チップへの大幅な移行，輸入チップ価格を念頭においた国内チップ集荷網の整理が各紙・パルプ企業によって思案される時期であったが，その動きは企業・地域ごとに異なっていた。これについては，海外依存度を一定比率以上に高めることによって，輸入チップ供給者に取引の主導権を握られたくないという紙・パルプ企業側の思惑もあった。それでも，1990 年代には紙・パルプ企業の国産材離れが急速に進展し，その過程で系列化，協力会は形骸化ないし解散していくこととなった。

　北海道では，1986 年に輸入広葉樹チップに対して価格面での優位性を失い，道内チップ業者も価格引き下げ要求に応じたが，輸入チップ価格の水準まで下げることは困難であった。パルプ企業側も，系列チップ業者に与えるダメージを考慮して，急激な輸入チップへのシフトは控えたが，大勢として

は安価な輸入チップへの移行が進展した。豊富な森林資源を背景とする内陸型工場を主として，国産広葉樹材比率は 30％を維持しているが，必要に応じて輸入材を内陸工場に輸送するという形態がとられるようになった。

　東北・関東では，1986 年に十条パルプ（秋田）が操業を停止することとなったが，操業停止と同時に広葉樹チップの調達を取りやめるとチップ業者が即日販売先を失い，経営困難な状況に陥ることが考慮され，十条パルプ（秋田）専属チップ業者の約 80％に対して，従来の取引量の 70％分を十条製紙（石巻）が継続購入するという救済措置がとられた(66)。この結果，十条製紙（石巻）では，秋田工場分の余剰国産広葉樹チップを，輸入広葉樹チップ調達を減らすことによって調整することとなったため，他地域に比べて 1985 ～ 1990 年の国産材比率の低下が鈍かったとされる。他方で，1993 年の三菱製紙（白河）のパルプ設備停止では，閉鎖とともにチップ需要が喪失し，チップ業者の転廃業が急激に進んだ。

　北陸・東海・近畿では，1980 年代後半は針葉樹・広葉樹ともに供給が順調であり，輸入チップ比率の急激な上昇はなかった。この要因としては，一般用材の市況低迷によって山林作業が停滞していたが，パルプ材に関しては系列取引による一定数量の引取保証が評価され，労働力を集めやすかったことが挙げられる(67)。しかし，輸入チップ価格の方が安価であったのは事実であり，移行への可能性は十分あったが，当時のパルプ企業の意識としては，60％は国内チップで賄える集荷体制を維持し，輸入チップとの交渉において優位にありたいという思いもあったようである。

　中国・四国・九州では，輸入チップへのシフトに迅速に対応する企業もあり，特に四国では，1985 年から 1990 年の国産広葉樹チップ比率の減少が著しかった。その要因には，①硬直的な国産チップ取引において，紙・パルプ製品市況からみた，原料としての木材チップの価格水準を取り入れたかったこと，②国内チップ製造業の合理化を進めたかったこと，が挙げられた。つまり，輸入チップへのシフトによる国内チップ需要の減少は，原木調達競争を緩和させ，結果的に国内チップ業者のコストダウンに繋がるだろうという説明がなされている(68)。国内チップ業者のコストダウンによって，購入可能な業者からの集荷を続けようとするのは他地域とも共通するが，コスト意

識が強く，対応がドラスティックであり，集荷体制の再編が急速に進められていった。

4　岩手県における広葉樹チップ系列取引関係の変遷

(1) 系列取引による調達競争の激化

北海道に次ぐ広葉樹チップ生産量を誇る岩手県の例をみてみると，岩手県へのパルプ会社の進出は，戦前に北越製紙（新潟）が盛岡出張所（1937年），東北振興パルプ（石巻，1938年，後の十条製紙）が盛岡営業所を設立し，主にアカマツ材の集荷を行ったことにはじまる。戦後に木材統制が撤廃されると，三菱製紙，高崎製紙，国策パルプが進出し，1950年には岩手県パルプ材協議会が設立された[69]。

1960年になると東北パルプ（石巻）が県内の広葉樹チップ集荷を本格化させ，北越製紙（新潟）も岩手木材興業を通じての広葉樹チップ調達を開始したため，岩手県内の木材チップ市場が競争的な様相となってきた（表2-3-6）。そして，東北パルプ（秋田，1962年），白河パルプ（北上，1965年，後の三菱製紙），三菱製紙（八戸，1966年），大昭和製紙（岩沼，1968年）が木材チップの集荷を増加させ，木材チップの調達競争が繰り広げられることとなった。そして，1960年代後半には，三菱製紙，十条製紙，大昭和製紙（パルプ）の3社による寡占的な木材チップ集荷構造が形成された[70]。

この競争構造の中で，木材チップの安定確保を行うためにも設備資金・原木資金の投下による直轄的な大規模チップ工場の拠点的な建設が展開された。しかし，この時期の岩手県内の5,000m³/年以上のチップ工場で，1社だけにチップ供給を行っている工場は39工場中13工場にすぎず，3社以上に供給を行っている工場が11社に及んでいた。紙・パルプ企業の系列大型工場といえども，熾烈なパルプ工場間の競合関係の中においては必ずしも系列として安定的・固定的なものでなく，本来買手市場で利潤率の極めて低い木材チップ工業においては，各紙・パルプ企業の援助・調達条件によって浮動化する状態であった[71]。

小規模製材工場の組織化については，紙・パルプ企業による十条製紙岩東

表2-3-6　岩手県の木材チップ集荷企業の変化

西暦	19 59	19 60	19 61	19 62	19 63	19 64	19 65	19 66	19 67	19 68	19 69	19 70	19 71	19 72	19 73	19 74	19 75	19 76	19 77	19 78	19 79	19 80	19 81	19 82	19 83	19 84	19 85	19 86	19 87	19 88	
白河パルプ（白河）																															三菱製紙
東北パルプ（石巻）																															十条製紙
高崎製紙（日光）																															×
北上製紙（一関）																															×
北越製紙（新潟）																															北越製紙
高萩パルプ（高萩）																															日本加工製紙
新秋木林業（高萩）																															大昭和和紙
大昭和製紙（鈴川）																															×
大興製紙（富士）																															×
アンケルボード（山形）																															×
東北パルプ（秋田）																															×
東北ホニボード（米沢）																															三菱製紙
東北ホニボード（好摩）																															三菱製紙
白河パルプ（北上）																															×
三菱製紙（八戸）																															大昭和和紙
東海パルプ（島田）																															×
西野製紙（会津）																															東北製紙
大昭和パルプ（岩沼）																															神崎林業
十条製紙（伏木）																															紀州造林
中越パルプ（富山）																															×
東北製紙（秋田）																															×
神崎林業（富岡）																															
紀州造林（紀州）																															
巴川製紙（新宮）																															
大昭和製紙（岩沼）																															

表中の主な注記：三菱製紙／十条製紙／北越製紙／日本加工製紙・NK林業／大昭和和紙／十条パルプ／三菱製紙／福井化学／大昭和製紙

出所：岩手県木材チップ工業会（1989）の木材チップ出荷実績総括表より著者作成。
注：黒塗りは集荷実績有りを示す。そのため、県内の全ての出荷実績を網羅しているとは限らない。

会や大昭和製紙北昭産業というような分散小規模工場の量的な集積および一定量の継続取引を担保するという組織化と，住友林業のような小規模工場の集積を行いながらも特定の紙・パルプ工場と結びつかず，商社的に複数の紙・パルプ企業にチップ供給を行うという組織化があり，こういった組織化の進展は後発の中小紙・パルプ企業の原料確保を困難化させる要因となった[72]。

木材チップの取引価格については，寡占市場の中で規模の比較的小さい東海パルプや，市場シェアの奪取を企画する大昭和製紙の取引価格は，岩手県の取引水準を上回り，一定の価格差の保持によって木材チップ調達量の確保が指向されてきたとされる。しかし，十条製紙や三菱製紙にしても，基準価格になんらかのプレミアを付けて市場を確保しているであろうことが推察されている。

三菱製紙では距離的基準を建値として，遠隔地チップの確保のための価格調整が行われ，さらに，出荷数量に応じた報奨金を支出していた[73]。他方で大昭和製紙は系列関係による原料確保は行わず，価格面の上乗せによる市場開拓を指向していた。系列化の基礎条件とされる資金的結合関係は，①設備資金を中心とする長期貸付，②原木手当を中心とする短期貸付，によって成立しており，出荷チップの買取価格などで回収されていった[74]。

1970年代には3社寡占がより強化されるとみられていたが，紀州製紙（紀州）の系列会社である紀州造林は，紀伊半島と四国の森林資源の枯渇が顕著になったことから，1973年に岩手県釜石市に大型チップ工場の建設を果たし，天然林広葉樹の豊富な北上山系での広葉樹チップの安定確保を指向した。釜石工場のチップは内航船によって紀州製紙（紀州）へ運ばれ，2009年4月まで経営された[75]。

紀州造林の岩手県への進出の結果，広葉樹チップのみの集荷に限れば，1976年には9万m^{3}以上／年の集荷を行い，北越製紙（新潟）の広葉樹チップ集荷量を凌ぐこととなった。この工場建設に当たっては同社社史の「地元の大手製紙会社と一部山林関係の有力者の反対があったが万難を排し」[76]との記述でもわかるように，既存業者からの反対があったものの，釜石市の工場誘致という態で，三重県の企業が進出を達成していることは異例である

と考えられる。間断的にではあるが，徳島県の神崎製紙（富岡）の系列会社である神崎林業も岩手県での木材チップ集荷を行うなど，1970年代は岩手県においても木材チップの集荷競争が激しさを増していた。とはいえ，1978年の広葉樹チップの納入先の比率では，三菱製紙37%，十条製紙34%，大昭和製紙11%，紀州製紙5%，東海パルプ4%，北越製紙3%となり，上位3社で8割のシェアを占めていた。

(2) 系列取引の弛緩と相互依存関係

　岩手県の広葉樹チップ生産量は1980年代にピークに達するが（図2-3-1），輸入チップとの競合関係も発生しつつあった。チップ工場はパルプ企業との系列関係の下で販売先は安定していたが，81年以降の5か年はチップ価格に変動はなく，「大きな利益が上げられないが，損もしない」状態が続いていた(77)。そのため，チップ生産過程における合理化の推進など，1工場当たりの生産性増強による利益の確保が進められていった。

　しかし，1990年代に入ると，バブル経済崩壊後の業況不振と各パルプ企業の広葉樹チップの輸入体制の確立が相まって，紙・パルプ企業は系列取引

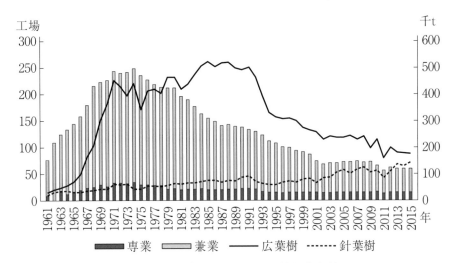

図2-3-1　岩手県のチップ工場数と生産量
出所：農林水産省「木材需給報告書」より作成。

関係にあるチップ供給業者からの国産チップ調達量の調整を行うだけでな
く, 他の紙・パルプ企業との協議の上, 従来の系列関係を超えての集荷調整
を行うようになった[78]。

　北越製紙では, 岩手県から新潟工場への原料輸送の採算が合わなくなり,
1999 年に木材チップ取引を行ってきた岩手木材興業を三菱製紙（北上）の
専属業者とし, 生産された木材チップは全量を三菱製紙に売却することとし
た[79]。日本製紙や紀州造林は, 1990 年代後半から国産広葉樹チップ調達か
らの撤退を視野に入れた企業間の受入調整を進めたため, 各協力会機能は形
骸化し, 2000 年前後には解散するに至った[80]。このようにして木材チップ
取引関係の整理が起こり, 交錯輸送（最寄りでないパルプ工場へのチップ供
給）抑制のための系列業者の組換えなども進められ, パルプ企業によるチッ
プ工場の系列化が弛緩, ないし解消していくこととなった。

　岩手県では, 三菱製紙以外のパルプ企業の広葉樹チップ集荷からの撤退が
進んだことで, 事実上, 北上ハイテクペーパー（三菱製紙グループ）の 1 社
体制が構築された。その結果, チップの生産と供給を自社の子会社に集約す
るという, 実質的にチップの一貫生産体制へと移行したため, 協力会を形成
する必要性が低下し, 三菱製紙系列の協力会も 1999 年に解散された[81]。こ
うして, 岩手県における広葉樹チップ取引では, 北上ハイテクペーパーとチ
ップ供給業者が互いに代替的な取引相手がいない, 相互（双方）依存的（パ
ートナーシップ）な需給環境が形成されることとなった。

注および引用文献

(1) 米沢保正（1963）『木材チップ：技術と経営』：171 頁
(2) 東洋パルプ株式会社社史編纂委員会（1978）『東洋パルプ 25 年史』：112 頁
(3) 日本製紙連合会林材部（1997）『戦後日本における原料材対策の展開と変遷』：189 頁
(4) 岩手県木材チップ工業会（1989）『三十年のあゆみ』：10 頁
(5) 安藤嘉友（1972）「外材輸入の今後の見通しとそれに対応する国有林材の供給について」『林
　業経営研究所報告』71（9）：107 頁
(6) 日本製紙連合会林材部（1997）『前掲』：191 頁
(7) 北海道パルプ材協会（1984）『北海道パルプ材協会三十年史』：118 頁
(8) 吉沢武勇（1970）「国内産チップの生産構造とチップ輸入」『林業経済』23（12）：4 頁
(9) 北海道パルプ材協会（1984）『前掲』：118 頁

(10) 安藤嘉友 (1992)『木材市場論』:78頁

(11) 紙・パルプ連合会 (1957)『紙及パルプ』3:19頁

(12) 安藤嘉友 (1972)『前掲』:113頁

(13) 大嶋顕幸 (1991)『大規模林業経営の展開と論理』:157頁

(14) 紙・パルプ連合会 (1961a)『紙及パルプ』5:6頁

(15) 日本パルプ社史編纂委員会 (1978)『日本パルプ工業40年史』:100頁

(16) 米沢保正 (1963)『前掲』:169頁

(17) 西田尚彦 (1984)「森林組合のチップ加工事業」『林業経済』37 (7):18-24頁

(18) 全国木材チップ工業連合会 (1990)『30年のあゆみ』:6頁

(19) 日本製紙連合会林材部 (1997)『前掲』:215頁

(20) 吉沢武勇 (1965)「北海道における木材チップ工場の系列化について」『日本林學會北海道支部講演集』14:77-79頁

(21) 安藤嘉友 (1972)『前掲』:151頁

(22) 吉沢武勇 (1984)「木材チップ生産をめぐる諸問題―紙パルプの変化とチップ―」『林業経済』37 (7):7-12頁

(23) 福島康記 (1972)「戦後素材生産の展開と停滞の構造」塩谷勉・黒田迪夫編『林業の展開と山村経済』:93頁

(24) 日本製紙連合会林材部 (1997)『前掲』:90-91頁

(25) 吉沢武勇 (1965)『前掲』:77-79頁

(26) 吉沢武勇 (1970)『前掲』:6-8頁

(27) 塩川亮 (1977a)「原料転換に伴うパルプ工場の立地変化」『経済地理学年報』23 (1):83-96頁

(28) 吉沢武勇 (1965)『前掲』:77-79頁

(29) 船越昭治 (1971)「木材チップの流通について―岩手県における三者寡占の成立と流通支配の構造―」『林業経済』25 (2):26頁

(30) 村嶌由直 (1986)「木材産業の現況―東北地区からの報告」『林業経済』458:1-5頁

(31) 伊藤幸男・小成寛子 (2004)「1990年代におけるチップ生産構造の再編:岩手県の広葉樹チップ生産を事例に」『林業経済研究』50 (3):30頁

(32) 西村勝美 (1973)「木材工業製品の市場構造に関する研究　第Ⅲ報―木材チップ―」『北海道農林研究』43:41頁

(33) 西村勝美 (1973)『前掲』:41頁

(34) 産業構造審議会紙パルプ部会 (1981)『80年代の紙パルプ産業ビジョン』:23-25, 156-157頁

(35) 全国木材チップ工業連合会 (1990)『前掲』:44頁

(36) 紙・パルプ連合会 (1970)『紙・パルプ』3:12頁

(37) 紙・パルプ連合会 (1971)『紙・パルプ』4:24頁

(38) 北海道パルプ材協会 (1984)『前掲』:111頁

(39) 吉沢武勇 (1984)『前掲』:10頁

(40)　吉沢武勇（1984）『前掲』：10 頁

(41)　王子製紙株式会社（2001a）『王子製紙社史　本編』：126 頁

(42)　日本パルプ社史編纂委員会（1978）『前掲』：200-201 頁

(43)　村嶌由直（1987）『木材産業の経済学』：62 頁

(44)　村嶌由直（1987）『前掲』：62 頁

(45)　北越製紙百年史編纂委員会（2007）『北越製紙百年史』：277 頁

(46)　北越製紙百年史編纂委員会（2007）『前掲』：193 頁

(47)　早舩真智・立花敏（2014）「第 2 次世界大戦後における日本の紙・板紙生産と消費原料の関係」『林業経済研究』60（3）：49-58 頁

(48)　「努力集荷」,「自然体集荷」,「調整集荷」という語句とその変遷については元日本製紙連合会副理事長の森本泰次（1993）によって指摘されているが，それぞれの語句についての明確な定義はなされていない（森本泰次（1993）「パルプ材の将来展望」『紙パ技協誌』47（1）：41 頁）。そのため，本論文では，森本泰次（1993）の文脈から，「努力集荷：国産チップ集荷量維持のための合理化支援込みの集荷」,「自然体集荷：国産・輸入問わず価格優位な集荷」,「調整集荷：木材チップ需給の変動を国産チップの生産制限によって調整する集荷」と解釈する。

(49)　東洋パルプ株式会社社史編纂委員会（1978）『前掲』：111-112 頁

(50)　東洋パルプ株式会社社史編纂委員会（1978）『前掲』：191-192 頁

(51)　吉沢武勇（1970）『前掲』：12 頁

(52)　北海道パルプ材協会（1984）『前掲』：149 頁

(53)　北海道パルプ材協会（1984）『前掲』：153 頁

(54)　日本製紙連合会（1996）『紙・パルプ』1：11 頁

(55)　日本製紙連合会（1998）『紙・パルプ』1：10 頁

(56)　チップ業者調査（2017 年 2 月 1 日実施）

(57)　北越製紙百年史編纂委員会（2007）『前掲』：607 頁

(58)　全国木材チップ工業連合会（2008）『木材チップの利用・供給事業対策報告書』：56, 66, 68, 73, 75 頁

(59)　チップ業者聞き取り調査（2017 年 2 月 1 日実施）

(60)　全国木材チップ工業連合会（2010）『H21 年度製紙用チップ・チップ用原木の安定取引普及事業調査・分析事業報告書』

(61)　米沢保正（1963）『前掲』：171

(62)　全国木材チップ工業連合会（2012）『H23 年度木材チップ等原料転換型事業調査・分析事業報告書』

(63)　全国木材チップ工業連合会（2013）『H24 年度木材チップ等原料転換型事業広葉樹チップ調査・分析事業報告書』

(64)　全国木材チップ工業連合会（2014）『H25 年度木材チップ等原料転換型事業広葉樹チップ調査・分析事業報告書（落葉広葉樹編）』

(65)　チップ業者聞き取り調査（2017 年 2 月 1 日実施）

(66)　紙業タイムス社（1987）『紙業タイムス年鑑 87 年版』：56 頁

(67)　紙業タイムス社（1987）『前掲』：57 頁

(68)　紙業タイムス社（1987）『前掲』：57 頁

(69)　岩手県（1982）『岩手県林業史』：945 頁

(70)　船越昭治（1971）『前掲』：30 頁

(71)　船越昭治（1971）『前掲』：28 頁

(72)　船越昭治（1971）『前掲』：30 頁

(73)　船越昭治（1971）『前掲』：31 頁

(74)　船越昭治（1971）『前掲』：31 頁

(75)　北越紀州パレット株式会社（2017）「会社概要」

(76)　紀州製紙株式会社社史編集室（2001）『紀州製紙 50 年のあゆみ』：156 頁

(77)　村嶌由直（1986）「木材産業の現況―東北地区からの報告」『林業経済』458：1-5 頁：4 頁

(78)　遠藤日雄（1995）「東北地域におけるチップ製造業の構造変化」『日林東北誌』47：239 頁

(79)　北越製紙百年史編纂委員会（2007）『前掲』：555-556 頁

(80)　米沢保正（1963）『木材チップ：技術と経営』：171 頁

(81)　伊藤幸男・小成寛子（2004）『前掲』：27-37 頁

第3章　輸入チップ調達システムの組織間関係

第1節　木材チップ輸入における取引関係

1　輸入チップの選択要因

　紙・パルプ企業・工場によってどのような紙・板紙製品を主として生産するかは異なっているが，生産する上で最も重視されてくるのが製品品質の均一性と安定供給である。それを担保するためには原料の品質と調達量の安定性が重要となってくる。1990年代以降には，環境配慮の観点から人工林材・森林認証材ということが注目されるようになり，持続的な森林経営と違法伐採対策も重要な取り組みとなってきた。

　製品生産に関しては，各工場・製造ライン（マシン）別に樹種・調達地域別の使い分けがあり，同じ広葉樹チップだからといって異なる調達地域のチップをフレキシブルに代替材として利用できるわけではない。この差異は各工場が歴史的に蓄積してきた技術（原料配合のレシピ）によるとされ，工場の現場単位では国産材・輸入材ともに技術蓄積・設備投資のある樹種・調達地域のチップが好まれる。したがって，ある地域の木材チップ調達コストが安くなったからといって，即，原料を変更して，需要者の要求に応えうる品質の製品生産を維持するということは難しい。変更する場合は，製品の性質が大きく変わらないように徐々に配合率を変えるなど，各工場での技術開発・設備投資が必要となる。

　日本の紙・パルプ企業の輸入チップ調達は，①林地経営，②長期契約，③市場取引（スポット購入）に分類できる（図3-1-1）。これらの調達形態は取引の不確実性の程度，取引の頻度，取引特定的投資[1] の程度によって選択される。大量生産が求められる紙・パルプ工場においては，木材チップ調達の不確実性は最も回避したい問題であるため，原料の大量供給と取引の継

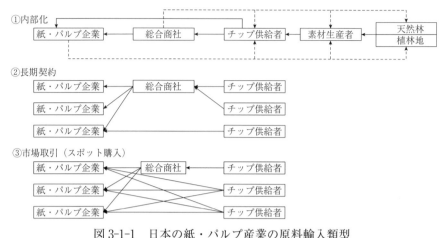

図3-1-1　日本の紙・パルプ産業の原料輸入類型
出所：山倉健嗣（1993）54-62頁をもとに著者作成。
注：実線は木材チップの流通経路，破線は投資資金の経路。

続性が求められる。そこで，日本の紙・パルプ企業では，輸入チップ調達の
ためのチャネル統制，つまり，「開発輸入－長期契約」方式である①②の取
引形態が歴史的に選好されてきた。

　林地を所有することで原料供給を紙・パルプ企業が内部化するメリットに
は，木材チップの安定供給地の確保，木材チップの調達競争に左右されにく
くなること，林地経営を行うことで原料供給に関するコスト構造を把握で
き，他所からの木材チップ調達時に価格交渉がしやすくなることがある。デ
メリットには，開発・造林コスト・育林コスト・労働コストなどの森林経営
コストがかかること，国内外ともに現地の社会情勢や環境条件（森林火災な
ど）によって投資が無に帰する可能性や損失を計上するリスク，為替や輸送
コストの変動リスクがある。そのため植林地経営は主に資本力の大きい紙・
パルプ企業が主として行ってきた。

　一方，市場取引によるスポット購入は，製品市況をみて調達量の調整はし
やすいが，需要が逼迫した際には，他企業との競合による調達コストの上昇
や調達地域の事情により長期的な安定供給が担保されないというリスクがあ
る。そのためスポット購入は木材チップ需給変動時の調整弁としての役割が
大きく，日本企業にとっての主な調達形態とはなってこなかった。

　その中間形態として長期契約取引がある。長期契約取引は紙・パルプ企業と木材チップ供給者が取引期間を決めて，継続的な取引を行うという形態である。日本企業の輸入チップ調達においては，他産業にもみられるような「開発輸入−長期契約取引」が主流となった。そして，輸入広葉樹チップ調達地域の拡大期においては，取引の安定・確実性を担保するために総合商社のエージェントとしての仲介能力が非常に重要であった。

　木材チップ需要減少時の調達量の調整は，採算性の良くないスポット購入の市場取引，長期契約取引からの調達というように取引特定的投資の程度により順次に検討されていった。植林地を持つかどうかを決める前段階として，当該地域での木材チップのスポット購入の経験や知見があり，それらを踏まえて木材チップ利用技術が各社で開発される。木材チップ調達・利用技術のためにチャネル統制（取引特定的投資）を行うことは，その後の企業の木材チップ調達動向を規定するということであり，調達環境の変化（為替・輸送費の変化，安価・良質な代替材の出現）による代替材への移行を制約しうる。そのため，各紙・パルプ企業がいつ，どこで，どのような形態の取引関係を選択してきたかは，現在に至るまでの各企業の木材チップ調達地域の差異を規定してきた。

　しかし，近年では国内印刷情報用紙需要の減少に伴う日本企業の広葉樹チップ需要の減少，中国企業のスポット購入の増加，国際的な木材チップ取引の成熟化によって，③のような市場的な短期取引や総合商社を介さない取引が増加してきているとされる[2]。

2　輸入依存度の歴史的変化

(1) 針葉樹チップの代替材増加と輸入依存度の低下

　針葉樹チップでは，1965年以降，急激に輸入チップ比率が増加し，1970年代前半には5割を超えることとなった（表3-1-1）。特に1980年代までは北米の製材端材チップへの依存度が大きかったが，1990年代になると大洋州（豪州・ニュージーランド）のラジアータパインなどの人工林針葉樹チップの比率が増加し，輸入チップの北米依存は緩和されてきた。

表 3-1-1 地域別針葉樹チップ調達依存度と調達量の推移

単位：%，千BDt

年	1965	1970	1975	1980	1985	1990	1995	2000	2005	2010	2015
日本	94	51	39	40	55	47	52	54	58	62	67
北米	6	49	61	53	39	43	25	16	16	15	15
ロシア				3	3	3	1	1	1	0	1
大洋州				3	4	5	18	27	22	22	17
アジア					0	0	0	0	0	0	0
南米					0	2	5	2	3	0	0
総量	1,954	4,065	5,867	7,164	6,147	7,268	6,751	6,214	6,188	5,256	4,888

出所：日本製紙連合会「パルプ材統計」，日本製紙連合会「パルプ材便覧」より作成。
地域区分：北米（米国・カナダ），ロシア（ソ連），大洋州（豪州・NZ・フィジー・PNG），ア
ジア（中国・台湾），南米（チリ・ブラジル・ウルグアイ・エクアドル・アルゼンチン）

　針葉樹チップの総調達量は1965年から1970年に2倍以上増加し，輸入チップは1979年に463万BDtと過去最高を記録した。しかし，第2次石油危機後の価格高騰によって，北米チップから代替材の古紙，あるいは国産チップへの移行が進展し，2015年には160万BDtへと縮小した。

　国産チップでは，従来から使用されてきたアカマツ・クロマツとは異なり，国内に比較的豊富に存在するが，KPには使用し難いとされてきたスギの製材端材・間伐材のチップ利用可能範囲の拡大もなされてきた。しかし，製品や工場設備の特性上，製品強度を出しやすい輸入チップ（特にダグラスファー）の需要は一定量存在する。

　針葉樹チップは，国内外問わずその由来が製材端材である割合が高く，供給量は製材業，ひいては住宅産業などの他動的な要因に左右される場合が多いため，価格の変動リスクは広葉樹チップよりも大きいとされる。

(2) 広葉樹チップ調達地域の多角化

　広葉樹チップは1965年では国産材比率100％と完全自給を達成していたが，総需要量の増加によって輸入チップ比率は1970年代より徐々に増加し，1980年代は，豪州チップを主として3割程度が輸入チップによって賄われるようになった（表3-1-2）。国有林の拡大造林の停滞に伴う広葉樹資源供給の停滞と，資源の奥地化による調達コスト増加に加え，1985年以降の円

表 3-1-2　地域別広葉樹チップ調達依存度と調達量の推移

単位：%，千 BDt

年	1965	1970	1975	1980	1985	1990	1995	2000	2005	2010	2015
日本	100	95	73	63	66	44	20	15	12	13	12
北米	0	5	27	4	5	18	24	22	1	0	0
ロシア				0	0	0	0	0	0	0	0
大洋州				32	24	22	23	24	29	32	18
アジア					0	1	5	5	3	0	0
東南アジア					2	2	3	6	10	15	38
南米					0	9	17	16	19	27	22
南アフリカ					2	3	8	11	26	12	11
総量	2,567	5,927	7,422	9,456	9,060	11,834	12,599	13,670	12,752	11,286	11,296

出所：表 3-1-1 と同じ。
地域区分：表 3-1-1 に加え，東南アジア（ベトナム・タイ・インドネシア・マレーシア），南アフリカ（南アフリカ共和国・モザンビーク）

高によって輸入チップ利用が促進された。広葉樹チップ輸入は東南アジア（マングローブ）や大洋州（ユーカリ），北米南部（オーク），南米（ビーチ）の天然林の開発輸入へと展開し，ユーカリやアカシアの植林地造成，植林木の調達へと移行していった。植林地形成もチリや豪州といった社会的条件が比較的安定していた地域から定着し，東南アジアへと本格的に波及していった。上記の動きに伴い，輸入チップの依存率が高い地域も大洋州，北米，南アフリカ，南米，東南アジアと移行してきた。輸入チップの総調達量は 2000 年の 1,150 万 BDt をピークとして，1996 ～ 2008 年まで 1,000 万 BDt 以上で推移したが，2009 年に 886 万 BDt へ減少し，その後は 1,000 万 BDt にまでは回復せず推移してきた。

　広葉樹チップは，国産・輸入ともに大部分がチップの供給のみを目的とした植林地および天然二次林から，一定程度の見通しのもとに供給される。その価格は供給地域の社会的・自然環境的事情に格別な変化がない限りは生産コストをベースとして安定してきたが [3]，近年では中国企業との競合による価格変動リスクが生じてきた。

　供給地域の特徴を整理すると，北米チップは，1990 年代までは天然林広葉樹チップが大量に調達できるという利点から，商社を経由して各紙・パルプ企業に供給されていた。しかし，2000 年代になると環境問題などの観点

から紙・パルプ企業の原料調達が植林木指向となっていき，天然林主体であった米国南部からの調達を控える企業もあり，さらに為替の変動やパナマ運河の値上げなども重なったことで輸入がなくなっていくこととなった。

大洋州チップについて，特に豪州は，日本企業による植林地経営が1990年代以降に積極的に行われ，豊富な広葉樹蓄積があり，かつ製紙用適材のユーカリ種が植林されるなど良質な木材チップが得られる地域であった。しかし，2000年代後半からの豪ドルの高止まりという為替要因により需給の採算が合わなくなってきたことと，中国企業との競合によって価格交渉が難化していることもあり，各紙・パルプ企業ともに豪州チップの調達比率を減少させてきた。また，豪州の大手サプライヤーであったガンズ社の経営破綻と2000年代の節税策としての林業投資による植林地の乱立も価格交渉の難化の要因になっているとされる[4]。

東南アジアチップはベトナム，タイからの調達が主となっている。従来，価格は安いが品質が良くない，さらに現地農民との土地所有権・利用権問題など，社会インフラの未整備という安定供給性への不安から，王子HDを除く紙・パルプ企業の継続的な進出はほとんどなされていなかった。しかし，2000年代後半になって社会インフラの安定化，植林管理技術の向上に伴う品質の向上により，他企業での調達量が増加している。輸送面のメリットには，日本から比較的距離が近いため，小ロットの配船による需給調整が行いやすいということが挙げられる。東南アジア地域からの木材チップ調達の懸念材料としては，中国の紙・パルプ企業との競合による価格高騰のリスクや，農民植林という形態のため，森林認証をとり難いという課題が存在する。

南米チップはチリ，ブラジルが主産地であり，日本企業による植林投資が歴史的に進められてきた。日本から遠距離であるというデメリットはあるが，安定品質の人工林材が安定調達できるというメリットがある。

南アフリカチップは品質が良く，植林木であるという条件は満たされているが，2000年代半ば頃に過伐採となり，その後，供給量が減少していた[5]。輸送距離が長く，そのコストが原油価格などの輸送コストの変動によっては割高になるというリスクがあるが，チップの輸送効率や品質面の安定性から継続的に調達や植林地の造成を行っている企業も存在する。

3　輸入チップの原料調達システム

（1）開発輸入－長期契約取引

　専用船を用いた木材チップの国際的な取引は日本企業によって初めて行われたものであり，それまで世界的に例をみなかった[6]。そのため，海外の製材端材および森林資源の調査を始め，荷役，港湾設備，木材チップ専用船の開発などのノウハウを日本の紙・パルプ企業と総合商社が新たに形成しなければならなかった。これは輸出国側としても輸入国が日本しかなく，自らが木材チップ取引のための大規模な投資を行うにはリスクが大きい状況であった。そこでは日本企業による市場の保証[7]，つまり長期契約による購入数量の保証が必要不可欠とされた。日本側としても長期安定的な木材チップ調達が必要であったので，木材チップ取引の契約成立は両者にとって相互依存的な関係の構築を意味していた。

　木材チップ輸入では，①製材端材（針葉樹），②天然林材（広葉樹），③人工林材・自社植林地材（広葉樹）というように開発投資コストの小さいものから大きいものへと材種の主流が歴史的に移行してきた（図3-1-2）。①輸入チップの取引開始時の対象は，北米西海岸の製材工場からの余剰製材端材チップであり，この時期に木材チップ輸入におけるノウハウが形成された（原料集荷行程）。②専用船による木材チップ取引がビジネスとして成立するという確認がとれたことにより，東南アジア・豪州での天然林広葉樹チップ製造・輸入，さらには調達地域の多角化へと展開していった（伐採・素材生産行程）。③後に，必要樹種の生育・安定調達可能性が高いと判断された地域（豪州・南米・南アフリカ・東南アジア）において製紙用パルプ向け早生樹種の植林地経営が積極的に展開されるに至ったといえる（林業経営行程）。

　各地域の制度の下，日本の紙・パルプ企業や総合商社が木材チップの安定調達のために，どの段階まで資本参加を行ってきたかで，各段階での組織経営へのかかわり方（影響力）が異なってくる。サプライチェーンの川上を内部化すれば取引の確実性・安定性が高まるが，内部調整コストが必要となってくる。そのため，植林などの川上の内部化をどこで，どれだけ行うか，または内部化せずに現地企業，総合商社とどのような関係を形成するかは各

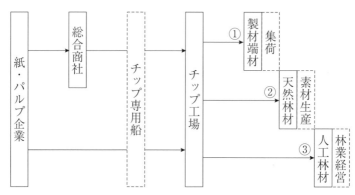

図 3-1-2　木材チップ開発輸入の段階
出所：大渕弘行（2015）を参考に著者作成。

紙・パルプ企業の戦略によって大きく異なっている。

　森林資源開発・木材チップ輸入についても，鉄鋼などの資源開発・貿易と同様に取引にかかわる4者を識別することが可能である（図3-1-3）。4者とは，実際に商業ベースで取引を行う日本の紙・パルプ企業・商社とチップ輸出国の現地企業，それに輸入国と輸出国の各政府である。現地企業においては外資系・現地資本系・公社などがあり，各輸出国の制度，輸入国企業のチップ取引に対する投資の多寡によって様々な形態がとられる。

　天然林の開発輸入，あるいは産業植林地造成を行うにしても木材を輸送・輸出するための道路・港湾整備などが必要なため，莫大な投資が必要となる。日本企業側も原料の安定調達を指向するが，資源国側の政府・企業にとっても開発投資を回収するためには安定需要が不可欠であった。そのため，双方の行動を担保するためにも政府が産業政策や貿易政策という形で企業間の取引に関与してくる。植林事業などでは，現地での産業振興や環境政策という形式で行われることがあり，資源国政府からの各種税制の優遇や植林費の補助といった政策的な援助が行われる場合もある。日本の税制では紙・パルプ企業の海外産業植林事業に対しては，海外投資等損失準備金制度が適用される。また，日本側の植林事業については通産省の補助や，国際協力事業団が関連する事例もあった。

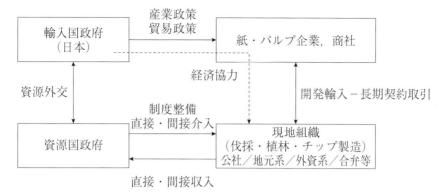

図 3-1-3　木材資源の開発輸入の 4 者モデル
出所：山澤逸平（1981）178 頁を参考に作成。

(2) 木材チップ専用船の運用

　チップ専用船は，備船者（紙・パルプ企業，あるいは商社）が，船会社に対して長期の積荷保証付きの備船契約を行うという形で運用されてきた。1964 年の東洋パルプの呉丸の運航開始を皮切りに，1965 〜 69 年に小型船（積高約 6,000BDU）が約 20 隻就航し，北米ダグラスファーチップのピストン輸送を行った。1970 〜 74 年になると，大型船（積高 14,000BDt）も就航するようになり，1974 年には大中小型船合計で 53 隻に増加した（図 3-1-4）。

　紙・パルプ企業，あるいは商社は，通常 1 隻のチップ船を，初めに 10 年の契約を結び，その後 5 年ずつ延長して 10 〜 20 年使用するのが一般的であるため[8]，竣工数には各企業の船の更新時期によって長期的な波がある。木材チップ専用船はその特殊性ゆえに他貨物への転用が難しく，木材チップの海上輸送も 1990 年代までは 90％程度が日本向けと，マーケットが限定されていたことから，フリー船（長期契約のない船）は極めて少なかった[9]。

　2 度にわたる石油危機時には，チップ需要の停滞と燃料費高騰によって大量の余剰船腹が発生することとなり，1976 年の紙・パルプ企業の積荷保証船（65 隻）の余剰船腹率が 3 割に達し，転配・減速・減量・停船などのコストダウンに努めたが，一航海で数千万円の転配差損が生じたとされる[10]。そのため，積荷保証切れの専用船の返船などで船隻数の整理が行われ，1979 年には 51 隻まで減少した。その後，一時的にチップ需要が回復し，船隻数

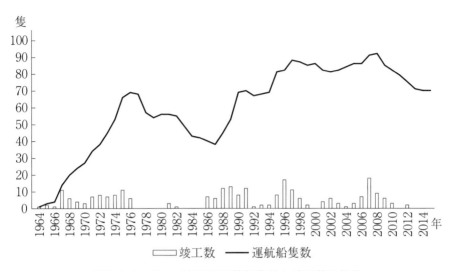

図3-1-4 チップ専用船運航船隻数と竣工数の推移
出所：日本製紙連合会「パルプ材便覧」，日本製紙連合会（1972）25頁，花谷守正（2007）175-
179頁より作成。
注：1977～80年，1983～85年の竣工数のデータは欠損。

も安定したが，1980年のチップショックによって，54隻約500航海分のう
ち，約100航海分の余剰が見込まれたため，1984年までに41隻まで船隻数
を減少させた。

　1985年以降の円高と原油安による輸入チップ増加に伴って船隻数は増加
し，1997年には88隻，2008年には過去最高の92隻まで増加した。この時
期において，紙・パルプ企業は，第2次石油危機後に30％以上の余剰船腹
を抱えた経験を踏まえ，チップ船の契約はチップ輸送に必要な船腹量の80
～85％を長期契約とし，不足分はフリー船をスポット的に傭船するなど，
弾力性のある配船を行うようになった[11]。

　邦船社では，これまで国内の紙・パルプ企業の長期積荷保証を前提にチッ
プ船を発注し，収益が長期にわたり固定されたため，不況期の方がはるかに
長い海運の歴史の中でも「チップ船部門は一度も赤字になったことがない」
（邦船社関係者）といわれる部門であった[12]。ところが，2008年以降の紙
需要の低迷によって約2割の船腹余剰が生じた。2015年には隻数が70隻ま
で減少する中で，チップ船の他用途開発が進展し，日本企業の契約切れで返

船された専用船をフリー船として大豆かすやバイオマス燃料，中国向けチップ輸送に投入する傾向となってきた。そのため，従来海運市況に左右されない部門とされてきたチップ船部門の収益も，海運マーケットの影響を大きく受けるように変容してきている[13]。

(3) 総合商社の役割の変化

木材チップ輸入における総合商社の役割としては，①代理店（エージェント）業務，②現地サプライヤーの開拓・進出補助，③周辺インフラの開発，④サプライヤー業務，⑤投資業務を挙げることができ，その役割は時代によって変化してきた[14]。1960 年代半ばから 1980 年代半ばまでの商社の役割は専ら①②③であった。国際的な木材チップ取引を成立・拡大させていく際に，紙・パルプ企業だけでは困難な新規取引先の開拓・交渉を担い，取引を行う事前段階として道路・港湾などのインフラ開発にかかわった。取引成立後には，エージェントとして取引の確実性を担保すること（価格交渉，品質管理，船積み立合い）によって口銭収入を得るという業務形態が主であった。

1980 年代半ば頃から 2000 年代前半には，木材チップ輸入の堅調な増加，プラザ合意以降の円高の影響もあり，商社の業務は①②③④⑤と拡大した。紙・パルプ企業との共同出資による海外産業植林地の造成や現地企業の立上げ，さらに自社船の保有による木材チップの購入・販売というサプライヤー業務を拡大する総合商社も現れた。

木材チップ専用船は紙・パルプ企業が傭船契約を行い，運航するのが一般的であるが，丸紅は 1995 〜 2004 年に 9 隻の傭船を行い，FOB で現地から木材チップを購入し，CIF（Cost, Insurance and Freight，運賃・保険料込み条件）価格で日本の紙・パルプ企業へ供給するというビジネスモデルをとっていた。これは丸紅が北米南部などのチップの安定供給ソースを確保していたために実現できたことであり，伊藤忠商事や三菱商事も自社傭船によるチップ取引を行っていたが，丸紅ほどは拡大しなかった[15]。そのため，2000 年代半ば頃までは日本の紙・パルプ企業の木材チップ調達のかなりの部分に丸紅がかかわっていたとされる[16]。

　しかし，2000年代後半になると，日本企業の木材チップ需要は停滞し，②③の木材チップ供給地の新規開拓・インフラ開発は，ベトナムなどの一部の地域を除いて行われなくなり，商社の主業は①④⑤となった。さらに④のサプライヤー業務に関して，各紙・パルプ企業において自社船の稼働率を超えるようなチップ需要量の増加はなくなってきたため，商社が自社船を保有した上でのチップ輸入・販売という経営形態は縮小した。

　一方で，チップ・パルプ需要者としての中国の台頭から，植林地，あるいはチップ・パルプ製造企業に資本参加することでサプライヤー，あるいはメーカー化し，日本企業のみならず，中国やその他海外企業に原料や製品供給を行うという経営形態をとる総合商社がでてきている[17]。

　木材チップ輸入の歴史が長くなるにつれて，取引のノウハウが紙・パルプ企業および木材チップ供給者に蓄積されて取引が安定化するため，商社のエージェントとしての重要性はしだいに後退していった。具体的には，1990年代以前はインターネットもそれほど普及しておらず，海外とのコミュニケーションが取り難い環境であり，かつ現地開発のための資金が必要であったが，2000年代になると，紙・パルプ企業内に英語を使用できる社員が増え，メールでのインボイス管理やインターネットを用いた現地情報の入手が可能となったことで，木材チップ取引における不確定要素が減少した。

　さらに王子HDや北越紀州製紙のように，元総合商社の紙・パルプ部門の社員を紙・パルプ企業が迎え入れることで，取引のノウハウを取り入れていくという動きもみられる。紙・パルプ企業ごとに木材チップ調達に対する方針が異なるため一概にはいえないが，商社を介さない直接取引が傾向として増加してきている。

4　海外投資事業の多様化

　紙・パルプ産業の海外投資（進出）の形態は，①原料資源確保を目的としたチップ生産，造林事業，②海外の原木資源を利用したパルプ生産事業，③紙・板紙製品生産・流通・加工事業の3つに大別できる[18]。なお，①によるチップ輸入および植林地の展開については次節で詳述する。

　戦後初の紙・パルプ産業関連の海外投資による開発輸入は 1953 年に北米に設立されたアラスカパルプである。このプロジェクトは化学繊維，紙・パルプ，製材などの業界による出資であったが，現地での繊維向けレーヨンパルプの生産・輸入が目的であった。紙・パルプ企業による原料（木材チップ），あるいはパルプ，紙・板紙製品のための海外投資は 1960 年代後半から積極化し，東南アジア，大洋州，北米，南米を主として展開された。1970 年代の石油危機によって企業の海外投資は一時的に減退したが，1980 年代には再び活発化していった。

　①では，主に広葉樹チップの獲得が指向され，1960 〜 1970 年代にマングローブ材やゴム廃材を求めてマレーシア，インドネシアといった，いわゆる南方資源の開発が進められた。針葉樹チップでは，1980 年代に北米のダグラスファー材およびその代替材としてのニュージーランドの植林木パイン材の確保のためのチップ工場投資が行われていった（表 3-1-3）。

　②のパルププロジェクトでは，政情が安定しており，豊富な針葉樹資源を有するカナダで積極的に進められ，生産パルプの引取条件を設定する場合が多くみられた（表 3-1-4）[19]。しかし，古紙利用の拡大と新聞用紙需要の減少によって，針葉樹パルプの需要減少が生じたため，2000 年代には撤退する事業も現れ始めた。また，北米では③の業態で新聞用紙の生産・輸入が十条製紙（1978 年，米国），王子製紙・三井物産（1980 年，カナダ），王子製紙（1988 年，カナダ）によって行われたが，②と同様の理由で売却・撤退が進められた。

　ブラジルでは，伊藤忠商事および紙・パルプ企業 17 社が，日本政府（通産省・農林水産省）の支援を受けて，1971 年に日伯紙パルプ資源調査（1973 年，日伯紙パルプ資源開発）を設立し，ブラジル側の国営企業であるリオ・ドーセ社との合同による国家的な植林・チップ・パルプ製造プロジェクトを開始した。1977 年より LBKP 生産が開始され，1980 年には安定操業がなされるようになり[20]，2015 年においても日本ならびに世界各国へのパルプ輸出を継続している。当時，日本から距離のあるブラジルで事業が行われた理由には，自然環境条件として，広大な土地と植林可能性・豊富な水，社会環境条件として，日本移民の歴史から国同士の関係が友好的であり，既に製鉄

表 3-1-3　チップ事業の海外投資

日本企業	相手国	設立年	現地会社名	事業内容	生産
大昭和製紙・執行商事	マレーシア	1967	Daishowa Wood Products	ゴム廃材チップ	60 万 m³/ 年
興人	マレーシア	1967	Sarawak Wood Chip Co.	マングローブチップ	15 万 m³/ 年
大昭和製紙・伊藤忠	豪州	1967	Harris Daishowa Pty Ltd	ユーカリチップ	90 万 m³/ 年
王子・三井物産	インドネシア	1969	P.T.Triomas Forestry Deveropment	木材，チップ	12 万 m³/ 年
大昭和製紙	マレーシア	1969	Setia Jaya Wood Sdn.Bhd.	ゴム廃材チップ	33 万 m³/ 年
東海パルプ	NZ	1970	Nelson Pine Forest Ltd.	パイン・ビーチチップ	40 万 m³/ 年
MDI	マレーシア	1970	Sharikat Bakau Sabah Sdn Bnd	マングローブチップ	15 万 m³/ 年
MDI	マレーシア	1970	Jaya Chip Sdn Bhb	マングローブチップ	15 万 m³/ 年
本州製紙	PNG	1971	Jant Pty Ltd.	製材・チップ	15 万 m³/ 年
山陽国策パルプ	インドネシア	1972	P.T.Zedsko Indonesia	木材，チップ	6.4 万 m³/ 年
MDI	インドネシア	1974	P.T.CHIP DECO	マングローブチップ	16.2m³/ 年
日伯紙・パルプ資源開発	ブラジル	1974	Empreendimentos Florestais S.A.	造林，チップ生産	300 万 m³/ 年
摂津板紙	シンガポール	1974	Asiatic Wood Products Co.Ltd.	ラワン廃材チップ	6 万 m³/ 年
大王製紙・丸紅	米国	1980	California Wood Fibre Corp	チップ	18 万 m³/ 年
大王製紙・兼松	米国	1983	Oregon Chip Terminal Inc	チップ	86 万 m³/ 年
山陽国策パルプ	カナダ	1988	Primex Fibre Products,Ltd	チップ	16 万 m³/ 年
王子製紙・日本製紙	NZ	1995	Pan Pac Forest Ltd	針葉樹チップ	12 万 t/ 年
丸住製紙・丸紅	NZ	1995	Marusumi Whangarei Co.Ltd	針葉樹チップ	20 万 t/ 年
王子製紙・伊藤忠	豪州	2000	Albany Plantation Export Company	広葉樹チップ	－

出所：日本製紙連合会『紙・パルプ　特集号』各年版より作成。

表 3-1-4　パルプ事業の海外投資

日本企業	相手国	設立年	現地会社名	事業内容	引取条件	撤退 / 継続
アラスカパルプ	米国	1953	Alaska Lumber and Pulp Co.Ltd.	DSP530ST/ 日	大部分引取	2004 解散
本州・三菱商事	カナダ	1967	Crestbrook Forest Industries Ltd.	NBKP450ST/ 日	1/2 引取	1999 売却
十条・住友林業	カナダ	1968	Finlay Forest Industries Ltd.	RGP160ST/ 日	全量引取	1980 売却
大昭和・丸紅	カナダ	1969	Cariboo Pulp & Paper Co.	NBKP750ST/ 日	1/2 引取	2018 株式譲渡
王子・山陽国策	NZ	1971	Pan Pac Forest Products Ltd.	RGP600MT/ 日	全量引取	継続①
日伯紙・パルプ資源開発	ブラジル	1973	Celulose Nipo-Brasileira S.A.	LBKP750ST/ 日	1/2 引取	継続②
大昭和製紙	カナダ	1977	Quesnel River Pulp Co.	TMP26 万 t/ 年	1/2 引取	2002 売却
大昭和製紙	カナダ	1988	Daishowa Canada Co.Ltd	NBKP34 万 t/ 年		2018 株式譲渡
王子製紙	カナダ	1988	Howe Sound Pulp and Paper.	NBKP35 万 t/ 年		2010 売却
新王子・北越・三菱商事	カナダ	1990	Alberta Pacific Forest Industries.	BKP50 万 t/ 年	1/4 引取	継続③
日本製紙・丸紅	インドネシア	1990	PT TEL Pulp and Paper	LBKP45 万 t/ 年		継続④
王子製紙	タイ	1998	Advance Agro	パルプ製造		2006 年売却

出所：日本製紙連合会『紙・パルプ　特集号』各年版より作成。
注：継続①王子 HD（Pan Pac Forest Products Ltd），②王子 HD/ 伊藤忠（Celulose Nipo-Brasileira S.A.），③北越コーポレーション（Alberta-Pacific Forest Industries Inc），④丸紅 / 日本製紙（PT Tanjung Enim Lestari Pulp and Paper）

や造船で企業進出が順調な稼働を続けていたこと，対日パートナーが国営企業であったこと，インフラ整備の実行可能性などが挙げられる[21]。

　インドネシアでの事業構造を例示すると，図 3-1-5 のようになる。このプロジェクトは植林からパルプ製造まで行われるものであるが，図 3-1-5 の現

地パルプ製造会社を植林会社，チップ工場と置換え，JICA も民間の出資会社とすれば，日本側投資会社を設立するか否かの違いはあれども海外産業植林地の経営形態となる。つまり，日本の紙・パルプ企業による出資および技術指導と総合商社やその他企業，現地企業または政府からの出資により会社が設立され，チップ，あるいはパルプの引取保証を日本企業や他国の企業が行うことで事業として成立するという構造である。この引取保証は現地で新規プロジェクトを行う際に経営の長期安定性の観点から非常に重要である。

　1985 年のプラザ合意以降に海外投資件数は増加し，大規模化，多様化していった。海外進出の形態も従来の現地企業との合弁方式のみならず，買収や新工場の建設など，単独進出も行われるようになった[22]。事業形態もパルプ生産・輸入主体から紙分野（新聞用紙）などの最終製品に広がり，かつその販売先は日本市場に限定されなくなってきた。加工分野では欧米での現地生産や，東南アジアでの段ボールの合弁事業が増加していった。2000 年以降では，新たなパルプ事業はなくなり，タイや中国での紙・板紙加工事業が主となっていき，既存事業の不振による撤退もみられるようになった[23]。

　日本の紙・板紙需要が縮小傾向となったリーマンショック以降の 2018 年

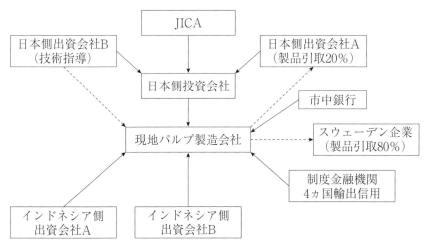

図 3-1-5　海外パルプ製造事業の概念図（インドネシアの一事例）
出所：独立行政法人国際協力機構（2010）
注：実線は資金の流れ，破線は技術および製品の流れを示す。

の主要なパルプ企業別の海外関連事業をまとめると表3-1-5のようになる。

　植林事業を除けば，③の紙生産・加工事業・その他が多くなっており，王子HDや日本製紙がアジアや東南アジアで比較的積極的な展開を行ってい

表3-1-5　2018年の主要パルプ企業別海外関連会社数（子会社，支店含む）

		王子HD			日本製紙			大王製紙			北越コーポ			中越パルプ			三菱製紙			丸住製紙		
		①	②	③	①	②	③	①	②	③	①	②	③	①	②	③	①	②	③	①	②	③
東南アジア	マレーシア			7			2															
	カンボジア						1															
	ミャンマー						2															
	インド						2	1														
	タイ			4			2	1														
	ベトナム	2		5			2							1		(3)						
	インドネシア			1			2			2												
	シンガポール						2															
アジア	中国	1	(1)	8			2	1			1						1					
	香港						1				1						1					
	台湾						1															
	韓国			1							1											
大洋州	豪州			3	1		9															
	NZ			2			1													1		
	豪州・NZ		(1)	1																		
北中米	米国		1	2			2	1									1					
	カナダ						1					1										
	ケイマン諸島						1															
	メキシコ																1					
南米	ブラジル	1	(1)	1	3																	
	チリ				1			1									1					
欧州	ドイツ	1		1													1					
	フィンランド						1															
	フランス												1									
他	南アフリカ				1						1											

出所：各社HPおよび有価証券報告書より作成。
注1：①チップ生産／植林事業，②パルプ生産事業，③紙・板紙生産・流通・加工事業
注2：関連会社数なので，植林地については植林地数とは一致していない。
注3：（）の数字は同一会社での兼業を示す。中越パルプの（3）は，王子HDに含まれている。

る。ただし，これらは日本への製品の開発輸入という位置づけではなく，現地生産・現地販売など，日本の国内需要の縮小に対する，一企業としての新たな利益追求という側面が強い。

注および引用文献

(1) 取引特定的投資とは「その取引に特殊な投資がどの程度行われているかをいい，投資が取引特殊的に行われれば行われるほど，他への転換可能性が低くなり，極めて取引独自性が高い資産が形成される」（山倉（1993）56 頁）というものであり，本項では紙・パルプ企業の木材原料取引という特定的な目的のための投資を意味する。

(2) 総合商社聞き取り調査（2016 年 6 月～ 10 月実施）

(3) 森本泰次（1991）「紙パルプ産業の原料事情からみるわが国の広葉樹資源（その一）」『林業経済』44（11）：1-13 頁

(4) 紙・パルプ企業聞き取り調査（2014 年 9 月 1 日実施）

(5) 紙・パルプ企業聞き取り調査（2017 年 4 月 11 日）

(6) 花谷守正（2007）『地球環境に貢献した廃材チップ輸入』：3 頁

(7) 資源開発には巨額の投資が必要なことに加えて，生産開始までの懐妊期間が長く，その間に市況の悪化が生じれば引き合わなくなってしまう。つまり，大規模開発のリスクは大きいので，自由市場を目当てにしたのでは開発は敢行しえず，大量の安定した需要が不可欠である。大量供給と大量需要の見合いということが，長期契約方式成功の 1 つの重要条件である。（小島清（1981）「第 10 章　日豪資源貿易のあり方」池間誠・山澤逸平編『資源貿易の経済学』：232 頁）

(8) 海事プレス社（2012）：20-34 頁

(9) 日本製紙連合会（1999）『紙・パルプ』7：1-5 頁

(10) 日本製紙連合会（1985）『紙・パルプ』2：13 頁

(11) 日本製紙連合会（1993）『紙・パルプ』1：14 頁

(12) 海事プレス社（2014）『COMPASS』5：11 頁

(13) 海事プレス社（2014）『前掲』：18 頁

(14) 総合商社聞き取り調査（2016 年 6 月～ 10 月実施）

(15) 総合商社聞き取り調査（2016 年 6 月～ 10 月実施）

(16) 総合商社聞き取り調査（2016 年 6 月～ 10 月実施）

(17) 丸紅紙パルプ販売株式会社 HP（2017）

(18) 日本製紙連合会（1982）『紙・パルプ　1982 特集号』：24 頁

(19) 大昭和製紙株式会社資料室（1991）『大昭和製紙五十年史』：346 頁

(20) 甘利敬正（2001）『もっと知ろう世界の森林を』：48 頁

(21) 甘利敬正（2001）『前掲』45 頁

(22) 日本製紙連合会（1991b）『紙・パルプ　1991 年特集号』：23 頁

(23) 日本製紙連合会（2003）『紙・パルプ　2003 年特集号』：24 頁

第2節　輸入チップ調達システムの構築

1　輸入初期の協調と競争

　戦後のパルプ原料輸入は，1951年に東北パルプがCT高橋商会を通じて，ベイマツ原木をパルプ材として試験輸入したのが最初とされる[1]。しかし，この時点では品質は問題なかったが，輸送費や植物検疫コストなどが見合わず，大量輸入には至らなかった。

　木材チップ輸入については，1961年頃から一部の紙・パルプ企業により研究され，伊藤忠商事や三菱商事がチップ輸入の検討を行っていた。1963年には大昭和製紙が三菱商事，山陽パルプがCT高橋商会を通じて試験輸入を行い，それぞれ清水港，岩国港に入れている[2]。そして，1964年に東洋パルプと伊藤忠商事がチップ専用船の開発によって大幅なコストダウンに成功し，米国のウェアハウザー社と10年の長期契約を行ったことにより，日本における国際的なチップ取引が本格的に開始された（呉港初入港は1965年1月）。続いて，大昭和製紙も1964年にUSプライウッド，ジョージア・パシフィックの2社と10年契約を結び，1965年よりチップ輸入が開始された。

　輸入当初の北米チップは地場のパルプ工場へ出荷しても余り，廃棄していたものを日本へ輸出するというものであり，サプライヤーとしては安くても買ってほしいという状況であったため，輸入チップの価格は低廉であった。しかし，1966年になると，後発の紙・パルプ企業が次々と契約を行い，価格も順次高騰し，取引に混乱が生じ始めた。そこで通産省は紙・パルプ企業に対して，商社を通じて価格混乱を生じさせるような調達計画に対しては専用船の建造に対する支援を行わないとして，紙・パルプ連合会に協調体制の構築を要請した[3]。

　その結果，「1966年7月には北米産チップ輸入委員会（紙・パルプ企業16社）が設置され，①契約量について，現在実行中の東洋パルプ，大昭和と，昭和43年末まで輸入実行見込の各社は既確認数量以上の追加契約は昭和43年3月末まで行わない。また昭和43年4月以降，昭和45年3月まで輸入見

込の各社については，その申し出の都度委員会で審議し取扱いを決定する。なお，クースベイ港積出しの輸入契約は，既契約会社以外は原則として認めない，②契約期間は 10 年以上を原則とし，やむを得ない場合は 7 か年以上とする。なお，スポット買いは行わない，③その他，秩序維持について，各社の関係供給者・商社などの輸入関係機関の系列は相互に乱さないこと。また各社は現地に駐在員を置き輸入安定のため現地協議を行う。さらに契約未済の会社は輸入諸条件について積出港・供給者別に先発会社と協議する，④契約成立の確認をうるために，関係各社は契約書（価格・期間・署名力所など）の写しの提出」などが明示され，長期にわたる混乱の発生防止が目指された [4]. [5]。

1960 年代の北米チップ輸入における紙・パルプ企業，商社，現地サプライヤーの取引関係は表 3-2-1 のようになっており，輸入開始当初は委員会の規定の通り，長期契約の数量・価格の途中変更もなく，サプライヤー側も輸出価格を引き上げる姿勢ではなかったため，取引価格は比較的安定していた [6]。しかし，1965 年以来，国内のパルプ材需給は逼迫し，パルプ材価格が高騰していたため，多少は高くとも大量に材を確保できる輸入チップを選好する紙・パルプ企業もあった。そのため，各社が商社経由，あるいは自ら北米チップの買付競争を行ったことによって，輸入チップ価格の高騰が生じるようになった。

北米からの輸入チップはダグラスファーが主であり，その価格はウェアハウザー社の契約価格がプライスリーダーとなり，他社がそれに追随するという形で決まっていた。そのため，1973 年の石油危機を契機として，①米国内の製紙業界のチップ需要のタイト化，②重油価格の高騰によるコストアップ，③日本国内における製材・合板の生産不振による製材端材チップの減少などによって急激に高騰した [7]。

大昭和製紙の例では，契約更改に際して，①過去 7 年間の赤字補償を新価格に盛り込む，②契約の形式も値決め交渉が随時できるよう弾力的にする，など厳しい内容が提示され，「値上げを認めなければ供給しない」という強い態度が米国企業側から示されたとされる [8]。

1979 年に第 2 次石油危機が生じると，石油価格高騰による輸送費の高騰

表3-2-1　1960年代の紙・パルプ企業の北米チップ調達関係

| 会社名 | 取扱商社 | チップ供給者 | チップ契約 | | | |
			契約時期	期間	樹種	千m³/年
東洋パルプ	伊藤忠	ウェアハウザー	1964/6	10	ダグラスファー	150
		ウェアハウザー	1965/12	10	ダグラスファー	160～180
		ウェアハウザー	1968/7	10	ダグラスファー	160
	丸紅	カナデアンフォレストプロダクト	1969/6	7	ヘムロック	170
大昭和製紙	三菱	USプライウッド	1964/8	7	ダグラスファー	125
		USプライウッド	1964/12	7	ダグラスファー	125
		ジョージア・パシフィック	1965/8	7	ダグラスファー	125
		USプライウッド	1966/3	10	ダグラスファー	125
		ジョージア・パシフィック	1966/5	10	ダグラスファー	125
		ジョージア・パシフィック	1965/8	10	ダグラスファー	125
	丸紅	インターナショナル・ペーパー	1967/1	10	ダグラスファー	180
		インターナショナル・ペーパー	1967/1	7	ヘムロック	200
	三菱	ウェアハウザー	1968/3	10	ヘムロック	190
本州製紙	三井	ダイヤモンドナショナル	1966/7	7	ポンテローザパイン	140～180
		ダイヤモンドナショナル	1966/7	7	ホワイトファー etc	180
東海パ	三菱	USプライウッド	1966/12	10	ダグラスファー	150
王子製紙	アラスカパルプ	ダグラスファープライウッド	1966/12	10	ダグラスファー	175
		ダグラスファープライウッド	1966/12	10	ダグラスファー	310～320
		ダグラスファープライウッド	1968/11	10	ダグラスファー	
大王製紙	伊藤忠	ウェアハウザー	1966/5	10	ダグラスファー	310～330
		ウェアハウザー	1969/6	9	ダグラスファー	
十条	三井	ウェアハウザー	1967/2	7	ヘムロック	150
中越パルプ	伊藤忠	ウェアハウザー	1966/6	10	ダグラスファー	160
	丸紅	バイタバーク	1967/12	11	ホワイトファー	200
丸住	丸紅	ウェアハウザー	1967/2	10	ダグラスファー	160
山陽パ	三菱	ウェアハウザー	1967/6	10	ダグラスファー	200

出所：中野真人（1970）12頁

　と米国の住宅着工戸数の減少による製材端材不足，さらに同時期に日本の紙・板紙製品需要の伸びによる日本企業の買付競争（従来，国産材主体であった中小紙・パルプ企業のスポットでの高値買付の増加）が重なり[9]，ウェアハウザーからチップ取引価格の値上げが宣告された。さらに，チップ代替原料である古紙の値上がりも生じ，他の原料への逃げ道がない状況での北米チップの値上げ通告であり，ジョージア・パシフィック，ローズバーグラ

ンバーなどの各社は日本側とウェアハウザー社の交渉が終わるまで交渉に応じようとしないなど，米国側は実質的に窓口を一本化していたために，価格交渉は日米両国のチップ不足を背景として一方的な形で終了することとなった[10]。

　この値上げによって，1980 年 4 ～ 6 月期の北米チップ価格は 1979 年価格の 2.5 倍となり，日本の紙・パルプ産業は多大な影響を受けた。そこで，1980 年に通産省は「貿易管理令」を発令し，米国チップの高値輸入を抑制するために大手紙・パルプ企業，商社など輸入企業 11 社の輸入契約の事前チェックを行い，異常な高値契約を認めない方針をたてるなどの対応策をとった[11]。

　このチップショックを機に日本の紙・パルプ企業各社では脱ウェアハウザーが指向され，パプアニューギニア（PNG）や豪州，NZ での開発輸入計画やウェアハウザー社にチップ供給をしている製材業者との直接契約，チリへの開発輸入の検討を行う企業が現れ始めた。輸入地域の多角化は指向されたが，北米での価格高騰は他地域および国産材価格の高騰も生じさせた。こうして形成された原料高製品安という厳しい経営環境に対して，紙・パルプ業界は自主操短や不況カルテルの結成，設備廃棄を含む事業構造改善による過当競争体質の是正を迫られることとなった[12]。

2　木材チップの開発輸入と企業間協調

(1) 1960 ～ 70 年代の企業間競争と協調

　戦後，広葉樹チップは針葉樹チップに比べて国産資源がある程度豊富であったが，1967 年頃から需給が逼迫し，価格が急騰してきたために，針葉樹チップよりもやや遅れて輸入が指向されるようになった。開発輸入先として東南アジアが注目され，各社はそれぞれ調査団を派遣して開発輸入の準備にとりかかった。しかし，北米チップの価格高騰への懸念から，各紙・パルプ企業，商社が一斉に東南アジア開発に動き出したため，過当競争による価格の吊り上げが東南アジア地域においても生じることとなった[13]。

　1963 年には戦後紙・パルプ産業初の南方進出事業であるソロモン林業が

設立されたが，南方材の国内市況低迷による販売価格の低下が生じたため，2年で中止となっていた。しかし，ソロモン林業の解散後，紙・パルプ業界として南方材輸入促進の機運が高まり，1964年に興国人絹パルプがマラヤ材の試験輸入を行った。1965年にはインドネシア・ボルネオ・マラヤ・マレーシアの各地からゴムおよびマングローブ材の試験輸入が西日本地区の工場を主として継続され，パルプ化試験と並行して南方材の本格輸入が検討されていった[14]。1966年には神崎製紙がタイのマングローブ材輸入を現地のインフラ未整備により断念しているが，北越製紙は1970年に日商岩井の仲介でタイからゴム材の試験輸入を行った[15]。

　1967年には過当競争の抑制と企業間の協調を目的として海外パルプ原料委員会が結成され，北洋材部会（22社），北米材部会（20社），南方材部会（22社）を設置することで，地域別に幹事会社を中心とした調整が目指された。南方材部会ではインドネシア分科会，オーストラリア・タスマニア分科会，ニュージーランド分科会，カンボジア分科会，カリマンタン分科会，マレー分科会，タイ分科会が設けられ，各地域内で幹事会社を筆頭に調整が図られたが，各グループ間での利害対立が生じて開発競争が勃発し，マレーシアでは大昭和製紙，山陽パルプ，興人，王子の4社を幹事として，21社が進出の意向を示し，調整は困難を極めた[16]。

　同様の事象は豪州タスマニア州などでも生じ，現地での取引価格を吊り上げられるという苦い経験によって，業界全体として海外資源の長期安定確保のために協調しないと将来の原料不足が大問題になるという共通認識が強まっていった。そのため，1970年代では，上述の海外パルプ原料委員会の他にも，対ソ連貿易窓口としての日本チップ貿易（紙・パルプ企業26社），社団法人南方造林協会（紙・パルプ企業7社），ブラジルで日伯紙パルプ資源調査会社（紙・パルプ企業12社），マレーシアでMDI（Mangrove Development Industry，紙・パルプ企業5社）などの現地企業の設立や，豪州チップの共同購入（1969年：十条製紙・東北パルプ・本州製紙・三井物産，1970年：山陽パルプ・三菱製紙・三菱商事・住友商事，1976年：北越製紙・山陽国策パルプ・名古屋パルプ，1979年：王子製紙・中越パルプ・トーメン・伊藤忠）が行われていった[17],[18]。

　共同購入方式によって資金調達が容易となり，大型チップ専用船および日本側の大型港湾の共同利用が可能であったため，紙・パルプ企業側としても協調するメリットが大きかった[19]。共同購入契約に商社が加わっていることでも確認できるように，1970年代では紙・パルプ企業にとって総合商社の役割は，取引の安定性・リスクの低減を担保する上で非常に重要であった。1974年時点では表3-2-2に示すように主要商社は2〜4の紙・パルプ企業と系列的な取引関係を持ち，木材チップの開発輸入を展開していった[20]。

　この時期は，日本の通商産業省・農林省・林野庁は外地造林試験・調査の補助事業や制度整備を行うことで，紙・パルプ企業の外材チップの開発輸入を促した。資金面では，海外経済協力基金や国際協力事業団，日本輸出入銀行，市中銀行団からの融資や資本参加により，産官合同の経営体制が構築されたりもした[21]。

　しかし，1970年代に行われた東南アジア諸国での試験造林は，2度の石油危機による経済不況や植林対象地域の政情不安，土地の権利関係の複雑さな

表3-2-2　1974年の輸入チップにおける商社とパルプ会社の系列関係

商社	パルプ会社
三井物産	本州製紙 十条製紙
三菱商事	山陽国策パルプ 三菱製紙 東海パルプ 大昭和製紙
伊藤忠商事	大王製紙 中越パルプ 大昭和製紙
トーメン	東海パルプ
兼松江商	大王製紙
住友商事	山陽国策パルプ
アラスカパルプ	王子製紙
丸紅	丸住製紙 中越パルプ

出所：萩野敏雄（2003）276頁

どの要因から，その多くは継続的な事業化には至らなかった[22]。そのため，輸入地域の多角化は指向されつつも，1985年以前の広葉樹チップ輸入は豪州依存となっており，中越パルプ・本州・三菱・大昭和などの紙・パルプ企業6社による100万t/年の長期契約交渉（15年間）は，取引価格について豪州政府よりクレームが入り，現地会社の輸出許可がおりずに契約が破談になるなど[23],[24]，需給環境としては厳しい状況が続いていた。

(2) 開発輸入のための協調組織の構築

1970年代のチップ輸入の協調形態についてみてみると，日本チップ貿易はソ連からの本格的なチップ輸入を目指すにあたり，投資リスクと取引の不安定性を回避するために日本の紙・パルプ企業27社によって設立された。取引関係の動向は表3-2-3のようにまとめられる。

ソ連側としても，資源開発の結果である輸出が不安定なことを避けるために，通常の商社間レベルの契約ではなく，日本の経団連との協定として基本契約を締結した。その上で日本チップ貿易と貿易公団の商事契約が結ばれ，さらに日ソ両国政府書簡の交換によって両国政府が当プロジェクトを支援するという旨の確認が行われた[25]。1972～85年には様々な利害の調整がありながらも，1986～90年における日本チップ貿易のソ連パルプ材シェアは30%におよび，価格交渉にて交渉力を保持することができたため，他商社へ

表3-2-3　日本チップ貿易の概要

西暦	概要
1970	主要紙・パルプ企業27社の出資
1972	第一次基本契約：日本側の引取義務，6年の価格固定（後に四半期に改訂）
1982	単年度契約
1986	第二次基本契約：ソ連側の供給義務も規定，価格は半年毎の協議
1991	市場経済への移行
1995	解散

目的：ソ連からのチップ輸入
役割：①ソ連へのチップ製造設備の供給，②チップ輸入窓口の一本化，③出資企業への配分
成果：1972～95年にかけてチップ輸入（16,479千m³）

出所：日本製紙連合会（1996b）3-6頁, 日本製紙連合会（1996c）14-17頁, 日本製紙連合（1996d）18-24頁を参考に著者作成。

の販売価格よりも一定額の値引きを享受できた[26]。

　ソ連時代では，木材伐採公団のコスト度外視の原木集荷，国策で設定された低廉な鉄道輸送費によるチップ集荷，船舶公団による日本諸港への輸送が典型的なチップ生産・輸送のパターンであり，チップの採算輸送距離は北米でおよそ200km以内とされていたのに対して，ソ連ではその10倍以上の奥地からのチップ輸送も可能であった[27]。しかし，ソ連崩壊によって市場経済へ移行するにつれて価格高騰と供給不安定性が増加する中で，日本企業の輸入広葉樹チップ利用への移行は，国産広葉樹チップの補完材としてのソ連チップの役割を減退させ，離脱希望の株主企業も多くなってきたために，日本チップ貿易は1995年に解散するに至った。

　マレーシアでは，興人がマングローブ材から上質紙用パルプを生産することに成功したため，1967年に現地との合弁でチップ工場が建設され，1969年より操業を開始した[28]。この実績を踏まえ，マングローブ材の開発輸入を目的に，紙・パルプメーカー5社（興人・山陽パルプ・十条製紙・神崎製紙・日本パルプ）の共同出資によってMDIが設立された。MDIの役割・成果は表3-2-4のようになっており，インドネシアにおいて現地法人と合弁会社のCDを設立し，チップ工場の建設と事業実施に当たって，原木を伐出する山林事業，チップ工場の操業，工場機械の保全修理，財務管理分野の役職員を派遣し，技術移転による現地での事業運営を行った[29]。その後，現地

表3-2-4　MDIの概要

西暦	参加企業
1970	5社（興人・山陽パルプ・十条製紙・神崎製紙・日本パルプ）
1972	山陽パルプ・国策パルプ合併
1979	日本パルプ・王子製紙合併
1987	興人脱退
1993	十条製紙・山陽国策パルプ合併，王子製紙・神崎製紙合併
1997	解散

目的：マングローブ材の開発輸入
役割：①マングローブ資源調査，②伐採権保有会社の選定，③合弁契約の締結　④日本側株主としてチップ工場へ出資，⑤木材チップの輸入・出資企業への配分
成果：CD（インドネシア）の設立，1971～97年にかけてチップ輸入（総量445万t）

出所：渡邊賢（2001）を参考に著者作成。

での伐採権の取得に伴い1977年から操業を開始し，日本への輸出を順調に行っていった。

　しかし，1990年代半ばになると長期間の伐採によって伐採地の奥地化が進み，伐採量がまとまらず，原木集荷量の減少が進んだため，1997年に解散することとなった。それに伴って，日本側の出資会社であるMDI（当時の出資企業は王子製紙と日本製紙の2社）も任意解散するに至った。

(3) 個別企業の原料調達動向

　協調的な行動と並行して，各企業においても原料確保のための開発輸入が行われていった。大昭和製紙では，1967年にマレーシアでゴム廃材チップの開発を目的として，マレーシア政府の協力を得て現地との合弁会社を設立した。現地の産業振興という観点から，現地政府より地域内競合の防止および税制上の優遇を得るなどして，ゴム廃材チップの輸入が行われた[30]。

　また，豪州においては，1967年に日本企業として商社を介さず，単独でニューサウスウェールズ州の州有林伐採権を獲得したことに伴い，現地のハリス・ホールディング社と合弁でハリス大昭和を設立し，1968年に伐採を開始，1969年にはチップ船就航が達成された[31]。このプロジェクトでは，チップ工場と港湾整備（投資額約20億円）が行われ，15年の販売契約で50〜100万t/年のユーカリチップ輸入が計画された。このように大昭和製紙は北米製材端材チップからマレーシアゴム廃材，豪州ユーカリ材と独自の開発輸入を展開することで木材チップの長期安定確保を指向していった。

　王子製紙の1964年以降の木材チップの長期約取引の動向に注目すると表3-2-5のように整理できる。

　1964年のソ連材の輸入に続いて，1966年に北米チップの長期契約（10年），1967年より南方材の開発輸入に取り組みつつ，1968年からは北米チップの長期契約輸入（10年）を増加させている。1969年には十条製紙・本州製紙と原料調達における業務提携を行い，1970年代はダグラスファーチップの長期契約輸入をさらに増加させていった。1979年に豪州広葉樹チップ，インドネシアのマングローブチップ輸入が開始され，外材比率は50％（うち63％は北米チップ）に達した。しかし，チップショックを契機に北米チ

表 3-2-5　1964 年以降の王子製紙の主な原料調達動向

西暦	原料調達動向
1964	・ソ連材輸入
1966	・北米チップの長期輸入契約（10 年）
1967	・海外資源調査委員会設置（チリ・フィジー・豪州・NZ 等の南方材のパルプ化に着手）
1968	・北米チップ長期輸入契約（10 年）
1969	・十條製紙・本州製紙と原料調達面での業務提携 ・トリオマス森林開発設立（インドネシア・スマトラ島，三井物産・アラス木材・王子）
1970	・ダグラスファーチップの輸入（10 年，13 万～15 万 BDU/ 年） ・ヘムロック・スプルース材チップの輸入（10 年，2.4 万 BDU/ 年） ・インドネシア・スマトラ材名古屋港初入荷 ・南方造林協会
1971	・NZ にて RGP 設備稼働（国策パルプと共同） ・マレーシア植林株式会社（カリビアンパインの試験造林）
1972	・ダグラスファーチップ等の輸入（11 年，専用船 10 航海 / 年）
1974	・ダグラスファーチップ（1996 年まで継続輸入） ・ダグラスファーチップ等（1995 年まで継続輸入）
1975	・N ホワイトチップ（11 年，17.8 万 BDU/ 年） ・ハワイのユーカリチップ輸入（10 年，5 ～ 5.5 万 BDU/ 年） ・オルダー（10 年，9 ～ 10 万 BDU/ 年） ・N ホワイトチップ（5 年，6.1 ～ 7 万 BDU/ 年）
1979	・外材依存率 50%（このうち 63% は北米西海岸） ・豪州広葉樹チップ長期輸入契約交渉開始（王子・中越パルプ工業・トーメン・伊藤忠） 　←合併前の日本パルプ工業が進めていた。 ・APPM 等の他の豪州サプライヤーからの輸入開始 ・合併に伴いインドネシアのマングローブ材チップ輸入開始
1980	・NZ ビーチ材チップ（2 年，4.5 万 BDU/ 年，扱い商社はトーメン）
1981	・豪州ユーカリ廃材チップ輸入（15 年，25 万 t/ 年，王子と中パで折半，トーメン・伊藤忠が輸入，契約更改により 1999 年まで継続）
1982	・ネイピア工場（NZ）RGP から TMP に転換（苫小牧工場へ輸出）
1983	・外材依存度 38%
1987	・中国・雷州ユーカリチップ輸入の長期契約（丸紅経由）
1988	・ルイジアナパシフィックと広葉樹チップの輸入契約 ・チリ産ビーチ単年度契約（ASTEX 社：三菱商事扱，CCA：伊藤忠商事扱，FOB 価格半年毎改訂）
1991	・チャンピオンインターナショナル 3 年間輸入契約（伊藤忠商事取扱，DF2 ～ 3 万 BDU/ 年） ・ウェアハウザー契約更改：5 年間長期契約（DF3 ～ 4 万 BDU/ 年，オルダー 1 ～ 2 万 BDU/ 年） ・チリ産ビーチを 3 か年の長期契約に移行（ASTEX：6 ～ 7 万 BDU/ 年，CCA7 ～ 8 万 BDU/ 年）
1993	・南アフリカから植林木チップ輸入開始（坑木最大手 HL&H の子会社シルバセルと直接契約，93 年 5.7 万 BDU，94 年 8.4 万 BDU，95 年以降 10 万 BDU）
1994	・ブラジル N チップ長期契約（鉱山会社最大手カミエの子会社アムセルから丸紅経由での購入） →アムセルはカリビアンパインの植林地 8 万 ha を保有

出所：王子製紙株式会社（2001a）137-149 頁より作成。
注：1BDU = 1.088622BDt

ップ輸入を抑制し，国産材回帰と NZ ビーチ材チップ（トーメン経由），豪州ユーカリ廃材チップ（中越パルプと折半，トーメン・伊藤忠経由）輸入など，調達地域の多角化が指向され，1983 年の外材比率は 38％まで低下した。石油危機時は各紙・パルプ企業が国産・輸入チップ双方で調達を抑制せざるを得なかったため，長期数量契約を行っている現地サプライヤーや船会社との間に契約不履行・損害賠償問題が生じ，その対応を迫られた時期であった[32]。

　1985 年以降になると，再び輸入チップ指向が強まり，新規供給地域として中国や南アフリカ，ブラジルへと展開していった。植林木チップの輸入という点では，1990 年代に入ると南アフリカやブラジルからの輸入が増加する。この要因には，従来現地の鉱山会社が坑木や木炭用の植林を行っていたが，露天掘り技術の発達によって坑木需要が減少したため，日本の紙・パルプ企業へのパルプ材輸出が指向され始めたということが挙げられる（南アフリカチップについては 1974 年に住友商事が山陽国策パルプに納入したのが始まりである）[33]。

3　輸入地域の多角化と産業植林の展開

（1）1985 年以降の開発輸入の進展

　1985 年以降に円高と原油安が進行すると，チリや米国南部といった従来の集荷圏といわれてきた 5,000 マイル圏を大きく超えた遠隔地域がコスト的にアクセス可能な地域となり，その豊富な資源が見直され始めた。これらの地域はこれまでパルプ材の集荷圏外だったこともあり，紙・パルプ企業にとって，歴史的にあまり縁がなかった。そのため，商社主導の木材チップ輸入が行われることとなったが，ここでも輸入開始初期（1989 年）では，日本企業が相次いで買いに入ったために，原木が当初に比べて約 50％高騰するという事態が発生している[34]。チリについては，三菱商事が樹木の生育によい環境と広葉樹資源の存在によってアプローチを開始した。その後，紙・パルプ企業がビーチのサンプルテストに成功し，1988 年から三菱製紙らが本格的な輸入を展開した[35]。

　米国南部のモービルやチリのコンセプシオンからの名古屋港を基点とする距離は 8,500 ～ 9,000 マイルで，米国西海岸や豪州タスマニアの 2 倍近くあり，航海日数・フレートも 2 倍近くとなるが，樹種の容積重のバラつきによって，コストも 2 倍かかるというわけではなかった[36]。つまり，米国西海岸のオルダー材は 1BDU 当たり 220Cft の容積を必要とするが，豪州のユーカリ材は 165Cft で済み，航海日数が多い豪州の方が 1BDU 当たりのフレートが安くなっている（表 3-2-6）。そのため，南アフリカなどの遠隔地では，積み方を工夫するなどして輸送効率を上げ，競争力の維持を図っている[37]。米国南部の広葉樹材においても，西海岸のオルダー材より比重が重く，輸送効率がよいので，FOB 価格によっては十分にメリットがあるとされていた[38]。

　1980 年代後半の広葉樹チップの新規開拓に注目すると，表 3-2-7 のようになる。この時期では総合商社が先導的な立場となって新規輸入地域の開拓が行われ，日本の紙・パルプ企業へ紹介するという形式で供給ソースの多角化が展開されていった。こうして 1990 年代は，チリ産ビーチや米国南部産オークなど，遠隔地域の天然林材チップの供給量が増加した。また，王子製紙とルイジアナパシフィック，山陽国策パルプとスコットなど，商社を介さない現地企業との直接取引の取り組みも行われていった。

表 3-2-6　輸入チップの国・樹種別フレート（1989 年）

地域	港	航海日数	距離 （マイル）	フレート （円/Cft）	樹種	積載係数 （Cft/BDU）	円/BDU
米国西海岸	クースベイ	38	4,500	25	オルダー	220	5,500
米国南部	モービル	75	8,500	49	オーク	195	9,555
米国南部	サバンナ	77	8,700	51	オーク	195	9,945
チリ	コンセプシオン	80	9,000	53	ユーカリ	170	9,010
チリ	コンセプシオン	80	9,000	53	ビーチ	200	10,600
豪州	スプリングベイ	45	4,900	30	ユーカリ	165	4,950
南アフリカ	リチャーズベイ	60	8,000	39	ユーカリ	165	6,435
アルゼンチン	ブエノスアイレス	97	13,800	64	ユーカリ	165	10,560

出所：紙業タイムス社（1989）17 頁
注 1：航海日数は前提として，①名古屋起点／名古屋揚をベース，②スピード往復航海平均 13 ノット強，③積地揚地の荷役日数を計 8 日間，④チリの場合，滞船を 5 日間考慮，⑤各航路とも 2 日間の公開予備日を考慮，⑥米国南部へはパナマ運河通行料を往復で 15 万ドルとする，⑦ 1 ドル＝ 120 円で計算，⑧標準船形 320 万 Cft 積みで計算。
注 2：Cft（単位：キュービックフィート，立方フィート）
注 3：積載係数（stowage factor）：1 ロング・トンの貨物を積み付ける際，その貨物の容積，貨物と貨物並びに船体と貨物の間の隙間，荷敷きの容積すべてを合計し，必要とされる艙内容積を立法フィートで表示したもの[39]。

　新規ソースの開拓においては，まずはスポット的な購入が行われ，技術的な利用可能性と安定的な供給可能性の見通しが立つと，数年から10年の購入数量決めの長期契約というプロセスでなされる。総合商社のチップ取扱いでは，丸紅を筆頭に伊藤忠商事などがその数量を2000年代前半に増加させ，日本の紙・パルプ産業の原料調達において重要な役割を担っていった。丸紅ではチリのプロジェクトにおいて港湾設備などのインフラ整備も含めた大規模な投資案件を行っている。

　1989年には国産材依存率が5割を切り，輸入地域は北米・大洋州・東南

表3-2-7　1988年における広葉樹チップの海外新規供給ソース

国	地域	樹種	輸入商社	現地サプライヤー	納入先	輸入契約・その他
中国	雷州半島	ユーカリ	丸紅	中国南海石油連合服務総公司	王子	88年4月より10年の長期契約 88年に5.8万BDt 89年以降約10〜26万BDt輸入
	広西省	ユーカリ	丸紅	中国土産畜産輸出入公司	山陽国策	88年よりスポット購入開始 89年より10年契約で3〜4年後には10万BDt/年輸入計画
	海南島	ユーカリ	伊藤忠	海南林業連合企業公司	中パ他	89年より10年間の長期契約 初年度4万m³(約2.4万BDt)，3年目10万m³(約5.9万BDt)，5年目以降20万m³(約11.8万BDt)
チリ	コンセプシオン	ユーカリビーチ	三菱商事	コルクーラ他	三菱・大王 大昭和・王子	100%子会社のASTEX社設立 チップ工場稼働(45万t/年)，88年10万t，89年より45万t輸入の計画
	プエルトモンテ	ビーチ	三菱商事	リッチコ・チリ		89年から10年間 20万BDt/年の長期契約
	コンセプシオン	ユーカリビーチ	伊藤忠	CCA社	大王・大昭和 東パ・中パ 王子・北越	CCA社に20万ドル出資 チップ工場(40万t/年)設立 10万BDU/年の輸入計画
	バルディビア	ビーチ	丸紅	CAP	王子・神崎 北越・山国	約5000万ドルを投じて港湾設備・チップ工場建設，91年より35万BDU/年の輸入計画
米国南部	テキサス州	オーク等	三菱	独立系工場3社		88年時点ではスポット契約 将来10万t/年予定
		オーク等	王子直輸	ルイジアナパシフィック	王子	88年2.6万BDt，1989年7.1万BDt，その後7〜10万BDt/年
		オーク等	住友	ウェアハウザー	山陽国策	約1万BDUのスポット購入
		オーク等	丸紅	ウェアハウザー	北越・神崎名パ	6万BDUのスポット購入
		オーク等	山国直輸	スコットペーパー	山陽国策	
インドネシア	西イリアン	マングローブ	丸紅	PTBU	中パ・神崎・NK	89年よりチップ工場稼働(35〜45万t/年)
タイ	コンチャン	ユーカリ	丸紅		大昭和	88年時点で5万BDt/年 3倍に増やす予定
	レンチャバン	ユーカリ	丸紅	タイユーカリ資源	王子他14社	将来的に200〜300万m³(約118〜176万BDt)輸入を期待

出所：紙業タイムス社(1989)17頁，王子製紙株式会社(2001a)280頁，甘利敬正(2001)29頁

アジア・南米・南アフリカへと多角化していった。表 3-2-7 以外では，カナダで伊藤忠商事がバンクーバー島から大王製紙と本州製紙へ 8 万 BDU/ 年の輸入を開始し，山陽国策パルプもバンクーバー近郊の現地企業との合弁チップ工場からの直輸入を開始した[40]。

　1980 年代後半には，地球環境保全をめぐる世論の高まりで，森林保全問題も注目されるようになった。これにより，将来の天然林伐採継続への憂いもあり，日本の紙・パルプ企業・総合商社，現地企業を主とした海外産業植林事業が本格的に展開され，2000 年代からは人工林材利用への転換が進展した。

　米国南部は，1989 年時点で港湾設備・チップ工場も整っており，天然林（私有林）は豊富かつ生長も早く，さらにインフラや政情が安定していることから，日本の輸入量は 1990 年代半ばには 100 万 BDU を記録した。しかし，植林木需要の高まりとドル高，パナマ運河の通行料値上げの影響などによって，2000 年以降急速に減少し，現地サプライヤーもウェアハウザー社 1 社となり，日本企業による調達はなくなっていった[41]。

　三菱製紙では，1986 年までは輸入チップ調達は豪州からのみであったが，1987 年に少量ながらロシア，米国西部・チリ（1988 年），米国南部（1989 年），ニュージーランド・タイ（1993 年）というように輸入地域の多角化がなされていった[42]。

　北越製紙も，1988 年には豪州 WACAP 社からの長期契約（丸紅取扱）に加え，ニュージーランド・ロシア・チリ・米国と新規供給地域からの輸入を進め，チリでは伊藤忠と長期契約（1990 ～ 94 年の 5 年間，CCA 社，3 万 BDU/ 年，専用船 2 航海分），米国南部では丸紅と長期契約（5 年間，ウェアハウザー社，9 ～ 11 万 BDU/ 年）を結んでいる。北越製紙では，2000 年代より植林木調達へのシフトが指向され，2000 年に西豪州・米国南部の天然木を主として，38％であった植林木率は，2001 年後半からの南アフリカ，ブラジル，チリの植林木調達への移行と，米国南部・西豪州の天然木調達全廃によって，2003 年には 92％へと上昇した[43]。なお，残りは西豪州ユーカリ二次林間伐材 1％，国内材 7％とされる。この植林木チップへのシフトに伴って，商社を介さない現地サプライヤーとの直接取引も増加させていった。

(2) 植林地の展開

　紙・パルプ業界における海外産業植林は，1969年頃より検討されるように
なり，1970年設立の社団法人南方造林協会（王子製紙，紀州造林，山陽
国策パルプ，十条製紙，大王製紙，大昭和製紙，東海パルプ，北越製紙，本
州製紙，三菱製紙）が通産省補助の下，1971～77年までに4か国（マレー
シア・インドネシア・PNG・ニューカレドニア）8か所においてユーカリ類，
マツ類や郷土種など，約1,400haの試験造林（総事業費3億9千万円，うち
補助金1億4千万円）を実施した（表3-2-8）[44]. [45]。

　しかし，1970年代に起きた2つの石油危機と，それに伴う輸入チップ価
格の高騰（チップショック）によって，古紙利用の拡大とパルプ生産量の減
少が生じたため，海外造林による資源確保の風潮は後退し，ほとんどの事業
は試験造林終了後には事実上中止の状態となった。ただし，すでに現地合弁
会社が設立され，本格事業へと進展していた日伯紙パルプ資源プロジェクト
（ブラジル）と本州製紙のPNGのプロジェクトは，経営環境は厳しいなが
らも存続することとなった[46]。

　1980年代後半に円高と原油安が進行すると，輸入環境が著しく好転し，
再度木材チップ輸入と海外産業植林の機運が高まってきた（表3-2-9）。
1990年代になると，海外産業植林は主に紙・パルプ企業と総合商社のタッ
グによって行われるのが主流となった。2000年までにチリ・豪州・NZ・フ
ィジー・ベトナム・南アフリカ・エクアドル・インドネシアで行われ，紙・
パルプ企業では大王製紙・大昭和製紙・三菱製紙・王子製紙・山陽国策パル

表3-2-8　南方造林事業

日本企業	相手国	設立年	現地会社名
王子製紙	マレーシア	1971	Oji Malaysia Plantation Sendrian Berhad
山陽国策・日商岩井	パプアニューギニア	1970	Stettin Bay Lumber Co.Pty.Ltd
MDI	マレーシア	1970	Jaya Chip Sdn Bhb
大昭和製紙	マレーシア	1971	S.E.A. 造林有限公司
本州製紙	パプアニューギニア	1971	Jant Pty Ltd.
山陽国策パルプ	インドネシア	1972	P.T.Zedsko Indonesia
南方造林協会	ソロモン	1973	
三菱製紙	ニューカレドニア	1975	三菱製紙ニューカレドニア駐在所

出所：日本製紙連合会「紙・パルプ」特集号各年版

プ・日本製紙・中越パルプ・北越製紙・丸住製紙，総合商社では伊藤忠商事・三菱商事・住友商事・丸紅・双日（日商岩井）・三井物産，その他の企業では富士ゼロックス・大日本印刷・商船三井などの企業が海外植林投資事業に進出した。

　海外産業植林事業は対象地域の制度と社会環境リスクにより，①土地の購入（豪州，チリ，ブラジル，南アフリカ，ニュージーランド），②土地のリース（ベトナム，中国，PNG），③分収契約（豪州・ニュージーランドの一部），など異なる土地利用形態をとっている。地域では豪州やチリでのプロジェクトが比較的多く，南方造林協会で調査された東南アジア・大洋州地域は政情や土地利用の不安定性から避けられる形となった[47]。

　植林地経営の事業形態は，①単独型：紙パルプ企業と商社など，日本法人のみが出資して現地法人を設立し，事業を実施（この形式が一番多い），②合弁型：日本の企業が現地企業と現地法人を設立し，事業を実施，③日本側投資法人型：日本国内に紙パルプ企業と商社などが投資法人を設立した後，投資法人が現地法人を設立し，事業を実施，④現地側投資法人型：日本の企業が現地に投資法人を設立し，その投資法人が現地企業に出資し，事業を実施，⑤共同事業体型：日本企業の出資による現地法人が集まり，場合により現地企業を含め共同事業体を設立し，事業を実施，という 5 つに分類された[48]。

　南方造林協会は，1998 年に海外産業植林センターとして改組し，対象地域を南方から全世界全地域に拡大した。そして，2018 年に解散に至るまで，東南アジア，大洋州，南米を中心に産業植林適地の探索，森林資源状況の調査・研究事業を行った。

　日本の木材チップ市場の存在が知れ渡ってくると，他国の政府，あるいは企業から商社経由などで，植林地造成のための資金および技術提供，安定したチップ市場の提供がオファーされるようになっていった。1988 年にはタイ国政府からの要請により，タイのユーカリ植林木チップ輸入を目的としたタイユーカリ資源が，日本の紙・パルプ企業 15 社によって設立された。この事業ではタイ側が植林し，日本側は現地でチップ化・輸出を行うというものであって，その役割は専ら原料の引取保証にあった[49]。

表3-2-9 紙・パルプ企業による海外産業植林地の変遷

地域	国名	紙・パルプ企業（植林開始当時）	地域	19 73	75	89	90	91	92	93	94	95	96	97	98	99
南米	ブラジル	日伯紙パルプ資源開発	ミナスジェライス州									96				
		日本製紙	アマパ州													
	チリ	大王製紙	第X区				0					24				
		三菱製紙	第VIII区				2					7				
		山陽国策パルプ	第VIII区									5				
	エクアドル	三菱製紙	エスメラルダス地区													
大洋州	豪州	大昭和製紙	NSW州									1				
		新王子製紙	WA州									5				
		三菱製紙	タスマニア													
		日本製紙	WA州													
		日本製紙	ビクトリア州													
		日本製紙	SA州・ビクトリア州													
		王子製紙	SA州・ビクトリア州													
		王子製紙	クイーンズランド州													
		王子製紙	ビクトリア州													
		日本製紙	SA州・ビクトリア州													
		日本製紙	WA州													
		日本製紙	ビクトリア州													
		大王製紙	タスマニア													
		日本製紙	WA州													
		日本製紙	SA州・ビクトリア州													
		日本製紙	ビクトリア州													
		日本製紙	WA州													
		三菱製紙・北越製紙	SA州													
		日本製紙	ビクトリア州													
		日本製紙	ビクトリア州													
		日本製紙	WA州													
	ニューカレドニア	三菱製紙											0				
	NZ	新王子製紙・日本製紙	北島									4				
		新王子製紙	南島									3				
		中パ・北越・丸住	北島													
	PNG	本州製紙							5					10				
南アフリカ	南アフリカ	日本製紙	クワズールー・ナタール州													
		北越紀州製紙	クワズールー・ナタール州													
東南アジア	ベトナム	新王子製紙	ビンデン省									1				
		中越パルプ	ドンナイ省													
		王子HD	フーエン省													
	ラオス	王子製紙	カムアン県													
		王子製紙	アダプー県他													
	インドネシア	王子製紙	中央カリマンタン州													
	カンボジア	王子HD	カンポンチュナン州													
アジア	中国	日本製紙	広東省													
		王子製紙	広西壮族自治区													
		王子製紙	広東省													
北米	カナダ	北越紀州製紙	アルバータ州													
植林総面積（千ha）							129	137	147	153	164	178	192	212	233	255

資料：日本製紙連合会『パルプ材便覧』，海外産業植林センター提供資料
注1：網掛けは植林事業実施・継続確認年を示す。×事業撤退，－実績なし。
注2：新王子製紙は1996／王子製紙，2012／王子HD，山陽国策パルプは1993／日本製紙，大昭和製紙は2003／日本製紙となっている。
注3：（ ）は2015年時点では出資を行っていない企業。
注4：紙・パルプ企業が資本参加していない植林地（総合商社単独等）の数値は含んでいない（丸紅・インドネシア・190千ha，三井物産・豪州・14.4千ha等）。

20 00	01	02	03	04	05	06	07	08	09	10	11	12	13	14	15	16	17	18	その他出資企業
112					124					142					152			146	
										62					50			53	(丸紅)・日本郵船
28					29					29					29			28	伊藤忠
9					9					10					9				三菱商事
12					14					13					13			12	住友商事・商船三井
					5														住友商事・電源開発
2					3					5									伊藤忠
20					24					24					16			10	(伊藤忠)・千趣会・(東北電力),日本郵船
7					15					19									三菱商事・東京電力
9					13					12					10			6	三井物産
3					4					3									三井物産
3					3					3					1			2	三井物産
4					7					6					5			4	双日・凸版印刷・(北海道電力)
2					7														伊藤忠・電源開発・講談社
2					3					1									双日・日本紙パルプ商事・小学館
1					5					6									丸紅・中国電力・ローム・集英社
0					1					1					1				トヨタ自動車・三井物産
0					1					1					1			0	小学館
					3					5					5				JFE商事、他7社
					1					1					1				大阪ガス・三井物産
					2					2					2			2	三井物産・トヨタ自動車
					–					0									四国電力
					30					30									※2013より丸紅単独
					1														三菱商事・日本郵船・イオン・他2社
					0					0					0			0	JAF MATE
										1					1			0	講談社
										0					1			1	リクルートら
																			※試験造林
31					33					34					35			35	伊藤忠・富士ゼロックス
9					10					10					10			9	丸紅
1					2					2									丸紅
9																			JICA試験事業として開始
5					12					11					11			8	住友商事
										2					2			2	三菱商事
8					9					13					10			10	双日・大日本印刷
					2					2					2			2	伊藤忠・飯野海運・川崎汽船・商船三井
															2			2	Truong Thanh Furniture
					2					27					18				ラオス政府・国際紙パルプ商事・他9社
										1					4				単独
										39					41			36	コリンドグループ
															0				単独
1																			伊藤忠
					5					6					3				丸紅
					11					22					16			14	丸紅・広東南油経済発展公司他
															8			2	単独
279	301	342	353	355	386	455	458	498	504	543	543	530	479	479	456	447	404	383	

　1990年代後半になると，環境貢献や炭素取引といった企業のCSR的な側面が注目され始め，小学館や講談社，トヨタ自動車，リクルートといった他業種が紙・パルプ企業と共同出資という形で豪州に植林地を持つ動きが増加した。2000年代には王子製紙・丸紅が中国での植林事業を開始し，2000年代後半よりベトナムやラオスといった，1990年代は避けられてきた東南アジア諸国の植林事業に王子製紙や双日が積極的に展開していった。

　また，海外植林事業（木材・木材チップ，パルプの海外資源開発）に対する海外経済協力基金や日本輸出入銀行（1999年に統合，国際協力銀行となる）などの国家資金の融資承諾額は，1996年度17億円（12件），1997年度40億円（20件），1998年度156億円（29件）と急増していった[50]。

　日本の紙・パルプ企業による海外産業植林の面積は，1990年に12万9千haだったものが2011年には54万3千haへと増加したが，その後は減少し，2015年には45万6千haとなった。この減少要因としては，豪州での日本製紙や三菱製紙・北越製紙による不成績植林地の売却が挙げられる。

　自社植林地の保有理由には，植林木の確保というだけでなく，正確な現地情報の入手，現地住民・サプライヤーとの良好な関係構築といった，現地での取引ネットワークを補強するといった役割も存在する。そのため，北越紀州製紙の南アフリカにおける植林地のように，パルプ材のみならず地域に供給する材を植えるなどの柔軟な経営を目指している事例もある。

　2000年代の紙・パルプ企業の地域別植林地面積の推移をみると（図3-2-1），南米が2005～10年に増加，2010年代は約25万haで推移し，東南アジアは2010年代から8万ha前後となった。一方で上述したように，豪州の植林地は2012年以降減少し，2015年には10万haを下回った。2008年以降の紙・パルプ企業の植林事業撤退は，豪州11件（うち1件は丸紅の単独経営に移行），NZ1件であり，新規事業は東南アジア4件，北米1件となっている。

　企業別の動向では（表3-2-10），王子HDは，1990年代は豪州やNZという大洋州での植林面積が大きかったが，2000年代はベトナム・インドネシア・ラオスなど東南アジア地域を主として植林地の拡大を図っていった。日本製紙は，豪州を中心に植林地を展開し，その面積は2008年のピーク時に

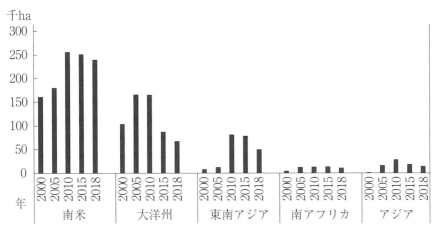

図 3-2-1　地域別植林地面積の推移
出所：日本製紙連合会「パルプ材便覧」より作成。

表 3-2-10　企業別植林地面積の変化

単位：千 ha

	年	豪州	NZ	PNG	チリ	ブラジル	エクアドル	南アフリカ	ベトナム	インドネシア	ラオス	カンボジア	中国	カナダ	計
王子 HD	2005	40	43						9		2		16		109
	2015	22	45						13	41	22	0	18		161
日本 製紙	2005	62			14			12							87
	2015	15			13	50		11							89
北越 紀州	2005														
	2015							2						8	10
大王 製紙	2005	3			29										32
	2015	5			29										34
三菱 製紙	2005	15			9		5								29
	2015				9										9
中越 パルプ	2005								2						2
	2015								2						2
中パ・北 越・丸住	2005		2												2
	2015														0
日伯 紙パ	2005					124									124
	2015					151									151

出所：日本製紙連合会「パルプ材便覧」より作成。

は 16.7 万 ha に達したが，その後は不成績造林地の売却が進められ，2015 年では 8.9 万 ha となっており，地域としてはブラジルでの面積が大きい。北越紀州製紙は，2000 年代に調達量を増加させた南アフリカに植林地を造成

し，2015年にカナダのアルパック社の買収に伴って，カナダに展開するに至った。大王製紙と三菱製紙は比較的早期にチリに進出し，植林地を保持してきた。中越パルプは2005年よりベトナムでの植林を開始した。中越パルプ・北越紀州製紙・丸住製紙の3社は合同でNZでの植林を行っていたが，2015年では実行面積はなくなっている。前述した日伯紙パルプ資源開発は15万haに及ぶ広大な植林地経営を継続し，セニブラ社のパルプ生産を支えている。

　2008年からの紙需要の減少以降は，王子HDの東南アジア地域への植林地展開以外は積極的には行われなくなった。植林地については，金融資本（投資対象）や将来資源としてみられるようになってきたが，10年という収益サイクルは投資案件としては長すぎるとされ，総合商社では，今後は植林事業を行うというよりは，ベトナムなど東南アジアでの農民植林で成長したものを短期契約で購入するという形が現実的になってきたとされる[51]。他方で，丸紅[52]や三井物産[53]は海外企業への単独出資などを通じて，植林からチップ加工・輸出といったサプライチェーンを包括した事業の強化を進めている。

注および引用文献

(1) 石巻工場50年史編集委員会（1990）『五十年史』：169頁

(2) 北海道パルプ材協会（1984）『北海道パルプ材協会三十年史』：145頁

(3) 北海道パルプ材協会（1984）『前掲』：146頁

(4) 日本製紙連合会林材部（1997）『戦後日本における原料材対策の展開と変遷』：239頁

(5) 北海道パルプ材協会（1984）『前掲』：147頁

(6) 北海道パルプ材協会（1984）『前掲』：150頁

(7) 北海道パルプ材協会（1984）『前掲』：152頁

(8) 大昭和製紙株式会社資料室（1991）『大昭和製紙五十年史』：320頁

(9) 北海道パルプ材協会（1984）『前掲』：154頁

(10) 大昭和製紙株式会社資料室（1991）『前掲』：400頁

(11) 北海道パルプ材協会（1984）『前掲』：154頁

(12) 王子製紙株式会社（2001a）『王子製紙社史　本編』：181頁

(13) 大昭和製紙株式会社資料室（1991）『前掲』：337頁

(14) 中野真人（1970）「多角経営時代の紙パルプ産業とその外材輸入に関する展望」『林業経済』23（4）：13頁

(15) 北越製紙百年史編纂委員会（2007）『北越製紙百年史』：278頁

(16) 大昭和製紙株式会社資料室（1991）『前掲』：337 頁

(17) 財団法人日本経営史研究所（1999）『三菱製紙百年史』：455 頁

(18) 大昭和製紙株式会社資料室（1991）『前掲』：338 頁

(19) 大昭和製紙株式会社資料室（1991）『前掲』：319 頁

(20) 萩野敏雄（2003）『日本国際林業関係論』：275 頁

(21) 村嶌由直（1987）『木材産業の経済学』：110 頁

(22) 久田陸昭（2000）「我が国の海外産業植林事業の現状と動向」『紙パ技協誌』54（7）：18 頁

(23) 大昭和製紙株式会社資料室（1991）『前掲』：321 頁

(24) 中野真人（1970）『前掲』：18 頁

(25) 日本製紙連合会（1996b）『紙・パルプ』4：5 頁

(26) 日本製紙連合会（1996d）『紙・パルプ』6：19 頁

(27) 日本製紙連合会（1996d）『前掲』：21 頁

(28) 甘利敬正（2001）『もっと知ろう世界の森林を』：29 頁

(29) 甘利敬正（2001）『前掲』：31 頁

(30) 大昭和製紙株式会社資料室（1991）『前掲』：290 頁

(31) 大昭和製紙株式会社資料室（1991）『前掲』：338 頁

(32) 甘利敬正（2000）「紙・パルプ」大日本山林会『戦後林政史』：542 頁

(33) 総合商社聞き取り調査（2016 年 6 月〜 10 月実施），NCT（2017）

(34) 紙業タイムス社（1989）『Future』2：16 頁

(35) 総合商社聞き取り調査（2016 年 6 月〜 10 月実施）

(36) 紙業タイムス社（1989）『前掲』：18 頁

(37) 総合商社聞き取り調査（2016 年 6 月〜 10 月実施）

(38) 総合商社聞き取り調査（2016 年 6 月〜 10 月実施）

(39) 横浜港湾局（2017）「港湾業務用語集」

(40) 紙業タイムス社（1989）『前掲』：12 頁

(41) 矢野経済研究所（2004）『ヤノレポート』3：8 頁

(42) 財団法人日本経営史研究所（1999）『前掲』：645 頁

(43) 北越製紙百年史編纂委員会（2007）『前掲』：605 頁

(44) 森本泰次（1992）「海外製紙原料造林の現状と課題（1）」『熱帯林業』25：24-33 頁

(45) 武田八郎（2000）「日本の紙パルプ産業とチップ貿易」村嶌由直・荒谷明日兒『世界の木材貿易構造〈環境の世紀〉へグローバル化する木材市場』：278 頁

(46) 森本泰次（1992）『前掲』：26 頁

(47) 久田陸昭（2001）「海外産業植林事業の動向」甘利敬正編『もっと知ろう世界の森林を』：101 頁

(48) 久田陸昭（2000）『前掲』：18-19 頁

(49) 森本泰次（1993b）「海外製紙原料造林の現状と課題（2）」『熱帯林業』：22-33 頁

(50) 武田八郎（2000）『前掲』：285-287 頁（元資料：日本輸出入銀行年次報告書 1997 年度，1998 年度）

(51) 総合商社聞き取り調査（2016 年 6 月〜 10 月実施）

(52) 2013 年に丸紅は日本製紙との合弁事業であるブラジルの AMCEL 社（植林・チップ輸出）の株式を日本製紙に譲渡し，豪州での合弁事業である WAPRES 社（植林・チップ輸出）の株式を全取得し，経営資源の集中による事業の効率化を図った（日本製紙グループホームページ，http://www.nipponpapergroup.com/news/year/2013/news130329000776.html，2017 年 8 月 30 日取得）。

(53) 三井物産が 2009 年に西オーストラリア州バンバリーの植林会社の全株式を取得し，単独での植林事業からウッドチップ加工・輸出までのバリューチェーン型ビジネスを展開できる体制を確立した（三井物産株式会社ホームページ，https://www.mitsui.com/jp/ja/release/2011/1205824_6494.html，2017 年 8 月 30 日取得）。

第 3 節　成熟・縮小期の輸入チップ調達システムの動揺

1　DB − MS 関係の構築と変容

(1) 日本の DB − MS 関係による資源貿易

「開発輸入−長期契約方式」を基本として，ある資源取引において，①相手供給国の日本向けの割合（対日輸出集中度）が 50％以上に達することは，日本がドミナントバイヤー（Dominant Buyer，以下 DB）であり，買手独占のバーゲニング・パワー（交渉力）を発揮し，②日本の総輸入に占める特定供給国の割合（日本の輸入依存度）が 50％に達する状態は供給国がドミナントサプライヤー（Dominant Supplier，以下 DS）であり，売手独占のバーゲニング・パワー（交渉力）を発揮しうることを意味する[1]。日本の鉱石（鉄鉱石，銅鉱石，ニッケル鉱石など）貿易では，「開発輸入−長期契約方式」を通じて，3 〜 4 か国に供給源を分散することで（Major Suppliers，以下 MS），DB − MS 関係を形成し，原料資源の交渉力優位な安定調達を指向してきた歴史がある。この取引関係の有益性について小島（1981）は以下の 4 点を挙げている。

①日本が相手国に市場（買取）を保証することで，わずかな開発参加によって大規模資源開発を開始でき，大規模生産・大量取引ということから規模の経済の優位性，実質資源の節約という利益を生み出せる。

②長期価格の設定と変更は，MS 間の競争もあって，世界市場価格よりも割安になりうる可能性がある（それでも MS にとっては規模の経済の利益がある）。

③日本が世界市場での支配的買い手（当該産品輸入量が世界貿易量の大きな割合を占める）ならば，日本が設定する長期契約価格が世界市場価格を安定させうる。

④一部自由市場からの買付けを行うことで，市場価格の短期的変動の安定化と長期契約における競争的要因を導入できる。

この資源貿易の取引依存関係は，(C) 成熟期の紙・パルプ産業における原料調達システム（開発輸入−長期契約取引，植林地造成）にも類似すると

ころが見いだせる。また，分析視角としては，チャネル論における風呂（1968）[2]や石原（1982）[3]の取引依存度モデル[4]のパワー関係に通ずる点がある[5]。

（2）輸入広葉樹チップ取引における需給環境の変化

日本の紙・パルプ産業では，針葉樹チップが国産材主流，一部品質重視の輸入に移行する一方で，広葉樹チップでは生産量の大きい印刷情報用紙の主原料として，量の確保を重視した開発輸入－長期契約取引，植林地造成による原料調達システムの構築が図られていった。そこで本節では，輸入広葉樹チップの原料調達システムについて，紙・板紙製品需要の（C）成熟期における安定調達体制の構築から，（D）縮小期の取引関係の変化を明らかにする。

日本の紙・パルプ企業の広葉樹チップ取引における調達依存度（国産材含む）に注目すると，表3-3-1のBのようになる。国産チップの比率は1990年の44％から2000年代には12％に低下し，輸入相手国の変化はありながらも，3〜4か国からの輸入チップで総調達量の7割程度を賄うというMSが形成されてきた[6]。そうした中で，2015年にはベトナムからの調達依存度が増加し，豪州・南アフリカでの減少が顕著となった。

輸出国の対日輸出集中度をみると（表3-3-1のA），1990年では，主要調達地の豪州・チリ・南アフリカ・米国では90％以上となっており，日本が

表3-3-1　広葉樹チップの対日輸出集中度・日本の調達依存度の推移

単位：%

年	日本 B	豪州 A	豪州 B	チリ A	チリ B	南アフリカ A	南アフリカ B	ベトナム A	ベトナム B	タイ A	タイ B	ブラジル A	ブラジル B	米国 A	米国 B	上位4ヵ国依存度
1990	44	98	21	100	9	–	3	–	–	81	0	–	–	90	17	50
1995	20	99	22	95	15	99	8	–	1	78	1	–	–	90	23	68
2000	15	93	24	99	11	99	11	59	2	92	3	100	3	86	20	66
2005	12	87	29	98	13	97	26	55	5	82	3	73	4	22	1	72
2010	13	79	31	92	21	95	12	28	9	37	5	71	5	0	0	74
2015	12	36	17	86	16	83	10	35	26	38	7	60	5	0	0	69

出所：日本製紙連合会「パルプ材便覧」，UN Comtrade Database より作成。
参考：小島（1981）240-241頁
注1：A＝対日輸出集中度，B＝日本の調達依存度
注2：「-」は輸出国における該当データなし。
注3：日本の広葉樹チップは自国消費であるため，Aは100％として扱う。

DB（買手独占）の状態にあったことがわかる。しかし，2005年になると中国の紙・パルプ企業がベトナムを主たる対象として，広葉樹チップ輸入を増加させ始めたために（図3-3-1），ベトナムの対日輸出集中度は55％と他国と比して低くなった。一方，豪州・チリ・南アフリカといった従来からの供給地域の対日輸出集中度はなおも85％以上を維持していた。米国においては為替の変化や南部の天然林問題などの影響により，日本企業による調達はほとんどなくなった。2015年には，チリ・南アフリカといった遠距離供給地の対日輸出集中度は80％以上であったが，豪州・ベトナム・タイの対日輸出集中度は30％台と顕著に低下した。

　つまり，（C）成熟期の広葉樹チップ取引では日本のDB－MS関係が構築されていたといえる。対日輸出集中度が高いということは，広葉樹チップは日本の紙・パルプ企業以外に販売先の選択肢がなく，日本企業が購入をしなければ産業として成立しないということである。さらに，各地域で1985年以降，積極的に展開されてきた開発輸入－長期契約取引や植林地造成は，日本にとっても取引特定的な特殊な資源となっていた。このような状況下であっても，為替や原油価格，現地でのコスト変動などで，広葉樹チップ価格は変動せざるを得ないが，日本が特定地域との双方依存関係を避けるために調達地域の多角化を進めたことで，取引価格や取引条件の決定についてある程度優位な状況であったと想定できる。

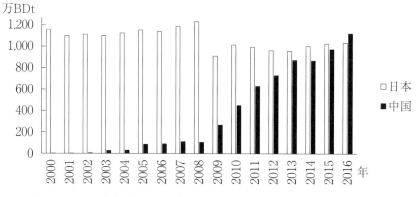

図3-3-1　日本と中国の広葉樹チップ輸入量の推移（2000～16）
出所：UN Comtrade Database より作成。

　しかし，2000 年代半ば頃より，ベトナムやタイの中国への輸出が増加し，対日輸出集中度は低下していった。2005 〜 15 年には豪州の対日集中度は半減し，輸出先のメジャーは中国となった。ここで 2000 年代における日本と中国の広葉樹チップ輸入量を比較してみると，日本の輸入量が 2009 年に減少して，横ばいで推移する一方で，中国は 2009 年から広葉樹チップ輸入量を著増させ，2008 年の 111 万 BDt から 2016 年には 1,117 万 BDt と 10 倍以上になり，ついに日本の広葉樹チップ輸入量を上回ることとなった。

　これはチップ供給者側にとって，日本企業と競争的な取引相手が選択できるようになってきたということであり，日本の DB − MS 関係という調達体制は動揺し始め，広葉樹チップの安定的確保に対するチャネル統制が困難になってきたことを意味する。

　そこで，図序-6 を踏まえて，日本の調達依存度と輸出国の対日輸出集中度から，輸入広葉樹チップの需給環境を捉えると図 3-3-2 のように表すことができる。1990 年ないし 2000 年，2005 年，2015 年という 3 時点で日本と供給国の需給環境の変化をみると，各供給国ともに下方へとシフトしてきたことがわかる。これは日本の紙需要の低下に伴う広葉樹チップ需要の縮小と

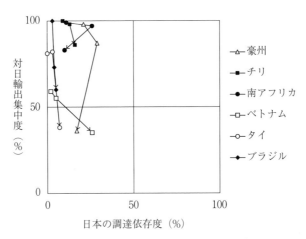

図 3-3-2　広葉樹チップ取引における需給環境の変化（1990, 2005, 2015 年）
出所：日本製紙連合会「パルプ材便覧」，UN Comtrade Database より作成。
注 1：ベトナム，ブラジル，南アフリカは 1990 年の数値欠損の為，2000 年の値を代用。
注 2：図中の↓方向に時系列で推移している。

中国の広葉樹チップ輸入の増加を反映している。

　この輸入広葉樹チップ取引の需給環境の変化は，対日輸出集中度の低下という点で，日本の紙・パルプ企業の交渉力優位な DB の地位が東南アジア，豪州から動揺しつつあることを示し，広葉樹チップ取引において，より競争的な市場が形成されつつあることが示唆される。

2　輸入チップの価格交渉

(1) チャンピオン交渉

　一般的なチップ取引は，紙・パルプ企業が傭船するチップ専用船を用いたFOB 取引で行われ，船運賃は日本企業が負担する場合が多い。紙・板紙製品需要が顕著に増加していた（A）高度成長期・（B）安定成長期では，各企業での個別交渉，競合による価格高騰が生じていた。しかし，（C）成熟期以降になると紙・板紙製品需要と使用原料の変化も比較的落ち着き，輸入チップ取引の価格交渉は，過度な競争による価格高騰を回避するため，各地域における No.1 バイヤーと No.1 サプライヤーによって行われ，決定された価格がその地域での取引の参考価格とされてきた（チャンピオン交渉）[7]。チャンピオン交渉の基本的な構造は，紙・パルプ企業と現地サプライヤーの交渉であるが，総合商社が介する場合もあり，模式的に示せば「紙・パルプ企業（－総合商社）－現地サプライヤー」となっている。取引交渉自体は企業ごとではあるものの，国同士のような価格交渉，取引関係が成立していた。

　2015 年時点でチップ専用船を保有して輸入を行っている日本の紙・パルプ企業は 8 社あるが，輸入チップの調達先の配分は企業ごとに大きく異なる。そのため，日本がドミナントバイヤーとなっている各国についても，No.1 バイヤーとなっている日本の紙・パルプ企業はそれぞれ異なっていた。

(2) 取引価格の地域間調整

　DB － MS 関係の下では異なる地域との取引であっても，輸入広葉樹チップ価格は CIF 価格で同品質同価格になるように交渉される傾向があるため，日本に近いサプライヤーは FOB 価格を高くできる一方で，遠いサプライヤ

ーは海上運賃面のデメリットを考慮した一定の値引きやその他の付加的誘因の提供が要求される。

　遠方の南アフリカの例では，近中距離ソースよりもFOB価格が安価に設定されるが，ブルドーザによるチップの押し積み等を行い，容積当たりの輸送効率を高めることによって取引量を増やし，利益を確保しようとする場合もある [8]。そのため，フレートや為替の変動で差異は生じるものの，豪州・南米・南アフリカのチップはCIF価格でほぼ同水準で推移し，東南アジアチップは品質面を考慮して上記産地材よりも1〜2割ほど低い価格での取引となっている（図3-3-3）。

　つまり，DB−MS関係が構築されている状態ならば，フレートや為替などの変化による，ある地域の急激なコストアップ時には，他地域の取引価格と比較することでFOB価格の値下げ要求などを行うことが可能であり，かつ，長期契約取引量の範囲内で調達依存度を変えることにより，原料調達コストの変動を緩和させることができるということである。これは世界的な広葉樹チップ価格の平準化と，日本企業の取引上優位な付加的誘因の創出を意味した。また，このDB−MS関係下では，コストメリットを得たサプライヤーはFOB価格を下げてシェアの拡大を図る余地がある（図3-3-4）。

　2000年代前半に豪州ドル安の影響で豪州チップがコストメリットを得た

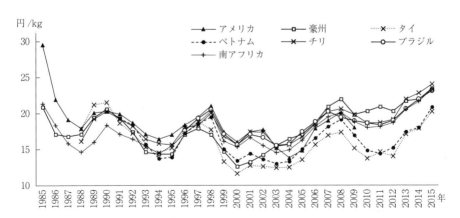

図3-3-3　広葉樹チップ価格（CIF）の推移
出所：日本製紙連合会「パルプ材便覧」より作成。

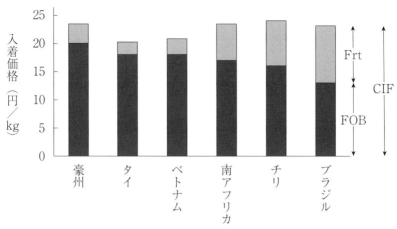

図 3-3-4　チップ価格構造イメージ図（2015 年価格参考）
注：Frt（フレート）等を仮定した場合であり，実状ではない。各地域の主要港までのおよその
　　片道航行日数を豪州 14 日，南アフリカ 22 日，チリ 27 ～ 28 日，ブラジル 35 ～ 36 日，ベト
　　ナム 6 日となっている [9]。FOB は仮定値，CIF は 2015 年の公表値である。
出所：総合商社聞き取り調査，小島清（1977b）34 頁，日本製紙連合会（2016）「パルプ材便覧」

が，他地域は豪州の水準まで価格を下げることはできなかったため，豪州か
らの輸入が増加し，豪州チップのシェアが増加した。しかし，バイヤーによ
る価格重視の短期的なサプライヤー変更は，一時的なコスト高地域のサプラ
イヤーを衰退させてしまい，将来的にサプライヤー数の減少による DB －
MS 関係の崩壊，つまり，バイヤーの交渉力の低下を招くリスクがある。そ
のため，DB － MS 関係では長期継続取引という点から，各地域の経営が成
立するような妥協点を見いだすという協調的な側面も強かった。

3　長期契約取引期間の短期化

　日本の紙・パルプ企業による輸入チップ取引は，主に長期数量契約価格変
動制となっている。この取引形態は契約期間中の取引量（上限下限の幅はあ
る）は確定するが，その間の取引価格は任意の期間で交渉・改定するという
ものである。前述したように 1990 年代までは専用船による国際的な木材チ
ップの輸入は日本の独占状態であったため，輸出国側としても代替輸出先が
ないという状況から，日本による長期的な市場の保証が重要であった。ただ

し，為替リスクや輸出国側のコスト変化に対応するために，価格の長期固定
は選択されなかった。

　価格交渉について，総合商社への聞き取り調査や第2節の取引動向を踏ま
えると表3-3-2のように整理でき，広葉樹チップが1年ごと，針葉樹チップ
では半年ごとでの価格改定が一般的とされる。針葉樹チップの価格交渉が半
年ごとと広葉樹チップよりも短い理由としては，針葉樹チップ取引の主とな
っている北米の製材端材チップ供給量は，米国の住宅需要と紙・パルプ需要
の影響を受け，価格変動しやすい市況製品であることが挙げられる。

　長期契約の期間について，新規サプライヤー開拓時における試験的なスポ
ット購入や企業別の違いも存在するが，紙需要が増加していた2000年代前
半頃までは5〜15年という比較的長期間での数量契約が結ばれてきた。しか
し，2000年代後半になると，日本国内の印刷情報用紙需要の減少と中国
企業の広葉樹チップ取引の増加，豪ドル高による豪州チップ価格の高騰や南
アフリカチップの供給不足，原油高などにより，豪州・チリ・南アフリカと
いった歴史的に産業植林による広葉樹チップ取引がなされてきた地域との取
引契約期間が1〜5年へと短期化した。

　そして，2000年代に植林が積極的に行われ，広葉樹チップ供給量を伸ば
してきたベトナムでは1年の単年数量契約であり，価格交渉は四半期ごと，
あるいは1船ごとと市場取引的な契約となっている。これは広葉樹チップ調
達量を長期的に確保するリスクが増大したため，日本の紙・パルプ企業が長
期的な数量固定取引を避けるようになってきたということでもある。

　豪州チップでは，中国の輸入量が増加してくると，kg当たりの広葉樹チ

表3-3-2　日本企業による輸入チップ取引関係

年代	日本企業の主な取引形態	価格交渉
2000年代前半まで	北米，豪州，チリ，南アフリカ →5〜15年の長期数量契約価格変動制	広葉樹チップ：1年毎
		針葉樹チップ：半年毎
2000年代後半から	北米，豪州，チリ，南アフリカ →1〜5年の長期数量契約価格変動制	広葉樹チップ：1年毎
		針葉樹チップ：半年毎
	東南アジア（主にベトナム） →1年の単年数量契約価格変動制	広葉樹チップ・四半期毎or1船毎

出所：紙業タイムス（1989），王子製紙株式会社（2001a），総合商社からの聞き取り調査をもとに著者作成。

ップ価格の差も年々縮小し，2015年ではほぼ日本の輸入価格と同水準となった。さらに，一部の地域では，中国企業の方が日本企業よりも割高で広葉樹チップを購入するという事例が出てくるなど[10]，日本企業による広葉樹チップの価格決定権が動揺し始めてきている。

4　広葉樹チップ調達戦略の分化

（1）1990～2015年における紙・パルプ企業別の原料調達動向

　日本の紙・パルプ産業全体の傾向としては，上述のような原料調達環境の変化の中にあるが，各紙・パルプ企業の原料調達戦略は大きく分化してきている。各紙・パルプ企業の輸入広葉樹チップ調達量・比率について，企業として正式に公表されている統計データは日本製紙のCSR報告書などの一部に限られているため，その差異の歴史的変化を定量的に捉えることは難しい。しかし，輸入広葉樹チップを使用する紙・パルプ一貫工場は北海道と愛媛を除いては，全国に分散立地しているため，各港湾での通関統計を整理することによって，紙・パルプ企業の原料調達動向の差異の概要を把握することが可能である。

　輸入広葉樹チップを使用しているパルプ工場と港湾（税関）の関係を紙パ技協誌の工場紹介をもとにまとめると表3-3-3，図3-3-5のようになる。ちなみに2015年の輸入広葉樹チップについて，紙・パルプ企業の集荷量は7企業で997万BDt（日本製紙連合発表値），輸入量は1,022万BDt（貿易統計値）となっており，輸入広葉樹チップはほぼ（98％）紙・パルプ産業向けと想定できる。

　同じ税関の港揚げで，複数企業のパルプ工場が存在するのは北海道の苫小牧（王子HD・日本製紙）と釧路（王子HD・日本製紙），三島（大王製紙・丸住製紙）の3港であり，その他の地域では一港一工場となっている。ただし，広葉樹チップ輸入のみに焦点を当てると，王子製紙（苫小牧）は針葉樹チップしか使用しておらず，広葉樹チップは江別工場向けであった。そして，2007年に石狩新港でチップの積み下ろしが可能になると江別工場は石狩新港からの輸送に移行したため，2007年以降の苫小牧港揚げの広葉樹チ

表3-3-3　パルプ工場と広葉樹チップ輸入港の関係

企業	工場	税関名 （支所・出張所）	備考
王子 HD	釧路	①釧路	王子 HD 2008 年より KP 生産停止
日本製紙	釧路		
王子 HD	苫小牧	②苫小牧	王子 HD 苫小牧工場は N チップ輸入のみ
日本製紙	勇払・旭川		2007 年以前は王子 HD 江別工場向け L 材輸入
日本製紙	白老	③室蘭	
	秋田	⑥秋田船川	
	石巻	⑦石巻	
	岩沼	⑧仙台塩釜	石巻港揚げに移行
	鈴川	⑫田子の浦	2012 年 KP 生産停止
		⑬清水	2012 年 KP 生産停止
	岩国	㉑岩国	
	八代	㉔八代	
王子 HD	江別	④石狩	2007 年より石狩新港から L チップ輸入 （以前は苫小牧港から輸送）
	春日井	⑮名古屋	
	米子	⑲境	
	呉	⑳呉	
	富岡	㉒小松島	
	日南	㉕油津	
		㉖志布志	1996 年より油津港揚げに移行
三菱製紙	八戸	⑤八戸	
北越紀州製紙	新潟	⑩新潟	
	紀州	⑯四日市	佐伯・尾鷲・四日市 → 2007 年から新宮揚げに移行
		⑰尾鷲	
		⑱新宮	
		㉗佐伯	
大王製紙	可児	⑭衣浦	
大王・丸住	三島・大江	㉓三島	分離不能：東南アジア材は大王製紙のみ
中越パルプ	高岡	⑪伏木	
	川内	㉘川内	
日本加工製紙	高萩	⑨日立	2002 年倒産

出所：財務省「貿易統計　税関別国別品別表」，紙パルプ技術協会（1979 ～ 2015）「工場紹介」『紙・パ技協誌』
注：税関名の番号は図 3-3-5 に対応している。

図 3-3-5　広葉樹チップ輸入港（税関）の立地
出所：財務省「貿易統計　税関別国別品別表」，帝国書院「日本地図（河川入り）」をもとに作成

ップは日本製紙（勇払）向けのみであると考えられる。さらに王子製紙（釧路）では 2008 年より LKP 生産を停止したため，釧路港揚げの広葉樹チップは日本製紙扱いとされる。以上のことを勘案すると，2009 年以降は苫小牧・釧路港での広葉樹チップ輸入を含めて，より正確に王子 HD と日本製紙の企業別の原料調達の差異が把握できる。他方で，三島港については大王製紙・丸住製紙ともに広葉樹チップ輸入を継続して行っており，適当な分離は困難であったため，三島・衣浦港合計で大王製紙と丸住製紙の調達動向の概況を紙パ技協誌の記述で補填しながら概観する。

　本項では，対象企業を 2015 年における名称と工場構成で固定し，1990 〜

2015年での各企業グループの広葉樹チップ調達の変化とその指向性の違いについて，各港湾の輸入量の総計から明らかにする。

表3-3-3の企業区分ごとに示すと，広葉樹チップ輸入量は図3-3-6，広葉樹チップ輸入比率は図3-3-7のようになる。先にも述べたように，王子HDと日本製紙は苫小牧・釧路港を除外した数値（1990～2015年）と，北海道（釧路・苫小牧・室蘭）でまとめた数値（1990～2015年），2009～15年の王子HD（北海道込み）・日本製紙（北海道込み）に分けて集計した。大王製紙と丸住製紙は1990～2015年通して三島・衣浦港の輸入量の合算である。

これらの数値の妥当性を確認するために，日本製紙と北越紀州製紙のCSR報告書（2016）に記載されている2015年の広葉樹チップ輸入実績と本分析の合算による総輸入量を比較すると，日本製紙では262万BDt [11]，255万BDt（北海道込み），北越紀州製紙では185万BDt [12]，187万BDtとそれぞれ発表数値の97%，101%の値であったので，企業動向を把握する上でそれなりに妥当性があると考える。

総輸入量の変化をみると，王子HDでは神崎製紙（1993年合併）・本州製紙（1996年合併），日本製紙では山陽国策パルプ（1993年合併）・大昭和製紙（2001年事業統合，2003年合併）を合わせた通時的な数値であるが，広葉樹チップ輸入量が大きく減少する前の2008年においては，北海道分を除いても王子HD約240万BDt，日本製紙301万BDtと他企業と比して大規模な輸入を行ってきた。2008年以降の印刷情報用紙需要の縮小期に入ると，両社ともKP生産量の減産があり，2015年では北海道込みで約250万BDtの調達となった。

輸入チップの企業別の構成をみると，王子HDでは1990年代前半は北米チップが主となっていたが，富岡工場にマングローブチップのKP設備ラインがあることにより，インドネシアからのチップ輸入量が他企業に比べて大きかった。1990年代半ばには，中国からのチップ輸入が米国に次ぐ比率を占めるようになった。そして，2000年代に入ると米国の減少に伴って豪州と南アフリカを増加させ，2009年の輸入量の減少を機にベトナム・タイを中心とした東南アジアからの輸入体制に大きく切り替えた。

　輸入地域の転換が顕著な王子 HD とは対照的に，日本製紙は 1990 年代から 2010 年頃まで 4 〜 5 割程度を豪州から輸入し，2000 年代初頭の北米チップ輸入の減少は南アフリカの増加によって代替された。南アフリカは 2000 年代後半に減少傾向となるが，その減少分はチリの増加によって補われた。このように 20 年間一貫して豪州中心の原料調達を行ってきた日本製紙であったが，2009 年の減産対応は依存度の高い豪州を減らし（2009 〜 15 年に約 40 万 BDt 以上の減少），南アフリカと南米の調達量の維持が図られ，輸入依存度の分散が進められた。この背景の 1 つには豪ドル高の続伸によるコストアップ，中国企業との競争激化による調達不安定性の増加が挙げられる。そして，2010 年以降には，これまで安定供給性と品質面での不安から調達を避けていたベトナムなどの東南アジアチップの輸入を本格的に増加させるに至った。

　北越紀州製紙は，大手 2 社が KP の減産を進める中，BKP の増産に伴ってチップ輸入を増加させ，1990 年の 37 万 BDt から 2008 年には 185 万 BDt とその輸入量を 5 倍に増加させた。2009 年には減少するものの，2010 年には 2008 年と同水準の輸入を再開し，2015 年には過去最高の 187 万 BDt の輸入を行っている。輸入比率をみると，1990 年代は前述したように，丸紅を筆頭とした総合商社のコーディネートによる輸入が主となっていたので，豪州・米国南部・チリからの天然林木チップの比率が高かったが，2000 年代に入ると，植林木チップへの移行が指向され，チリ・南アフリカからの植林木チップの調達量と比率が顕著に増加した。

　中越パルプの総輸入量は，1990 年に 29 万 BDt から 1997 年の 71 万 BDt まで増加し，その後は 2015 年まで 65 〜 75 万 BDt 前後で推移してきた。輸入比率をみると，1990 年代は大洋州・北米に次いで東南アジアや中国からの輸入比率が高く，中国チップを 2004 年まで継続的に 10 万 BDt 前後輸入していた。そして，2000 年代前半の米国・中国の減少分は南アフリカ・チリの増加によって賄ったが，2000 年代後半にはチリからの輸入をやめ，南アフリカを減少させ，ベトナムへの転換を進め，2015 年には 7 割以上をベトナムから輸入するという原料調達体制となった。

　三菱製紙の総輸入量は，1990 年の 49 万 BDt から 1998 年の 86 万 BDt を

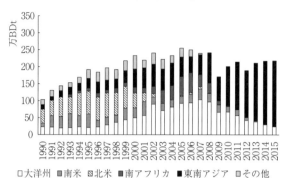

王子HD（北海道除外）

□大洋州　■南米　▧北米　■南アフリカ　■東南アジア　▨その他

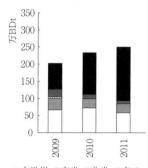

王子HD（北海道込み）

□大洋州　■南米　▧北米　■南ア

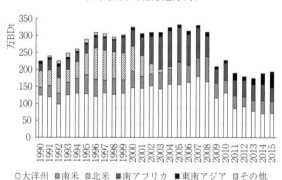

日本製紙（北海道除外）

□大洋州　■南米　▧北米　■南アフリカ　■東南アジア　▨その他

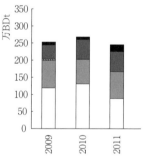

日本製紙（北海道込み）

□大洋州　■南米　▧北米　■南ア

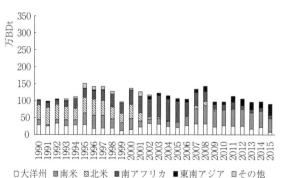

北海道（王子・日本）

□大洋州　■南米　▧北米　■南アフリカ　■東南アジア　▨その他

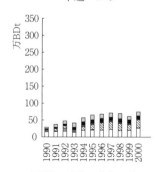

中越パルプ

□大洋州　■南米　▧北米　■南ア

図 3-3-6　企業別広葉樹チップ輸入量の推移
出所：財務省「貿易統計　税関別国別品別表」より作成。
地域区分：表 3-1-1，表 3-1-2 と同じ。その他に中国，ロシアを含む。

北越紀州製紙

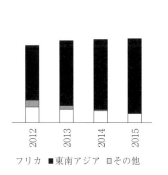

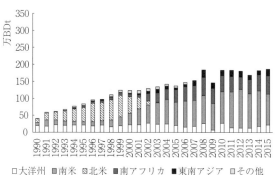

フリカ　■東南アジア　□その他

□大洋州　■南米　◪北米　■南アフリカ　■東南アジア　□その他

三菱製紙

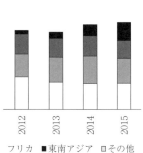

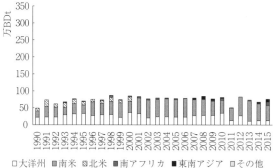

フリカ　■東南アジア　□その他

□大洋州　■南米　◪北米　■南アフリカ　■東南アジア　□その他

大王製紙・丸住製紙（三島・衣浦）

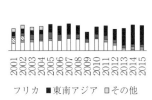

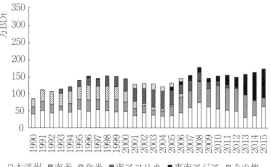

フリカ　■東南アジア　□その他

□大洋州　■南米　◪北米　■南アフリカ　■東南アジア　□その他

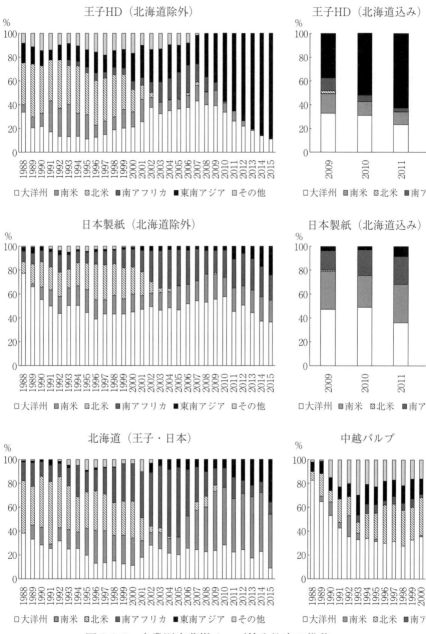

図 3-3-7 企業別広葉樹チップ輸入比率の推移
出所：財務省「貿易統計 税関別国別品別表」より作成。
地域区分：表 3-1-1，表 3-1-2 と同じ。その他に中国，ロシアを含む。

北越紀州製紙

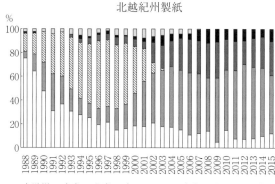

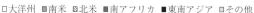

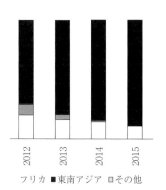

フリカ　■東南アジア　□その他

□大洋州　■南米　Ⓝ北米　■南アフリカ　■東南アジア　▨その他

三菱製紙

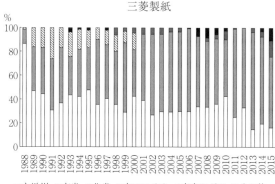

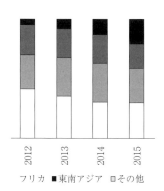

フリカ　■東南アジア　□その他

□大洋州　■南米　Ⓝ北米　■南アフリカ　■東南アジア　▨その他

大王製紙・丸住製紙（三島・衣浦）

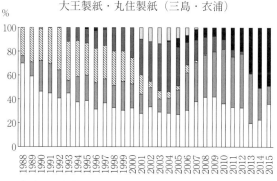

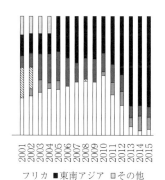

フリカ　■東南アジア　□その他

□大洋州　■南米　Ⓝ北米　■南アフリカ　■東南アジア　▨その他

ピークとして増加し，その後は概ね70〜80万BDt前後で推移してきた。その輸入傾向は，1990年代前半は豪州とチリが主であり，他企業が米国チップへの移行を進める中で，1995年からはエクアドルからの輸入を開始した。米国からの輸入よりもエクアドルからの輸入が多いという独自の輸入体制をとり，2001年にはエクアドルにて植林地の造成を行っている。2000年代はチリからの輸入を増加させ，2011年の輸入減少時にはチリ以外の地域（豪州・南アフリカ・エクアドル）からの輸入減少により，チリからの輸入量は維持している。さらに2012年にチリからの輸入量が増加したため，2011〜14年にかけてのチリへの輸入依存度は6〜7割に達している。2015年になると南アフリカやベトナムからの輸入を増やし，チリからの輸入比率は5割程度となった。

　大王製紙と丸住製紙の輸入動向（三島・衣浦港の合わせた数字）をみてみると，2015年の輸入量は172万BDt（三島港135万BDt，衣浦港37万BDt）である。三島港の各工場のLBKP生産量から広葉樹チップ消費量を概算すると大王製紙（三島）100万BDt，丸住製紙（大江）32万BDt，合計132万BDtであるため，この2工場での使用量と三島港の輸入量は概ね等しいことが確認できる。長期的な輸入量の動向では，1990年の84万BDtから2015年には172万BDtと2倍以上に増加している。輸入比率は，1990年代は豪州を主として，米国・チリの順に高く，2000年代に入ると米国の代替として南アフリカからの輸入が増加した。そして，2005年以降に南アフリカからの輸入が減少に転じるとベトナムからの輸入が増加し始め，2010年の15万BDtから2011年には2倍の28万BDt，2013年はさらに2倍の60万BDtと，豪州・チリからの輸入を減少させながら急激にベトナムを主とした輸入体制へとシフトした。丸住製紙の2013年時点の輸入先はNL含めて北米・NZ・豪州・チリ・エクアドルであり[13]，ベトナムからの輸入実績は確認できないため，ベトナムからの輸入体制に急激にシフトしたのは大王製紙であることが示唆される。これは衣浦港のみでの2015年の輸入比率がベトナム76％，チリ16％であることからも確認できる。業界団体への聞き取り調査によっても，大王製紙は王子HDや中越パルプ同様に原料事情の変化によって輸入地域を変更するのに積極的な企業であるとされる[14]。

　木材チップの開発輸入に際して，1990年代までは総合商社が先導的な役割を担い，各紙・パルプ企業の主要な原料調達先は，比率の差はあれども豪州・北米南部・チリの3地域であり，米国南部からの輸入減少に伴ってチリあるいは南アフリカからの輸入を増やして対応したという共通の傾向がみられた。しかし，2000年代後半になると，ベトナムを筆頭とする東南アジア地域からの木材チップ輸入を指向するか否かの判断が紙・パルプ企業ごとにはっきりと分かれる形となった。

(2) 企業別の広葉樹チップ需給環境の変化と原料調達戦略

　各紙・パルプ企業の調達方針は，安定的に調達できる量と価格に加え，品質の適不適，トレーサビリティーの担保された人工林材であるかどうか，森林認証材であるかどうかなどの判断によって異なってくる。これらは，為替相場，輸送コスト（原油価格など），各紙・パルプ企業・工場の技術蓄積の差異，社会経済情勢（環境意識や労働市場，他産業の動向）を踏まえて，それぞれの紙・パルプ企業が国内外において木材チップのスポット購入，長期契約取引，植林地経営などをどのように組み合わせていくか，つまり原料の安定確保のためのチャネル統制をどこで，どの程度行ってきたかという歴史的な企業判断，原料調達戦略を反映している。

　図序-6を踏まえて，広葉樹チップの地域別対日輸出集中度とパルプ企業別の輸入依存度（国産チップは含まない）から，日本のパルプ企業の広葉樹チップ輸入における（C）成熟期から（D）縮小期の需給環境の変化を捉えると，次のi）2000年，ii）2015年のように描くことができる。

i) 成熟期の輸入広葉樹チップ需給環境

　開発輸入−長期契約取引が日本の紙・パルプ企業や総合商社によって進められ，DB−MS関係がチャンピオン交渉とともに構築されてきた2000年では，全体的な傾向として，大洋州（豪州），北米（米国）からの広葉樹チップ輸入依存度が大きく，その他の地域からの調達には企業ごとにばらつきがみられる（表3-3-4）。しかし，各供給地域とも対日輸出集中度が高く，各企業の輸入地域が分散しているため，図3-3-8における輸入広葉樹チップ

表 3-3-4　企業別広葉樹チップ輸入依存度（2000 年）

単位：%，千 BDt

	日本製紙	王子 HD	北越紀州	三菱製紙	中越パルプ	大王・丸住 （三島・衣浦）
大洋州	45	21	18	43	35	33
南米	14	12	28	39	1	20
南アフリカ	15	7	6	4	3	25
東南アジア	2	23	2	－	13	－
アジア	1	17	6	－	16	1
北米	22	19	39	14	32	22
総調達量	3,259	2,330	1,237	852	743	1,429

出所：財務省「貿易統計　税関別国別品別表」より作成。
注：王子 HD と日本製紙は 2015 年時点の工場構成で，北海道内の工場輸入実績は除外。
地域区分：表 3-1-1，表 3-1-2 と同じ。

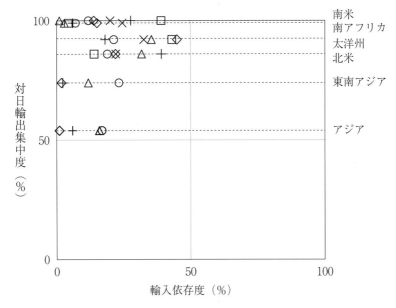

◇ 日本製紙　○ 王子 HD　＋ 北越紀州　□ 三菱　△ 中越パルプ　× 大王・丸住

図 3-3-8　紙・パルプ企業別広葉樹チップ需給環境（2000 年）
出所：財務省「貿易統計　税関別国別品別表」，UN Comtrade Database より作成。
注：対日輸出集中度は，北米は米国，南アフリカは南アフリカ共和国，大洋州は豪州，
　　アジアは中国の値，東南アジアはベトナムとタイ，南米はチリとブラジルの平均
　　値を用いた。
地域区分：表 3-1-1，表 3-1-2 と同じ。

の需給環境は各企業とも図中左上に位置していることがわかる。

　王子 HD では，東南アジア，アジアといった近距離地域からの輸入依存度が他社に比べて大きく，それぞれ 23％（タイ 15％，ベトナム 6％，マレーシア 2％），17％（中国）となっている。国単位の輸入依存度はいずれも 20％以下と全社中で最も分散している。中越パルプも東南アジア 12％（ベトナム 9％，インドネシア 3％），アジア 16％（中国）と 2 地域からの輸入依存度は他社に比べて高いが，大洋州（豪州）と北米（米国）からの調達が合わせて 67％で主となっている。日本製紙・三菱製紙は大洋州（豪州），北越製紙は北米（米国）からの調達が主であり，それぞれ 4 割前後の輸入依存度となっている。

　2000 年以降，北米（米国）やアジア（中国）からの広葉樹チップ輸入は，他地域へ代替することでなくなっていったことでもわかるように，総合商社がコーディネートする日本側パルプ企業群と特定複数の供給地域からなる広葉樹チップ調達システムが，DB – MS 関係として日本側が交渉力を持ちつつ機能していたことが示唆され，各パルプ企業とも開発輸入−長期契約取引による類似した取引形態をとっていた。

ⅱ）縮小期の輸入広葉樹チップ需給環境

　日本企業の広葉樹チップ需要が減少し，中国企業の広葉樹チップ需要の増加が明確になってきた 2015 年では，紙・パルプ企業ごとにその調達戦略が大きく異なっていくこととなった。特に中国企業の輸入増加によって対日輸出集中度が大きく低下してきた東南アジアと豪州への対応に明確な違いが出てきた（表 3-3-5，図 3-3-9）。

　王子 HD と中越パルプは，主な調達先の東南アジアシフトを加速させ，王子 HD で 89％（ベトナム 38％，タイ 35％，インドネシア 13％，マレーシア 4％），中越パルプで 76％（ベトナム 74％，インドネシア 2％）とその依存度を高めている。特にタイについては，王子 HD のみ調達比率が高く，他社の調達は行われていないということが特徴的である。東南アジア諸国との取引では，距離の近さと契約の短期性によって需給調整がしやすく，価格も低廉であるといったメリットがある一方で，中国企業との競合が激しく，日本

表 3-3-5 企業別広葉樹チップ輸入依存度 (2015 年)

単位：%，千BDt

	日本製紙	王子HD	北越紀州	三菱製紙	中越パルプ	大王・丸住 (三島・衣浦)
大洋州	30	11	12	16	5	36
南米	29	－	49	60	10	15
南アフリカ	20	－	29	14	9	－
東南アジア	21	89	10	10	76	49
総調達量	2,548	2,451	1,870	762	746	1,717

出所：財務省「貿易統計　税関別国別品別表」より作成。
注：王子HDと日本製紙は北海道の工場輸入実績も含む。
地域区分：表 3-1-1，表 3-1-2 と同じ。

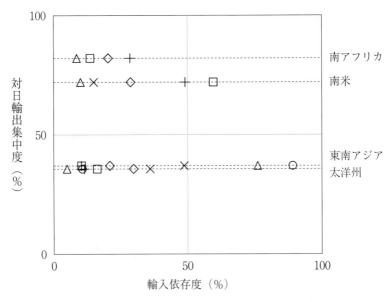

◇日本製紙　○王子HD　＋北越紀州　□三菱　△中越パルプ　×大王・丸住

図 3-3-9　紙・パルプ企業別広葉樹チップ需給環境 (2015 年)
出所：財務省「貿易統計　税関別国別品別表」，UN Comtrade Database より作成。
注：図 3-3-8 と同じ。
地域区分：表 3-1-1，表 3-1-2 と同じ。

のチャンピオン交渉といった取引も成立していないため，安定調達が困難化する恐れが指摘されており，図 3-3-9 においては右下に位置することになる。この調達の不安定性を克服するためのチャネル統制として，王子 HD は他企業が植林地造成を控える 2008 年以降も東南アジア（2010 年：ラオス，2010年：インドネシア，2012 年：ベトナム，2013 年：カンボジア）への植林地展開を増加させ，現地での広葉樹チップ調達ネットワークを強化しようとしてきたことがうかがえる。

　中越パルプは，2014 年に王子 HD と合弁会社 O&C ファイバートレーディングを設立し，原料調達部門の統合を行うことで，余剰傭船契約の有効活用，直接貿易によるコスト削減，調達先の最適化によるコスト削減および人員合理化による固定費削減を進め，両社の競争力強化を図っていった[15]。

　それとは対照的に，北越紀州製紙や三菱製紙は従来からの長期契約取引があり，中国企業との競合が少ない南米（チリ）や南アフリカを主とした取引を行い，現地植林地を維持しながらその取引ネットワークをより強固にすることで，広葉樹チップの安定調達を確保しようとしていることが示唆される。

　日本製紙は 1990 年代，2000 年代と豪州を中心とした長期契約や植林地形成を行ってきたため，2000 年代後半より他地域への移行を進めつつあるが，他企業に比べて豪州からの輸入依存度は高くなっている。日本製紙の輸入傾向は，北越紀州製紙や三菱製紙同様，遠隔地域からの安定調達指向であり，東南アジアからの調達は低く抑えられていたが，2010 年代に入るとベトナムのコストメリットと安定調達への見通しから，その調達量を増加させ始めた。その結果，大洋州（豪州 30％），南米（チリ 12％，ブラジル 17％）からの調達が多いものの，東南アジアからの調達も 21％（ベトナム 15％，マレーシア 4％，インドネシア 3％）と各地域に分散するようになってきた。

　詳細な動向は確認できないが，大王製紙もベトナムへのシフトを急激に進めており，チップ価格におけるコストメリットを得ようとする動きであると考えられ，丸住製紙は豪州・チリといった従来からの長期契約取引が主であるとされる。

　以上のように，広葉樹チップ調達の価格メリットを得るために東南アジア

のような競争的な市場から調達を主とするか，安定調達を優先して南米・南アフリカからの長期契約を主とするかで，企業ごとに原料調達戦略が異なってきた。しかし，東南アジアからの広葉樹チップの安定確保に不安がある一方で，価格メリットのある調達が継続されるならば，遠隔地域の取引を主とする企業は生産コスト面で不利な状況となっていくことが考えられるため，徐々にではあるが各企業とも東南アジアチップの取引を増やしつつある。他方で，東南アジアでの輸入依存度を高めている企業は，中国企業との競合，あるいは国内政策の転換などで輸入環境が一変するリスクもあるため，東南アジア諸国での植林地や調達ネットワーク形成，企業間の原料調達部門の統合によって，チャネル統制と交渉力を強化し，戦略的に原料調達の安定性の確保を図っている。

注および引用文献

(1) 小島清（1981）「第10章　日豪資源貿易のあり方」池間誠・山澤逸平編『資源貿易の経済学』：238頁

(2) 風呂勉（1968）『マーケティグ・チャネル行動論』：213-239頁

(3) 石原武政（1982）『マーケティング競争の構造』：210-217頁

(4) 取引依存度モデルでは，製造業者と流通企業のパワー関係は究極的には売買関係に集約的に表現されると考え，系列化の度合を販売依存度と仕入依存度によって概念化している（風呂；1968，石原；1982）。しかし，高嶋（1985）は，取引依存度モデルのパワー形成の問題点として，①組織間のパワー関係を企業規模で規定される仕入・販売関係のみで捉え，リベートや販売店援助などのパワー形成を考慮していないこと，②ここで述べられている仕入依存度は販売業者の仕入総額に占める製品の占有率であり，販売業者にとっての優先的取扱いの達成水準，つまり，依存の程度ではなく，製造業者のチャネル統制の達成水準を意味するものであるとしている。

(5) 田中彰（2012）『戦後日本の資源ビジネス　原料調達システムと総合商社の比較経営史』：14-15，29頁

(6) 小島清（1977c）「日本の資源保障と海外投資（下）」『世界経済評論』6：21頁は，鉄鉱石取引について，「日本の総輸入の四分の三以上を，ほとんどの場合三ヵ国でもって供給している。つまりmajor suppliersを形成している。これは日本が，資源供給の多様化を資源確保政策の主要な柱としてきたこと，しかし，多様化とはいいながら無数の沢山の供給源に分散するわけではなく，大規模開発と大量取引の規模経済を実現するために三つか四つに限られてきたからである。」と論述している。

(7) チャンピオン交渉とは，各業界で最大シェアを持つ供給者と最大需要者との間で決定される製品価格である（大平義隆（1998）：91-98頁）。他業種では鉄鉱石，重油，鉄鋼，食品などで

同様な価格交渉が行われてきた（日本経済新聞，2015/3/31）。双方にプライスリーダーが存在する場合はその両者間で標準価格を決定する「チャンピオン交渉」方式がとられ，双方が競争的な産業組織の場合には相対取引のみによって価格安定を保証することが困難なため，公式の市場が必要とされることが多いとされる。

(8) 紙・パルプ企業聞き取り調査（2017 年 4 月 20 日実施）

(9) 紙・パルプ企業聞き取り調査（2017 年 4 月 11 日実施）

(10) 紙業タイムス社（2015）『紙パルプ産業と環境 2016』：126 頁

(11) 日本製紙グループ（2016）『CSR 報告書 2016』：27 頁

(12) 北越紀州製紙グループ（2016）『コーポレートレポート 2016』：35 頁

(13) 紙パルプ技術協会（2013）「工場紹介 45」『紙パ技協誌』67（5）：84-90 頁

(14) 日本製紙連合会聞き取り調査（2014 年 10 月 29 日実施）

(15) 2014 年に原料調達コストの削減を目的として，製紙事業の主原料である輸入チップの共同調達会社を設立。余剰備船契約の有効活用，直接貿易による調達コスト削減，調達先の最適化，業務および人員効率化による固定費削減を進め，両社の競争力強化を図ることとした。

（引用 URL　http://www.chuetsu-pulp.co.jp/ir-news/5187，2017 年 10 月 24 日取得）

なお，2019 年には三菱製紙の原料調達部門も加わり，OCM ファイバートレーディングとして，3 社よる一層の競争力強化が図られることとなった。

（引用 URL　https://www.ojiholdings.co.jp/Portals/0/resources/content/files/news/2019/CVxKaSh.pdf，2020 年 5 月 23 日取得）。

終章　日本の紙パルプ原料取引の歴史動態
―総括と展望―

1　木材チップ取引関係の歴史動態

（1）本書の到達点と意義

　本書では，戦後日本の紙・板紙生産と原料消費の関係性を明らかにした上で，林業経済分野の木材チップ取引関係の実態分析と，経営学分野の組織間関係論におけるチャネル関係（流通経路における取引関係）の理論的枠組みとの統合を試みた。そこでは，紙・パルプ産業の木材チップ取引にかかわる組織間関係をチャネル・システム（原料調達システム）として捉え，需給環境とチャネル統制の動態から通時的に提示した。

　紙・板紙生産と原料消費の関係では，印刷情報用紙生産と広葉樹チップ消費に密接な関係があり，戦後日本の紙・パルプ産業では広葉樹チップの大量調達システムが特に重要となってきたことが把握された。そして，国産チップ調達システムでは，系列取引の構築，強化，弛緩・解体，輸入チップ調達システムでは，開発輸入－長期契約取引，植林地造成，契約期間の短期化というように，木材チップ取引関係が長期固定的なものから短期変動的なものへと移行してきたこと，それが紙・パルプ産業として一様ではなく，各紙・パルプ企業の経営判断によって，原料調達戦略の差異を伴いながら進展してきたことが明らかになった。

　この点は，木材産業の原料取引を論じる上での一つの成果であると考える。つまり，木材需要者と供給者の双方が多様な選択肢をとりえる市場環境において，持続的な林業経営を前提として，生産製品とそれに必要な樹種，各企業の原料調達の歴史的経緯と需給環境によって，いかなる取引関係が選択しうるかを展望する上での示唆が得られたといえる。

（2）国産チップ調達システムにおける組織間関係の歴史動態

　国産チップ取引の需給環境とパルプ企業によるチャネル統制の動向を総括すると図終-1，図終-2のようになる。

　（A）高度成長期では，針葉樹原木から製材端材チップ，広葉樹チップと利用可能原料が多様化していった。しかし，紙・板紙需要の増加に伴って，木材チップ需要が高まり続ける状況で原料供給は逼迫した。そのため，紙・パルプ企業は付加的誘引の支出，つまり，木材チップ業者に対する原料供給や資金・設備の貸付による系列化（チャネル統制）を行い，原料調達の安定性，確実性の向上を図った。しかし，木材チップという原料の性質上，その品質に大きな差は表れにくく，チップ業者は資金・設備の償却が済めば容易に他の供給先を選択しえた。そのため，パルプ工場間ではより高度な付加的誘引の支出が求められ，チップ業者の系列化競争が生じることとなった。このことは木材チップ流通において，チャネルを統制する能力は紙・パルプ企業が保持していたものの，より有利な取引条件を選択する余地があったという点で木材チップ業者側に交渉力があったといえる。その結果，紙・パルプ

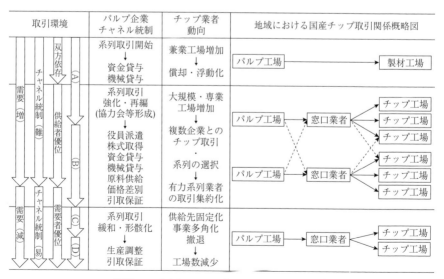

図終-1　国産チップ取引関係の歴史動態
出所：著者作成。

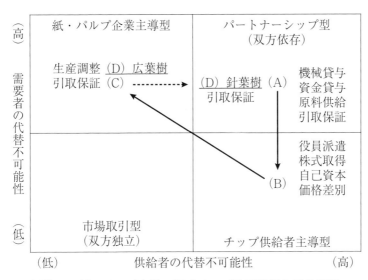

図終-2　紙・パルプ企業の国産チップ取引関係と需給環境
出所：図序-6と同じ。

企業は資金的制約の範囲内で木材チップの流通支配を行うことを指向し，自己資本の投入による株式の取得や役員派遣，専業チップ工場の設立など，より高次の系列関係の構築が進められていった。

　(B) 安定成長期では，輸入チップの導入・増加によって国内チップ業者は一時的に生産制限を受ける事例も出るなど，紙・パルプ企業側の調達選択肢の多角化の影響がチップ業者の交渉力後退を生じさせた。しかし，米国依存の輸入針葉樹チップの値上げや，広葉樹チップの輸入事情の不安定性もあり，国内での木材チップ調達競争は再び過熱した。

　(C) 成熟期の国産チップ業者は，紙・パルプ企業の広葉樹チップ輸入地域の多角化と，紙・パルプ企業の合併による木材チップ需要者の減少によって，その交渉力を著しく減退させていった。この紙・パルプ企業の代替的取引相手の増加と国内チップ業者の代替的取引相手の減少は，紙・パルプ企業の国内チップ集荷に対するチャネル統制の必要性を喪失させていった。

　(D) 縮小期では，針葉樹チップは，その主な原料が製材工場の副産物である製材端材であり，国産チップ依存度が減少から増加に転じたことで，低

価格でも継続的な引取保証を重視した双方依存的な取引傾向となった。他方，広葉樹チップは，輸入チップ調達が主となり，国産チップは補完的な立場へと転じたため，パルプ企業の交渉力優位な需給環境の下に生産効率化，リストラが進められた。その過程では地域産業への影響の大きさから，事業転換・撤退に対する配慮も一部の企業でみられた。こうして，1990年代以降には各地域において，特定のパルプ企業の国産チップおよび輸入チップ調達戦略の影響下で，系列取引は形骸化し，チップ業者の調整的な生産・流通体制が構築・固定化されることとなった。

(3) 輸入チップ調達システムにおける組織間関係の歴史動態

　1965年以来の輸入チップ取引の需給環境と原料調達システムの動態を総括すると図終-3，図終-4のように表すことができる。

　(A) 高度成長期では，木材チップ需要の逼迫のために針葉樹チップ，続いて広葉樹樹チップの専用船による輸入が行われていった。輸入当初は先駆

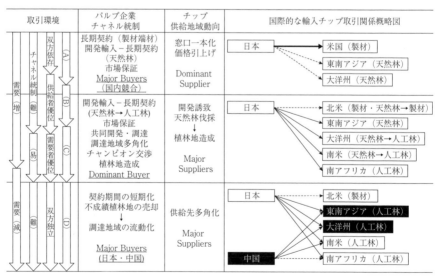

図終-3　輸入チップ取引関係の歴史動態
注：図中の木材チップ供給国の白塗りは日本への輸出集中度が5割上，黒塗りは中国への輸出集中度が5割上を示す。
出所：著者作成。

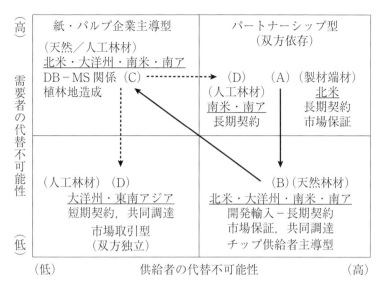

図終-4　紙・パルプ企業の輸入チップ取引関係と需給環境
出所：図序-6と同じ。

的な日本企業と現地企業，それを仲介する総合商社による長期契約取引であり，供給者も需要者も少数の双方依存的な取引であった。しかし，各紙・パルプ企業が競争的に北米チップ輸入を行ったために，交渉力はチップ供給者側が優位となっていった（MB－DS関係）。

　（B）安定成長期では，広葉樹チップ輸入が主に指向されていく中で，「開発輸入－長期契約」によるチャネル統制（付加的誘因の支出）と輸入地域の多角化（代替資源の開発）による交渉力の強化が目指されるようになった。紙・パルプ企業同士の協調的な原料調達の機運はありながらも，紙・板紙製品需要の増加に伴う原料需要の逼迫は，開発地域別に紙・パルプ企業間の競争を招来し，輸入チップ取引における交渉力はチップ供給者側が有する状況であった。しかし，プラザ合意以降になると，広葉樹チップ供給地域の多角化と海外産業植林地造成が進展し，紙・パルプ企業と総合商社の協調的な原料調達への機運が高まっていった。

　（C）成熟期の1990年代には，紙・板紙製品需要の伸びは鈍化し，各地域での木材チップの買付競争は比較的沈静化すると，長期契約取引とチャンピ

オン交渉による協調的かつ安定的な木材チップの取引関係（DB－MS関係）が構築された。2000年代になると現地のチップ供給者のみならず，日本の紙・パルプ企業や商社が造成してきた植林地からの人工林材チップの供給も開始され，DB－MS関係はより強化された。

　（D）縮小期において，2008年以降に紙・板紙需要が減少傾向へと転じると，市場保証に担保された長期契約取引や植林地造成という原料のチャネル統制は，日本の紙・パルプ企業にとって重荷（リスク）となってきた。他方で，中国の紙・パルプ企業が木材チップの国際的な取引に本格的に参入してきた。その結果，長期契約取引期間の短期化や植林地の売却など，木材チップ取引の流動化が進められ，需要者と供給者が多対多（MB－MS関係）というような市場取引的な傾向が創出されてきた。日本の紙・パルプ企業においては，日本への輸出集中度が高い遠隔地域からの長期契約取引を主とする企業と，中国企業との競合はあるものの近距離地域からの短期契約取引を主とする企業とに原料調達戦略が分化し始めた。後者においては，複数企業による原料調達部門の統合など，交渉力強化のための新たな原料調達戦略が図られつつある。

2　持続的な企業経営への問題選択の多様化

（1）原料調達問題から企業経営問題への展開

　加藤（2018）では，「構造－問題－政策」の関係について言及し，「政策」は「構造」が生み出した「問題」群の中から選択された「政策問題」を対象に形成されるのであって，この選択を支えるのは，「構造」によって規定される個別主体の利害状況から生成される多数派の「問題」把握であるとしている[1]。

　この考え方は，「政策」を「経営戦略」に置き換えると，産業，あるいは企業経営分野にも当てはめることができると考える。つまり，個別企業の「経営戦略」は「産業構造」が生み出した「問題」群の中から選択された企業経営上の「問題」を対象に形成されるものである。その選択は「産業構造」によって規定される個別企業の利害状況から生成される「問題」把握で

あると想定できる。しかし，多数派の個別企業によって選択される経営上の「問題」に対する「経営戦略」は「産業構造」の変容を促しうる。

　本書では，紙・パルプ産業を対象として，「産業構造」の時期区分を紙・板紙製品の「需給環境」，（A）高度成長期，（B）安定成長期，（C）成熟期，（D）縮小期として捉えることによって，それに対応した原料調達戦略（原料調達システム）の変化とその過程について明らかにした（図終-5）。

　そこで，（A）〜（D）各時期の紙・パルプ産業の「構造−問題−戦略」について，原料調達システムに焦点を当てて総括すると表終-1のように整理できる。これは戦後（A）〜（C）の日本の紙・パルプ企業が，紙・板紙製品需要の拡大・均衡という「構造」に対して，原料調達の不足を「問題」として捉え，その解決を指向してきたことを表している（紙・パルプ製品不足に対して，紙・パルプ製品輸入は問題の主な解決策として選択されなかった）。つまり，（A）〜（C）では，国内の安定した紙・板紙製品需要を背景として，長期安定的な原料調達とその効率化が，紙・パルプ企業の持続的な経営にとって重要事項であり，各時期における原料調達システムの展開によって国内紙・パルプ一貫生産が維持・拡大されるという相互関係が成立してきた。

　しかし，（D）では，従来の安定的な紙・板紙製品需要という「構造」が変化し，国内のまとまった製品需要を前提とした長期安定的な原料調達は企業経営上のメリットではなくなってきた。他方で，日本企業が先駆的に開始した木材チップ取引や植林地造成については，そのノウハウが成熟化・確立してきており，海外新興企業との競合が生じつつあるものの，調達の不確実

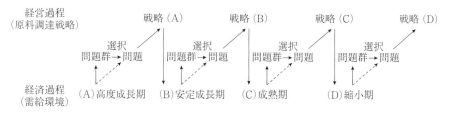

図終-5　戦後日本の紙・パルプ産業の「構造−問題−戦略」の関連
出所：加藤和暢（2018）を参考に作成。

表終-1　紙・パルプ産業の「構造 − 問題 − 戦略」の変遷

(A) 高度成長期：1950 〜 73 年

構造	紙・板紙製品需要の拡大
問題群	紙・板紙生産不足，パルプ生産・調達不足，原料調達不足
問題	原料調達不足（国内供給量不足）
戦略（国内）	技術開発による使用可能原料の多角化，系列取引体制の構築
戦略（国外）	原料輸入への展開
原料の需給環境	双方依存（系列初期・輸入初期）→供給者優位

(B) 安定成長期：1974 〜 91 年

構造	紙・板紙製品需要の拡大
問題群	紙・板紙生産不足，パルプ生産・調達不足，原料調達不足
問題	原料調達不足（国内外供給量不足）
戦略（国内）	系列取引の強化
戦略（国外）	開発輸入 − 長期契約取引，調達地域の多角化
原料の需給環境	供給者優位

(C) 成熟期：1992 〜 2007 年

構造	紙・板紙製品需給の均衡
問題群	非効率的な紙・板紙生産，パルプ生産，原料調達
問題	非効率的な生産体制・原料調達
戦略（国内）	大型企業合併，系列取引の調整→合理化の促進
戦略（国外）	DB-MS 関係（需要者の集約化と供給者の多角化）の構築
原料の需給環境	需要者優位

(D) 縮小期：2008 年〜

構造	紙・板紙製品需要の縮小
問題群	紙・板紙・パルプ生産過多，原料需要の縮小
問題	需要縮小による長期的な原料確保（市場保証）のリスク
戦略（国内）	生産設備の立地調整（減産），原料の調整集荷（現状維持目標）
戦略（国外）	取引契約期間の短期化，調達地域の選択
原料の需給環境	双方独立傾向

出所：著者作成。

性は大きく減少してきたといえる。

　そのため，日本の紙・パルプ企業の持続的経営における重要課題は，国内外の紙・パルプ生産および流通・販売，新規分野の研究開発も含めた企業経営戦略，事業構造の再構築へと移行し，現在までの各企業の経営過程をふまえて分化してきたことがうかがえる。(D) 縮小期の日本の紙・パルプ産業構造の概要は，図終-6 のように描くことができる。紙・パルプ企業の生産

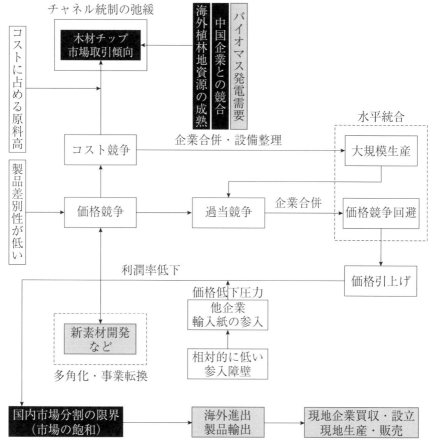

図終-6　2000 年代後半以降の紙・パルプ産業の事業構造
出所：加藤隆（1987）6 頁をもとに著者作成。
注：白字黒塗りが（A）（B）（C）からの主な変化。灰塗は主な変化のうちで本研究では扱っていない課題。

能力を製品需要量が下回るようになったことから，生産設備の整理（不採算マシンの撤去，工場撤退）が行われてきた。国内生産設備の縮小は地域の雇用，ひいては周辺の林業・木材関連業者にも影響を与えうるため，国際的な企業経営の持続性と地域産業の持続性のバランスをいかに判断していくかも課題となってくる。

　事業の多角化という面では，需要減少が続く印刷情報用紙，新聞用紙から，比較的堅調な段ボール原紙，衛生用紙への生産力のシフトの他に，製品輸出，さらには海外現地企業での生産・販売による企業収益の向上を指向するようになった。これは従来の日本を市場とした生産構造からの転換であり，今後の日本の紙・パルプ企業の行動様式を大きく変えうる変化として捉えられる。

　また，木材のパルプ化技術の応用として，セルロースナノファイバー（CNF）など，木材由来の新素材開発が進められている。このような動きに伴い王子製紙や北越紀州製紙はそれぞれ王子ホールディングス，北越コーポレーションと改称してグループ名から製紙の文言を外し，日本製紙は事業方針として総合バイオマス企業を標榜するなど，各社，紙・パルプ企業，あるいは製紙企業という事業枠組みからの展開を図っている。

　本書では触れてこなかったが，2010年代の国産原料調達面での変化には，国内各地での木質バイオマス発電所の建設がある。バイオマス発電所は国内において針葉樹チップの供給先となり，チップ業者の供給先選択肢が紙・パルプ工場以外にも拡大されることとなる。これは燃料用チップの買取価格次第となり，今後の動向を注視していく必要があるが，バイオマス発電所はある程度まとまった量の木材チップを継続的に使用し続けるという特性から，従来の国産チップのチャネル・システムへ影響を与えうる。実際にチップ業者による複数企業への木材チップ供給や，燃料用チップ価格の上昇に伴う製紙用チップ価格の引上げが近年行われるようになってきた[(2)]。さらに，沿岸部に建設される比較的大規模なバイオマス発電所においては，紙・パルプ企業や総合商社が設立・経営にかかわり，輸入チップの利用を視野にいれた事業展開を構想している[(3), (4), (5)]。このことは海外植林地にとっても供給先の多角化を促す要因となり，木材チップ貿易における市場的取引傾向がさ

らに促進されていく可能性がある。

　他方で，木材チップに限らず，商品の取引には信頼関係⁽⁶⁾がしばしば重

他方で，木材チップに限らず，商品の取引には信頼関係[6]がしばしば重
要視される。歴史的にパルプ企業と系列関係や長期契約取引を構築してきた
チップ供給者は，需給環境の変化には即応せず，既存の取引関係を優先させ
ることもあるだろう。木材チップの需要者と供給者，双方の長期的な利益確
保のためにも，木材資源の再生産プロセスの長期性と，従来のパルプ企業に
よる垂直的な系列関係を踏まえつつ，多様な木材利用にも対応した水平的な
流通協議会の形成など，新たな生産・流通体制への調整が重要となってきて
いる。

(2) 木材産業研究の展望と課題

　産業史分析の観点から，黒澤（2011）は，「企業」や「産業」という概念
を地理的・空間的概念に結びつける際には，競争力を軸として行うことの重
要性を説いている[7]。世界における産業活動は経年によりフラットになる
わけではなく，地理的環境と歴史的な経営資源の蓄積から，むしろグローバ
ル化による国際分業の進展，特定地域の特定産業の優位性の構築が顕著にな
りつつある。

　紙・パルプ産業においては，北欧などの森林資源国が紙製品生産・輸出へ
と国内産業領域を拡大していったように，南米や東南アジアの森林資源国が
同様に産業段階を移行していくのか否かが，日本を含め非資源国かつ消費国
の紙・パルプ産業の動向に大きく影響していくだろう。地理的環境として木
材が調達しやすい（木が成長しやすい）地域は厳然として存在するが，環境
政策や産業政策などの地域政策と産業構造のバランスによって，当該地域で
の紙・パルプ産業の展開は規定される。その際に地元企業が新興として生じ
るのか，既存のグローバル企業が進出するのか，地域の政策と企業の戦略，
それぞれの思惑が相互に連関しあっていくはずである。

　本書の主題である紙パルプ原料調達では，輸入チップ取引関係は，従来，
木材チップ市場の長期保証を前提として「開発輸入－長期契約」方式によっ
て構築されてきた経緯があるが，この市場取引的傾向への移行が再造林を含
んだ持続的な森林経営，再生可能な資源としての持続的利用に適合しうる

か，地域別に検討することも今後重要になってくる。国産チップ取引関係では，国内森林資源が成熟しつつも，国内需要が減少する中で，何を国内生産し，何を輸入で賄うのか，必ずしも木材生産を目指す林業経営だけでない森林管理の位置づけも，地域産業と世界的な木材需給環境の中で選択（模索）すべき時期となってきている。

　そして，この構造は紙・パルプ産業に限らず，製材や合板など他の木材産業においても規模は違えど同様である。今後は，日本の木材産業が，企業経営の持続性と環境問題も含めた国内外の地域経済の持続性に対して生じる問題群から，なにを問題として選択し，次の経営戦略として注力するのかで，国内外の木材産業構造，原料需給環境，ひいては各地域で目指される森林管理および経営の形が規定されていくだろう。つまり，国際的な分業体制による企業の経営効率化と産業外部化のリスク，国産化・地域循環による国あるいは地域の自立性向上と産業内部化のコストなど，森林管理から原料調達，製品生産・販売，消費という，流通チャネルを含む一連の木材のマテリアルフローを，製品ごとにそれぞれ，どの空間レベルで持続的に均衡させていくのか，自然環境，企業経営，地域経済，それぞれの「持続性」に対する相互関係を踏まえた木材産業の議論が必要となっている。

注および引用文献

(1) 加藤和暢（2018）『経済地理学再考』：188 頁

(2) 日刊木材新聞社（2019）『木材建材ウィークリー』2208：3-6 頁

(3) 河北新聞（2017）「バイオマス発電　王子と三菱製紙八戸に計画」

(4) 日本経済新聞（2017）「丸紅，福井で培うバイオマス発電事業　第 1 号稼働」

(5) 日本製紙（2019）「勇払バイオマス専焼発電事業について」（引用 URL　https://www.nipponpapergroup.com/news/year/2019/news190510004431.html，2020 年 6 月 13 日取得）

(6) 取引における信頼関係とは，経済的な対立は前提としながらも，優先される目標が共有され，売手と買手を含めた利害関係者の対立が表面化しない状態である。この時に共有されるべき目標とは，長期的な関係性や社会的な結びつきの保持である。信頼関係による長期的な取引のメリットとしては，①取引費用の節約，②商品開発や生産の効率化，③長期的な設備や技術への投資，などが挙げられる。デメリットには，過去の取引実績や個人間・企業間の社会的結びつきが優先されて，商品取引の経済的な条件による影響が弱められるため，取引環境が変化したにもかかわらず，効率的でない取引関係が温存されてしまうことがある（高嶋克義（2002）『現代商業学　新版』：114-132 頁）。

(7) 黒澤隆文（2011）「産業固有の時間と空間―産業史の方法・概念・課題と国際比較研究の可能性―」『経済論叢』185（3）：1-18 頁

参考文献

学術書・論文等

El-Ansary, A. I.（1975）"eterminants of Power-Dependence in the Distribution Channels", Journal of Retailing, 51（2）

Emerson, R. M.（1962）"Power-Dependence Relations", American Sociological Revew, 27（1）

H.D. ワッツ著，松原宏・勝部雅子訳（1995）『工業立地と雇用変化』古今書院

Juha-Antti Lamberg・Jari Ojala・Mirva Peltoniemi・Timo Särkkä edi（2012）"The Evolution of Global Paper Industry 1800-2050" Springer

J. Pfeffer and G. Salamcik（1978）"The External Control of Organizations, Harper and Row" STANFORD BUSINESS BOOK

Lamberg・Näsi・Ojala・Sajasalo eds（2006）"THE EVOLUTION OF COMPETITIVE STRATEGIES IN GLOBAL FORESTRY INDUSTRIES" Springer

Lamberg・Ojala・Peltoniemi Särkkä eds（2012）"The Evolution of Global Paper Industry 1800-2050" Springer

Williamson（1979）"Transaction-Cost Economics: The Governance of Contractual Relations", Journal of Law and Economics, 22（2）, pp.233-261.

甘利敬正（2000）「紙・パルプ」大日本山林会『戦後林政史』大日本山林会：525-558 頁

甘利敬正（2001）『もっと知ろう世界の森林を』日本林業調査会

甘利敬正（2010）「製紙用原料」『日本の紙パルプ産業技術史』紙の博物館

荒谷明日兒（1996）「世界の木材貿易構造の変化とわが国の木材輸入」『農林業問題研究』123：15-85 頁

荒谷明日兒（1998）『インドネシア合板産業―その発展と世界パネル産業の今後―』日本林業調査会

荒谷明日兒（2000）「世界の木材貿易の現状と特徴」村嶌由直・荒谷明日兒『世界の木材貿易構造』日本林業調査会：26-47 頁

安藤嘉友（1970）「戦後外材輸入の展開構造」『政経研究』No.15：33-59 頁

安藤嘉友（1974）『外材・その現状と展望』日本林業調査会

安藤嘉友（1983）「外材輸入の構造変化と外材産地の林業構造」『不動産研究』24（3）：10-16 頁

安藤嘉友（1988）「新展開の日本資本主義下の木材・林業問題」『林業経済研究』114：2-11 頁

206

安藤嘉友（1992）『木材市場論』日本林業調査会

石原武政（1982）『マーケティング競争の構造』千倉書房

伊藤幸男（2014）「日本・東北の林業問題」岩手県林業普及協会総会配布資料

伊藤幸男・小成寛子（2004）「1990年代におけるチップ生産構造の再編：岩手県の広葉樹チップ生産を事例に」『林業経済研究』50（3）：27-37頁

遠藤隆（1984）「木材チップ製造業の変遷と課題」『林業経済』37（7）：13-18頁

遠藤日雄（1990）「伐出資本の行動様式と地域林業―北上山系における木材チップ資本の原木集荷構造―」『林業経済研究』118：2-13頁

遠藤日雄（1995）「東北地域におけるチップ製造業の構造変化」『日林東北誌』47：239頁

大嶋顕幸（1991）『大規模林業経営の展開と論理』日本林業調査会

大嶋顕幸（2009）「紙・パルプ産業の造林の推移（戦後編）―パルプ備林的役割の終焉―」『山林』1498

大平義隆（1998）「わが国企業の意思決定パターン―横並び―」『信州短期大学創立10周年記念論文集』10（1・2）：91-98頁

大渕弘行（2015）「世界の森林の現状と産業植林の課題」『紙パ技協誌』69（8）：789-798頁

岡本国彦（1970a）「アメリカ紙・パルプ資本の海外進出と西ヨーロッパ紙・パルプ企業の対応」『紙パ技協誌』24（9）：445-459頁

岡本国彦（1970b）「アメリカ紙・パルプ資本の海外進出と西ヨーロッパ紙・パルプ企業の対応（その2）」『紙パ技協誌』24（10）：507-514頁

岡本国彦（1970c）「アメリカ紙・パルプ資本の海外進出と西ヨーロッパ紙・パルプ企業の対応（その3）」『紙パ技協誌』24（11）：562-572頁

岡本国彦（1970d）「アメリカ紙・パルプ資本の海外進出と西ヨーロッパ紙・パルプ企業の対応（その4）」『紙パ技協誌』24（12）：626-636頁

小野裕章（1966）「パルプ原木供給函数の計測について」『林業経済』19（5）：1-8頁

加藤和暢（2018）『経済地理学再考　経済循環の「空間的組織化」論による統合』ミネルヴァ書房

加藤隆（1987）「戦後のアメリカ林業，林産業の構造変化とわが国への影響に関する研究（2）」『林業試験場研究報告』342：1-39頁

加藤智章（2004a）「大規模紙・パルプ企業の生産行動に関する計量分析」『林業経済』57（7）：1-16頁

加藤智章（2004b）「製紙産業の費用構造分析：トランスログ型費用関数による計量分析」『農林業問題研究』40（1）：214-219頁

加藤智章（2005）「パルプ材需給の計量分析」『農林業問題研究』41（1）：94-99頁

加藤智章（2008a）「我が国古紙市場の構造：買手寡占力の計測」『農林業問題研究』44（1）：1-13頁

加藤智章（2008b）「我が国紙市場の競争度の計測―推測的変動モデルによる実証分析」『林業経済』61（7）：1-16頁

上河潔（2009a）「製紙産業の原料調達の現状と課題について」『山林』1498：64-73頁

河毛二郎（2003）『紙は生きている』トランスアート

河西重雄（1984）「紙・パルプ産業に関する計量経済分析（Ⅰ）―モデル構築のための予備的考察」日本林学会『日本林学会大会論文集』第95号

菊澤研宗（2006）『組織の経済学入門―新制度派経済学のアプローチ』有斐閣

木島常明（2010）「広葉樹晒クラフト上質紙の創製（前編）」『紙パ技協誌』64（4）：44-53頁

黒澤隆文（2011）「産業固有の時間と空間―産業史の方法・概念・課題と国際比較研究の可能性」『経済論叢』185（3）：1-20頁

黒澤隆文・橋野知子（2016）「米欧アジア3大市場と競争力の3つの類型：製紙」橘川武郎・黒澤隆文・西村成弘編『グローバル経営史：国境を越える産業ダイナミズム』名古屋大学出版会：32-63頁

小出芳英（1988）「紙・パルプ資本の国産チップ集荷機構―日光林業地域を事例にして―」『林業経済研究』115：79-86頁

小島清（1977a）「日本の資源保障と海外投資（上）」『世界経済評論』4：4-19頁

小島清（1977b）「日本の資源保障と海外投資（中）」『世界経済評論』5：30-40頁

小島清（1977c）「日本の資源保障と海外投資（下）」『世界経済評論』6：13-28頁

小島清（1981）「第10章　日豪資源貿易のあり方」池間誠・山澤逸平編『資源貿易の経済学』文眞堂：228-246頁

小島清（2003）『雁行型経済発展論』文眞堂

戴玉才（1999）「高度経済成長期における日本，中国の木材消費構造に関する比較研究」『林業経済研究』45（1）：57-62頁

塩川亮（1973）「東北における木材チップ工業の変貌」『東北地理』25：209-217頁

塩川亮（1977a）「原料転換に伴うパルプ工場の立地変化」『経済地理学年報』23（1）：83-95頁

塩川亮（1977b）「紙・パルプ工業」北村嘉行・矢田俊文編『日本の工業の地域構造』大明堂：208-218頁

四宮俊之（1997）『近代日本製紙業の競争と協調―王子製紙，富士製紙，樺太工業の成長とカルテル活動の変遷―』日本経済評論社

四宮俊之（2004）「戦後日本の紙・パルプ産業での大企業と中小企業の競争と併存に関する経営史的考察（上）」『人文社会学論叢　社会科学篇』12：1-36 頁

四宮俊之（2005）「戦後日本の紙・パルプ産業での大企業と中小企業の競争と併存に関する経営史的考察（下）」『人文社会学論叢　社会科学篇』13：61-88 頁

嶋瀬拓也（2006）「木材チップの国内流通にみる輸送距離の動向」『林業経済学会秋季大会』（口頭発表）URL：http://jsfmf.net/gakkai/ringyoukeizai2006/simase.pdf（2017 年 8 月 24 日取得）

高嶋克義（1985）「チャネル・パワーと統制」近藤文男・中野安『流通構造とマーケティング・チャネル』ミネルヴァ書房

高嶋克義（1994）『マーケティング・チャネル組織論』千倉書房

高嶋克義（2002）『現代商業学　新版』有斐閣

武田八郎（1996）「わが国紙パルプ産業における海外造林の展開」『林業経済研究』129：117-122 頁

武田八郎（2000）「日本の紙パルプ産業とチップ貿易」村嶌由直・荒谷明日兒『世界の木材貿易構造＜環境の世紀＞へグローバル化する木材市場』日本林業調査会：273-288 頁

田中彰（2008）「鉄鋼―日本モデルの波及と拡散」塩地洋編著『東アジア優位産業の競争力―その要因と競争・分業構造』ミネルヴァ書房：25 頁

田中彰（2012）『戦後日本の資源ビジネス：原料調達システムと総合商社の比較経営史』名古屋大出版会

田村正紀（2006）『リサーチ・デザイン―経営知識創造の基本技術』白桃書房

田村正紀（2016）『経営事例の物語分析：企業盛衰のダイナミクスをつかむ』白桃書房

中川敬一郎（1981）『比較経営史序説』東京大学出版会

中野真人（1970）「多角経営時代の紙パルプ産業とその外材輸入に関する展望」『林業経済』23（4）：1-19 頁

中山哲之助（1985）『広葉樹用材の利用と流通』都市文化社

成田雅美（1980a）「紙・パルプ資本の対外進出と国内パルプ材市場の再編成」『北海道大学農学部演習林研究報告』37（1）：1-50 頁

成田雅美（1980b）「紙・パルプ産業の資本蓄積とパルプ材市場編成」『林業経済研究』98：45-51 頁

西田尚彦（1984）「森林組合のチップ加工事業」『林業経済』37（7）：8-24 頁

西村勝美（1973）「木材工業製品の市場構造に関する研究　第Ⅲ報―木材チップ―」

『北海道農林研究』43：20-45 頁

野嵜直（2001）「1990 年代の紙・パルプ産業における生産・資本動態と海外展開」
『林業経済研究』47（3）：9-16 頁

野本晃史（1960）「日本のパルプ材流動と地域的性格」『地理学評論』33：300-311
頁

野本晃史（1970）「島根県の木材チップ工場の流動」『山陰文化研究紀要 人文・社
会科学編』10：6-21 頁

萩野敏雄（1979）『森林資源論研究』日本林業調査会

萩野敏雄（1983）『続・森林資源論研究』日本林業調査会

萩野敏雄（2003）『日本国際林業関係論』日本林業調査会

萩野敏雄（2004）『第 3・森林資源論研究—現段階の重要課題—』日本林業調査会

花谷守正（2007）『地球環境に貢献した廃材チップ輸入』テックタイムス社

早舩真智・立花敏・荒谷明日兒（2016）「プラザ合意以降における日本の製材工場
の地理的変容」『森林計画学会誌』50（1）：1-13 頁

原頼利（2011）「終章　流通取引関係・制度の研究展望」渡辺達郎・久保知一・原
頼利編『流通チャネル論　新制度派アプローチによる新展開』有斐閣

久武陽子（1997）「素材生産業の展開類型とその再編過程—青森県上北地域を事例
として—」『林業経済研究』43（1）：31-36 頁

久田陸昭（2000）「我が国の海外産業植林事業の現状と動向」『紙パ技協誌』54
（7）：883-890 頁

久田陸昭（2001）「海外産業植林事業の動向」甘利敬正編『もっと知ろう世界の森
林を』日本林業調査会

フィリップ・コトラー著，村田昭治監修，小坂恕・疋田聰・三村優美子訳（1983）
「製品ライフサイクル戦略」『マーケティング・マネジメント』プレジデント社

福島康記（1972）「戦後素材生産の展開と停滞の構造」塩谷勉・黒田迪夫編『林業
の展開と山村経済』御茶の水書房：79-130 頁

藤田佳久（1983）『現代日本の森林木材資源問題』汐文社

船越昭治（1971）「木材チップの流通について—岩手県における三者寡占の成立と
流通支配の構造—」『林業経済』25（2）：25-32 頁

風呂勉（1968）『マーケティグ・チャネル行動論』千倉書房

松原宏（2006）『経済地理学』東京大学出版会

松原宏（2009）「立地調整の理論と課題」『立地調整の経済地理学』原書房

松本貴典編（1996）『戦前期日本の貿易と組織間関係　情報・調整・協調』新評論

宮辺健次郎（1976）「パルプ材市場論序説」『林業経済』29（3）：16-20 頁

宮辺健次郎（1978）「パルプ材市場範囲形成の立地論的考察」『林業経済』31（4）：

19-28 頁

宮辺健次郎（1983）「紙パルプ産業の現状とその対応」『林業経済』36（4）：9-13 頁

村嶌由直（1972）「戦後木材加工資本の発展と木材市場」塩谷勉・黒田迪夫編『前掲』：29-78 頁

村嶌由直（1974）『木材輸入と日本経済』林業経済研究所

村嶌由直（1976）「外材産出国における市場構造」岡村明達『木材産業と流通再編』日本林業調査会：46-68 頁

村嶌由直（1978）「木材関連産業の成長と市場構造」林業構造研究会編『日本経済と林業・山村問題』

村嶌由直（1982）「木材需要の動向と外材体制の新展開」『農林金融』35（11）：798-808 頁

村嶌由直（1984）「「産構法」下の紙パルプ原料」『林業経済』37（7）：1-7 頁

村嶌由直（1986）「木材産業の現況―東北地区からの報告」『林業経済』458：1-5 頁

村嶌由直（1987）『木材産業の経済学』日本林業調査会

餅田治之・遠藤日雄編（2015）『林業構造問題研究』日本林業調査会

森本泰次（1991）「紙パルプ産業の原料事情からみるわが国の広葉樹資源（その一）」『林業経済』44（11）：1-13 頁

森本泰次（1992）「海外製紙原料造林の現状と課題（1）」『熱帯林業』25：24-33 頁

森本泰次（1993a）「製紙産業の現状と海外造林」『山林』1313：26-41 頁

森本泰次（1993b）「海外製紙原料造林の現状と課題（2）」『熱帯林業』26：22-33 頁

山内孝幸（2010）『販売会社チャネルの機能と役割』中央経済社

山口明日香（2009）「戦前期日本における製紙用パルプの原料取引」
URL：http://ies.keio.ac.jp/old_project/old/gcoe-econbus/pdf/dp/DP2009-031.pdf

山口明日香（2011）「製紙業における木材利用―1932 ～ 45 年の王子製紙の原料調達を中心に―」
URL：http://ies.keio.ac.jp/old_project/old/gcoe-econbus/pdf/dp/DP2011-044.pdf

山口明日香（2012）「戦前期日本の製紙業における原料調達」『三田学会雑誌』105（2）：109 ～ 137 頁

山口明日香（2015）『森林資源の環境経済史』慶応義塾大学出版会

山倉健嗣（1993）『組織間関係』有斐閣

山澤逸平（1981）「鉄鉱石貿易と日本の輸入戦略」池間誠・山澤逸平編『前掲』：

157-189 頁

山本耕三 (1998)「わが国における紙・パルプ工業の生産体制とその変化―王子製紙を事例として―」『人文地理』50 (5)：66-82 頁

吉沢武勇 (1963)「北海道におけるパルプ材の流通」『日本林學會北海道支部講演集』12：16-18 頁

吉沢武勇 (1965)「北海道における木材チップ工場の系列化について」『日本林學會北海道支部講演集』14：77-79 頁

吉沢武勇 (1969)「北海道におけるパルプ材の流通」『日本林學會北海道支部講演集』17：16-19 頁

吉沢武勇 (1970)「国内産チップの生産構造とチップ輸入」『林業經濟』23 (12)：1-13 頁

吉沢武勇 (1984)「木材チップ生産をめぐる諸問題―紙パルプの変化とチップ―」『林業経済』37 (7)：7-12 頁

四津隆一 (1961)「パルプ工業の原料圏の変化」『東北地理』13：35-39 頁

四津隆一 (1968)「東北地方の木材チップ生産に関する検討」『東北地理』20 (2)：63-68 頁

米沢保正 (1963)『木材チップ：技術と経営』地球出版

柳幸広登著・柳幸広登遺稿集編集委員会 (2006)『林業立地変動論序説―農林業の経済地理学』日本林業調査会

林業経済学会 (2006)『林業経済研究の論点―50 年のあゆみから―』日本林業調査会

渡邊賢 (2001)「インドネシアのマングローブ林の開発と環境問題」甘利敬正編著『前掲』日本林業調査会：23-39 頁

社史・年史・報告書等

安藤嘉友 (1972)「外材輸入の今後の見通しとそれに対応する国有林材の供給について」『林業経営研究所報告』71 (9)

井川伊勢吉・大王製紙社史編纂委員会 (1995)『大王製紙の今日まで』大王製紙

井川伊勢吉・大王製紙社史編纂委員会 (1995)『続・大王製紙の今日まで』大王製紙

石巻工場 50 年史編集委員会 (1990)『五十年史』十条製紙石巻工場

岩手県 (1982)『岩手県林業史』岩手県

岩手県木材チップ工業会 (1989)『三十年のあゆみ』岩手県木材チップ工業会

王子製紙株式会社 (2001a)『王子製紙社史　本編』王子製紙株式会社

王子製紙株式会社 (2001b)『王子製紙社史　合併各社編』王子製紙株式会社

王子製紙編（2001）『紙・パルプの実際知識』東洋経済新報社

王子製紙編著（2009）『紙の知識100』東京書籍

海外産業植林センター（2009）『地球を緑に―産業植林調査概要報告書―』

上河潔（2009b）「製紙産業における国産材利用の可能性について」日本製紙連合会資料

紀州製紙株式会社社史編集室（2001）『紀州製紙50年のあゆみ』紀州製紙株式会社

「原野を拓く」勇払工場50年史編集委員会（1993）『原野を拓く　勇払工場50年史』日本製紙株式会社勇払工場

公益財団法人紙の博物館（2010）『日本の紙パルプ産業技術史』公益財団法人紙の博物館

工場五十年史編さん委員会『五十年のあゆみ』十条製紙株式会社八代工場

工場80年史編纂委員会（2004）『80年の歩み』日本製紙八代工場

古紙再生促進センター（2008）『平成20年度 国庫補助事業　古紙の品質を守るために　異物混入と現状の対策（第2版）』
URL：http://www.prpc.or.jp/menu05/pdf/hinshitumamoro.pdf（2017年10月18日取得）

財団法人日本経営史研究所（1973）『製紙業の100年―紙の文化と産業―』王子製紙株式会社・十条製紙株式会社・本州製紙株式会社

財団法人日本経営史研究所（1999）『三菱製紙百年史』三菱製紙株式会社

産業構造審議会紙パルプ部会（1981）『80年代の紙パルプ産業ビジョン』日本製紙連合会

鈴木尚夫編（1967）『XII　紙・パルプ』現代日本産業発達史研究会

全国木材チップ工業連合会（1987）『木材チップ』パルプ材通信社

全国木材チップ工業連合会（1990）『30年のあゆみ』

全国木材チップ工業連合会（2010）『H21年度製紙用チップ・チップ用原木の安定取引普及事業調査・分析事業報告書』URL：http://zmchip.com/（2017年8月24日取得）

全国木材チップ工業連合会（2011）『H22年度製紙用チップ・チップ用原木の安定取引普及事業調査・分析事業報告書』URL：http://zmchip.com/（2019年12月15日取得）

全国木材チップ工業連合会（2012）『H23年度木材チップ等原料転換型事業調査・分析事業報告書』URL：http://zmchip.com/（2019年12月15日取得）

全国木材チップ工業連合会（2013）『H24年度木材チップ等原料転換型事業広葉樹チップ調査・分析事業報告書』URL：http://zmchip.com/（2019年12月15日

取得）

全国木材チップ工業連合会（2014）『H25 年度木材チップ等原料転換型事業広葉樹チップ調査・分析事業報告書（落葉広葉樹編）』URL：http://zmchip.com/（2019 年 12 月 15 日取得）

大王製紙社史編纂委員会編纂（1995）『大王製紙 50 年史』大王製紙

大王製紙労組史編集委員会編（1982）『大王労組三十年史』大王製紙労働組合三十年史編集委員会

大昭和製紙株式会社資料室（1991）『大昭和製紙五十年史』大昭和製紙株式会社

谷口正元・一羽昌子・前川真知・稲村路夫編（1960）『五十年の歩み』王子製紙苫小牧工場

東海パルプ社史編纂チーム（2007）『東海パルプ 100 年史』東海パルプ株式会社

東洋パルプ株式会社社史編纂委員会（1978）『東洋パルプ 25 年史』東洋パルプ株式会社

独立行政法人国際協力機構（2010）「案件別事後評価（海外投融資事業 評価結果票）」

URL：https://www.jica.go.jp/activities/schemes/finance_co/loan/pdf/after/2-14.pdf（2017 年 10 月 9 日取得）

日伯紙パルプ資源開発株式会社社史編集委員会（1991）『日伯紙パルプ資源開発の歩み』日伯紙パルプ資源開発株式会社

日本製紙株式会社（1996）『山陽国策パルプ株式会社社史』日本製紙株式会社

日本製紙株式会社（1998）『続十条製紙社史』日本製紙株式会社

日本製紙グループ（2016）『CSR 報告書　2016』

日本製紙連合会（2015）『紙・パルプ産業の現状 2015 年版』日本製紙連合会

日本製紙連合会資料（2008）「古紙の利用と環境について（案）」URL：

https://www.env.go.jp/policy/hozen/green/glaw/archive/h19com_07/ref02_3.pdf（2017 年 10 月 19 日取得）

日本製紙連合会林材部（1997）『戦後日本における原料材対策の展開と変遷』日本製紙連合会

日本パルプ社史編纂委員会（1978）『日本パルプ工業 40 年史』日本パルプ工業株式会社

北越紀州製紙グループ（2016）『コーポレートレポート 2016』

北越製紙百年史編纂委員会（2007）『北越製紙百年史』北越製紙株式会社

北海道パルプ材協会（1984）『北海道パルプ材協会三十年史』

本州製紙株式会社（1966）『本州製紙社史』本州製紙株式会社

丸住製紙新労働組合（1992）『丸住新労 30 年史』丸住製紙新労働組合

丸紅株式会社社史編纂委員会（2008）『丸紅通史』丸紅株式会社

矢野経済研究所（2004）『ヤノレポート』3

林野庁（2009）「間伐材チップの確認のためのガイドライン」
URL：http://www.rinya.maff.go.jp/j/riyou/kanbatu/pdf/guideline.pdf（2017 年
10 月 16 日取得）

NCT（2017）HP，URL：http://www.nctforest.com/home.php（2017 年 8 月 13
日取得）

業界誌・新聞記事等

海事プレス社（2012）「チップ船白書」『COMPASS』3：20-34 頁

海事プレス社（2014）『COMPASS』5

河北新聞（2017）「バイオマス発電　王子と三菱製紙八戸に計画」2017 年 02 月 02
日，URL：http://www.kahoku.co.jp/tohokunews/201702/20170202_22049.html
（2017 年 10 月 25 日取得）

紙パルプ技術協会（1979 〜 2015）「工場紹介」『紙パ技協誌』

紙・パルプ連合会（1957）『紙及パルプ』3

紙・パルプ連合会（1961a）『紙及パルプ』5

紙・パルプ連合会（1961b）『紙及パルプ』10

紙・パルプ連合会（1962）『紙及パルプ』9

紙・パルプ連合会（1970）『紙・パルプ』3

紙・パルプ連合会（1971）『紙・パルプ』4

紙業タイムス社（1987）『紙業タイムス年鑑 87 年版』

紙業タイムス社（1989）『Future』2

紙業タイムス社（2015）『紙パルプ産業と環境 2016　エネルギー，バイオマス，
古紙，植林〜持続可能な社会への貢献〜』紙業タイムス社

紙業タイムス社（2017）『知っておきたい紙パの実際』紙業タイムス社

大日本山林会（1986）「木材需給の動向編（Ⅲ 紙・パルプ材の需給）」『山林』
1226：別頁 1-18 頁

テックタイムス編（2006）『紙・パルプ産業と環境 2006』

日本紙パルプ商事株式会社秘書室広報課（2013）「図表：紙・パルプ統計 '13/'14」
日本紙パルプ商事株式会社

日本経済新聞（2017）「丸紅，福井で培うバイオマス発電事業　第 1 号稼働」
URL：https://www.nikkei.com/my/#!/article/DGXMZO19865150Q7A810C
1000000/（2017 年 10 月 25 日取得）

日本製紙連合会（1972）『紙・パルプ』11

日本製紙連合会（1973）『紙・パルプ』5

日本製紙連合会（1982）『紙・パルプ　1982 年特集号』

日本製紙連合会（1985）『紙・パルプ』2

日本製紙連合会（1991a）『紙・パルプ』4

日本製紙連合会（1991b）『紙・パルプ　1991 年特集号』

日本製紙連合会（1993）『紙・パルプ』1

日本製紙連合会（1996a）『紙・パルプ』1

日本製紙連合会（1996b）『紙・パルプ』4

日本製紙連合会（1996c）『紙・パルプ』5

日本製紙連合会（1996d）『紙・パルプ』6

日本製紙連合会（1998a）『紙・パルプ』1

日本製紙連合会（1998b）『紙・パルプハンドブック 1998』日本製紙連合会

日本製紙連合会（1999）『紙・パルプ』7

日本製紙連合会（2003）『紙・パルプ　2003 特集号』

北越紀州パレット株式会社（2017）「会社概要」
URL：http://hokuetsu-pallet.com/company （2020 年 6 月 22 日取得）

兵庫パルプ工業株式会社（2017）「木材原料調達の取り組み状況」
URL：http://www.hyogopulp.co.jp/ihou/03efforts.html （2017 年 9 月 13 日取得）

丸紅紙パルプ販売株式会社 HP（2017）
URL：http://www.marubeni-pps.co.jp/feature/ （2017 年 8 月 13 日取得）

統計資料

通商産業大臣官房調査統計部編集（1952 ～ 2001）「紙・パルプ統計年報」

通商産業大臣官房調査統計部（2002）「紙・パルプ統計年報」

経済産業省経済産業政策局調査統計部編（2003 ～ 12）「紙・印刷・プラスチック
　製品・ゴム製品統計年報」

経済産業省（2013 ～ 16）「経済産業省生産動態統計年報　紙・印刷・プラスチッ
　ク製品・ゴム製品統計編」

経済産業省（1990 ～ 2016）「工業統計」

財務省（1990 ～ 2015）「貿易統計」

通商産業省（1964，1971，1975，1980）「紙・パルプ製造設備調査報告」

日本製紙連合会（1988 ～ 92）「紙統計年報」

日本製紙連合会（1993 ～ 2016）「紙・板紙統計年報」

日本製紙連合会（1965 ～ 92）「パルプ材統計」

日本製紙連合会（1993 ～ 2016）「パルプ材便覧」

日本製紙連合会（1984 ～ 2016）「パルプ統計」

農林省統計情報部（1962）「素材生産量および木材需給動態」

農林省統計情報部（1963 ～ 76）「木材需給報告書」

農林水産省統計情報部（1977 ～ 2016）「木材需給報告書」

横浜港湾局（2017）「港湾業務用語集」

URL：http://www.city.yokohama.lg.jp/kowan/business/term/term-s-u.html

　（2017 年 10 月 9 日取得）

FAO（2017）"FOREST PRODUCTS YEARBOOK"

United Nations（1990 ～ 2016）"UN Comtrade Database"

あとがき

　2011 年に筑波大学生命環境学群生物資源学類の 3 年次に森林資源経済学研究室を選択し，身の回りの木材製品がいかにして自分の目の前に至るのか，なぜ紙の原料が遠く海を越えて来ているのか，その過程でどのような人たちがかかわっているのかと単純な疑問を持ってから 10 年，その間に様々なご縁があり，職業として研究の道に入ることになろうとは思いもよらなかった。この度は学生時代からの研究テーマの一つである紙・パルプ産業の原料調達について出版する機会をいただけたことは幸運であるが，実証的にも理論的にも不十分な点が多く，著者の力不足を痛感せざるを得ない。著者が林業経営や木材産業といった対象から研究を始めてしまった手前，経営学や経済学，地理学の基礎的素養の不十分さを自覚しつつも，改善しきれなかったことはひとえに著者の怠惰であるという他ない。調査・研究，執筆に際して，多くの方々にご協力いただいたが，学術的理解や実証記述において，ありうべき誤りはすべて著者の責任である。今後の日本および世界の森林利用の持続的な展開に貢献できるよう，厳しいご批判，ご指導をいただければ幸いである。

　何はともあれ，研究を続けるきっかけをつくっていただいた指導教官の立花敏先生には学類生から博士課程まで，厳しくも暖かいご指導をいただき，心より感謝申し上げる。筑波大学の志賀和人教授（現，林業経済研究所研究員），江前敏晴教授，興梠克久准教授，森林総合研究所の久保山裕史領域長，山本伸幸室長には大変お忙しい中，数々の貴重なご指摘をいただいた。特に志賀和人教授には学類生の頃に授業や実習などでお会いして以来，森林管理から木材産業にかかわる複雑な組織関係について，理論面と実践面から，調査や論文執筆などで貴重なご指導をいただいた。林業経済研究所の荒谷明日兒様には修士時代に調査をご同行させていただき，企業調査に対する姿勢，木材産業における流通関係の問題意識など，貴重な知見をご教授いただいた。この 2 年間の薫陶は，現在までの著者の木材産業研究に対する問題意識に繋がっている。当時ご提示いただいた木材の陸運や海運などの地域間，国

家間の取引関係の宿題について，今後取り組んでいきたいと思う。

　本研究を行うに当たって，日本製紙連合会，海外産業植林センター，紙の博物館，紙・パルプ企業各社，総合商社各社，チップ業者の皆様には貴重な時間を割いて調査にご協力いただいた。特に，日本製紙連合会の上河潔様，前田直史様には様々な情報提供，アドバイスなど，多大なるご支援をいただいたことに改めて感謝申し上げる。

　近年では，「持続的」，「持続可能な」という文言があらゆる活動におけるキーワードのようになり，再生可能資源として森林が注目されることも散見される。しかし，この「持続性」を達成すべき空間的な広がりとその水準をどのように認識するかは人それぞれである。経済のグローバル化と同時に自給率向上や地産地消など地域（単位規模は様々）の自立性が目指されているが，「持続的な」社会のためのリスクの最小化と経済的利益の最大化を同時に進めるという欲張りな目標の到達点がどういったものなのか，具体的なビジョンは描けていない。

　コロナウイルスの世界的な大流行によって，ヒト，モノの移動が大きく制限された。そんな中で，世界中に張り巡らされた日本産業のサプライチェーンは大きな影響は受けつつも，その多くは維持されている。これは様々なリスクを踏まえて各産業・企業が歴史的に構築してきた産業構造や取引関係の賜物だろう。しかし，世界の情勢は近年より目まぐるしく変化しており，今日有利なものが明日も有利とは限らない。さらに今回の件で国際的なヒト・モノの流れが突然分断する可能性が提示された。これはモノの国際貿易を前提とした社会の「持続性」にとっては致命的な事実である。この分断状態が常態化はしないにしても，断続的に生じるとするならば，その間の社会の「持続性」をいかに達成するのか，個人，企業，地域，国といった様々なレベルのしなやかな関係性の再構築を今後も考え続けていきたい。

　　2021 年 1 月 22 日

　　　　　　　　　　　　　　　　　　　　早舩　真智

初出一覧：以下の初出論文の一部を改めて再構成し，大幅に加筆した部分を含むが，それ以外はすべて書き下ろしである。

第1章
早舩真智・立花敏（2014）「第2次世界大戦後における日本の紙・板紙生産と消費原料の関係」『林業経済研究』60（3）：49-58頁

第2章
早舩真智・立花敏（2016）「日本における製紙産業の立地調整と広葉樹材原料選択要因：印刷情報用紙を事例として」『林業経済』68（12）：1-15頁
早舩真智（2020）「国産チップ取引における組織間関係—系列取引の態様と変化」『林業経済』73（8）：1-18頁

第3章
早舩真智・立花敏（2018）「日本の紙・パルプ産業における木材チップ輸入構造—チャネル統制と交渉力の動態—『林業経済』71（3）：1-17頁

第1章，第2章，第3章
早舩真智（2018）「紙・パルプ産業における原料調達システムの展開—木材チップ取引の交渉力とチャネル統制の動態—」筑波大学博士論文

紙・板紙の品種・分類①

＊印は経済産業省指定の統計品目

品種			該当品種の説明
＊新聞巻取紙			新聞印刷に使用されるもの。
印刷・情報用紙	非塗工印刷用紙		
		＊上級印刷紙 → 印刷用紙A	白色度75％程度以上。汎用性に富み，書籍，教科書，ポスター，商業印刷，一般印刷などに使用されるもの。
		その他印刷用紙	書籍用紙，辞典用紙，地図印刷，クリーム書籍用紙など，いずれもその目的に応じて製造された印刷用紙。
		筆記・図画用紙	ノート，便箋，帳簿などの仕様に適するよう製造された筆記用紙および製図，スケッチブックなどの仕様に適するように製造された図画用紙。
		＊中級印刷紙 → 印刷用紙B	白色度75％程度以下。書籍，教科書，雑誌の本文，商業印刷，一般印刷などに使用されるもの。
		印刷用紙C	白色度65％程度以下。雑誌の本文，電話番号簿本文などに使用されるもの。
		グラビア用紙	雑誌などのグラビア印刷に使用されるもの。
		＊下級印刷紙 → 印刷用紙D	白色度55％前後。雑誌の本文などに使用されるもの。
		特殊更紙	漫画誌の本文などに使用されるもの。
		＊薄葉印刷紙 → インディアペーパー	極く薄く不透明度の高い紙で，辞典，六法全書，バイブルなどに使用されるもの。
		その他薄葉印刷紙	カーボン紙原紙，エアメールペーパー，転写用紙，タイプライター用などに使用されるもの。
	＊微塗工印刷用紙		1㎡当たり両面で20g程度以下のの塗料を塗布。使用原紙は中級紙。雑誌本文およびチラシ，カタログなどの商業印刷に使用されるもの。
	塗工印刷用紙	＊アート紙	1㎡当たり両面で50g前後の塗料を塗布。高級美術書，雑誌の表紙，口絵，ポスター，カタログ，カレンダー，パンフレット，ラベルなどに使用されるもの。
		＊コート紙 → 上質コート紙	1㎡当たり両面で40g程度以下の塗料を塗布。使用原紙は上質紙。高級美術書，雑誌の表紙，口絵，ポスター，カタログ，カレンダー，パンフレット，ラベルなどに使用されるもの。
		中質コート紙	1㎡当たり両面で40g程度以下の塗料を塗布。使用原紙は中質紙。雑誌の本文，カラーページ，チラシなどに使用されるもの。
		＊軽量コート紙	1㎡当たり両面で30g程度以下の塗料を塗布。使用原紙は上質紙。雑誌の本文，カラーページ，チラシなどに使用されるもの。
		＊その他塗工印刷紙 → キャストコート紙	キャストコーターで生産され，アート紙より強光沢の表面をもち，平滑性に優れた高級印刷用紙。カタログ，パンフレットなどに使用されるもの。
		エンボス紙	アート紙，コート紙，キャストコート紙などに梨地，布目，絹目などのエンボス仕上げを施した高級印刷用紙。カタログ，パンフレットなどに使用されるもの。
		その他塗工紙	アートポスト，ファンシーコーテッドペーパーなど。絵葉書，商品下げ札，雑誌の表紙，口絵，グリーティングカード，商業印刷，高級包装などに使用されるもの。

出所：紙業タイムス社（2017）『知っておきたい紙パの実際』

紙・板紙の品種・分類②

品種			該当品種の説明
印刷・情報用紙	特殊印刷用紙	＊色上質紙	染色した印刷用紙で，表紙，目次，見返し，プログラム，カタログ，健康保険証などに使用されるもの。
		＊その他特殊印刷用紙　郵便はがき用紙	通常はがき，年賀はがき，往復はがきなどに使用されるもの。
		その他特殊印刷用紙	小切手，手形，証券，グリーティングカード，地図，製図用紙，ファンシーペーパーなどの特殊な用途に使われるもの。
	情報用紙	＊複写原紙　ノーカーボン原紙	ノーカーボンペーパーの原紙。
		裏カーボン原紙	裏カーボンペーパーの原紙。
		その他複写原紙	クリーンカーボンペーパーなどの複写用原紙。
		＊フォーム用紙	コンピューターのアウトプットに使用されるもの。NIP 用紙を含む。
		＊PPC 用紙	普通紙複写機（PPC）に使用されるもの。
		＊情報記録紙　感熱紙原紙	ファクシミリやプリンターなどのアウトプットに使用され，熱によって文字，画像などを発色する感熱紙用の原紙。
		感光紙用紙	ジアゾ感光紙（青写真）の原紙。
		その他記録紙	感熱紙以外の静電記録紙原紙，熱転写紙，インクジェット紙，放電記録紙，計測記録用紙などアウトプットに使用されるもの。
		＊その他情報用紙	統計機カード用紙，さん孔テープ用紙，OCR 用紙，OMR 用紙，MICR 用紙，磁気記録紙原紙など主としてコンピューターのインプットに使用されるもの。
包装用紙	未晒包装紙	＊重袋用両更クラフト紙	セメント，飼料，米麦，農産物などを入れる大型袋に使用されるもの。
		＊その他両更クラフト紙　一般両更クラフト紙	粘着テープ，角底袋，包装用および加工用などに使用されるもの。
		特殊両更クラフト紙	半晒で，一般事務用封筒などに使用されるもの。
		＊その他未晒包装紙　筋入クラフト紙	筋入模様のある片艶の薄いクラフト紙で，果実袋，封筒などに使用されるもの。
		片艶クラフト紙	片艶のクラフト紙で，果実袋，合紙および包装用などに使用されるもの。
		その他未晒包装紙	上記以外の未晒のもので，加工用および包装用などに使用されるもの。
	晒包装紙	＊純白ロール	ヤンキーマシンで抄造された片面光沢の紙で，包装紙，小袋，アルミ箔貼合などの加工原紙として使用されるもの。
		＊晒クラフト紙　両更晒クラフト紙	長網抄紙機で抄造され，手袋，封筒，産業資材の加工用などに使用されるもの。
		片艶晒クラフト紙	ヤンキーマシンで抄造され，手提袋，薬品，菓子，化粧品などの小袋，加工用などに使用されるもの。
		＊その他晒包装紙　薄口模造紙	ヤンキーマシンで抄造したものを，さらにスーパーカレンダーで仕上げた両面光沢の薄い紙で，包装用および伝票などの事務用紙などの事務用紙などに使用されるもの。
		その他晒包装紙	上記以外の，包装用および加工用などに使用されるもので，純白包装紙，色クラフト紙など。

222

紙・板紙の品種・分類③

＊印は経済産業省指定の統計品目

品種				該当品種の説明
衛生用紙	＊ティッシュペーパー			衛生用途などに使用され，通常2プライで連続取り出しされるようになっているもの。
	＊トイレットペーパー			トイレで使用される紙で，ロール状にしたもの。
	＊タオル用紙			キッチンペーパー，手拭い用途などに使用されるもの。
	＊その他衛生用紙			上記以外の衛生用紙。ちり紙，生理用紙，京花紙，テーブルナプキン，おむつ用紙など。
雑種紙	工業用雑種紙	＊加工原紙	建材用原紙 化粧板用原紙	家具，壁材用のプリント合板用原紙。
			建材用原紙 壁紙原紙	壁紙用原紙で，裏打ち用を含む。
			積層板原紙	フェノール樹脂を含浸処理し，主としてプリント基板として使用される積層板用の原紙。
			接着紙原紙	粘着・剥離用の基紙，工程紙。
			食品容器原紙	紙コップ，紙皿，小型液体容器などに使用される原紙。
			塗工印刷用原紙	一貫用を除く，市販または自社他工場向けに出荷する微塗工印刷用および塗工印刷用原紙。
			その他加工原紙	塗布，含浸などの加工を施して使用される紙で，硫酸紙，耐脂・耐油紙，防錆紙，防虫紙，温床紙，擬革紙，研磨紙，ろう紙，バルカナイズド原紙，製版用マスター，写真印画原紙など。
		＊電気絶縁紙	コンデンサペーパー	コンデンサに使用される極く薄い絶縁紙。
			プレスボード	変圧器などに使用される厚い絶縁紙。
			その他絶縁紙	ケーブル，コイルなど各種電気絶縁用に使用される紙。
		＊その他工業用雑種紙		ライスペーパー，グラシンペーパー，トレーシング，濾紙，水溶紙，遮光紙，煙草用チップ，吸取紙，など上記以外の工業用に使用されるもの。
	＊家庭用雑種紙	書道用紙		書道半紙，書写用紙，画仙紙。
		その他家庭用雑種紙		紙ひも，障子紙，ふすま紙，紙バンド，奉書紙，ティーバッグ，傘紙，油紙，のし袋などに使用されるもの。

紙・板紙の品種・分類④

＊印は経済産業省指定の統計品目

品種			該当品種の説明
段ボール原紙	ライナー	＊外装用（クラフト）	段ボールシートの表裏に使用されるもの（段ボール原紙 JIS 規格 LA 級，LB 級および両者に準ずるものが該当）。
		＊外装用（ジュート）	段ボールシートの表裏に使用されるもの（段ボール原紙 JIS 規格 LC 級および LC 級に準ずるものが該当）。
		＊内装用	ライナーのうち上記2品目以外のもので，段ボール箱の中仕切りなどに使用されるもの。
	＊中芯原紙		段ボールシートの中の「段（フルート）」に使用されるもの。
紙器用板紙	白板紙	＊マニラボール（塗工，非塗工）	抄き合わされた板紙で，表裏の白色度が同程度のもの。出版物の表紙，カタログ，ゲームカードなどの厚手の印刷物や化粧品，医薬品，食料品などの包装容器に使用される。
		＊白ボール（塗工，非塗工）	抄き合わされた板紙で，表裏の白色度の差が明確なもの。食料品，雑貨，洗剤，ティシュなどの包装容器に使用される。
	＊黄・チップ色板紙	黄板紙・チップボール	抄き合わされた板紙で，芯材として使用されるもの。書籍の表紙およびケースの芯材，菓子箱，土産物の箱，紙製玩具などに使用される。なお表面に印刷した用紙を貼って使用されることが多いが，単紙で使用されることもある。
		色板紙	抄き合わされた板紙で，染料で着色されたもの。菓子箱，玩具・雑貨の箱，土産物の箱などに使用される。ただしクラフトボールのように，クラフトパルプまたはクラフト系古紙の色をそのまま生かしたものもある。
＊建材原紙	防水原紙		アスファルトやタールなどを含浸させた，屋根床など建築物の防水材の原紙。
	石膏ボード原紙		石膏ボードの芯材である石膏の表面および側面を被覆するために用いる原紙。
＊紙管原紙			化粧品フィルム，製紙用，繊維用，テープ用，土木建築用，鉄鋼用，IT 関係用などの巻芯に使用される板紙。
＊その他板紙	ワンプ		紙・板紙用の包装紙。
	その他板紙		各種台紙，地券，芯紙など上記以外の板紙。

パルプの品種分類

項目			製造法	品質上の特徴・用途
溶解パルプ（DP）			製法は基本的にサルファイトパルプと同じであるが，特に精製して作られる。原料には，現在では広葉樹が多く使われている。	化学的に高度に精製したパルプで，繊維素の純度を高めるため長時間かけて蒸解・精製する。主として薬品に溶解して使用し，レーヨンなどの化学繊維，セロファン，セルローズ誘導体などの主原料となる。
製紙用パルプ	化学パルプ	サルファイトパルプ（SP）	酸性亜硫酸法によって製造されたパルプで，蒸解薬品には硫黄から発生させた亜硫酸ガスと，石灰石を化学反応させて作った重亜硫酸石灰液を使用する（カルシウムベース）。現在は石灰に代えてナトリウム，マグネシウムなどが多く使われる。	主として針葉樹チップを原料として製造される。精製および漂白が容易で，1930年頃までは化学パルプの主流を占め，新聞用紙，印刷用紙，晒包装用紙などに広く用いられていたが，クラフトパルプに比較して強度が低いため，クラフトパルプの製造技術，特に漂白技術が進歩するにつれて，その地位をクラフトパルプに譲った。
		クラフトパルプ（KP）	硫酸塩法パルプとも呼ばれる。針葉樹，広葉樹のチップを釜に入れ，これに硫酸ソーダより生成した硫化ソーダおよび苛性ソーダの混合液を注入し約160℃で3時間ほど蒸解する。アルカリ性薬品で製造したパルプで，蒸解方式には連続式とバッチ式があるが，後者が多い。蒸解廃液（黒液）は濃縮して回収ボイラーで燃焼させ，薬品を回収して再利用するとともに，蒸気を発生させて蒸解・抄紙などの工程に供給している。	クラフト法は，針葉樹・広葉樹を問わず広い範囲の樹種からパルプを製造することができ，強度の高いパルプが得られる。
		未晒（UKP）		未晒で使用する用途は特にパルプ強度が要求されるため，主として針葉樹のチップが原料に用いられる。重袋用クラフト紙，クラフトライナーなどの原料に使用される。
		晒（BKP）	UKPを漂白したパルプ。晒薬品には塩素，苛性ソーダ，二酸化塩素などを使用する。最近は環境対策上，塩素を一部酸素に置き換えた酸素漂白が普及してきた。	全パルプ生産量の60％以上を占め，上質紙の主原料として使用されるほか，新聞用紙，中下級紙にも配合される。
	その他パルプ		ワラ，麻，コットンリンターなどの木材以外から作ったパルプ。粕パルプも含む。（非木材パルプ）	主として特殊印刷用紙や工業用雑種紙の原料として使われる。
	半化学パルプ	セミケミカルパルプ（SCP）	原木（丸太）またはチップを苛性ソーダ，亜硫酸などの薬品で処理した後に，リファイナーによる機械処理で繊維をほぐしてつくったもの。	歩留まりも品質も，化学パルプと機械パルプの中間といえる。SCPは主として中芯原紙に，CGPは主として新聞用紙に使用されてきたが，原料として古紙の利用が増加するにつれて次第にこれに置き換えられてきている。
		ケミグラウンドパルプ（CGP）	薬品処理の程度が大きく，機械処理の程度が少ないものがSCP，これと反対のものがCGPである。	
	機械パルプ	砕木パルプ（GP）	針葉樹の原木（丸太）をグラインダー（回転する円筒形の砥石）に押しつけて機械的に磨砕して作る下級パルプ。リグニンなどの非繊維分を多量に含むので歩留まりは良い。	機械パルプは，機械処理により繊維・リグニンの大半をパルプ化するので歩留まりは良いが，パルプ白色度・強度が化学パルプに比較して劣ることが欠点である。新聞用紙，中・下級紙の主原料として用いられる。1950年代まではGPが主体だったが，GPには丸太しか使えないため，チップを原料とするRGP，TMPが開発された。TMPはリファイニングの前に予熱することによって繊維強度を高める効果があるが，さらに薬品で前処理してパルプ品質の改善を図ったものがCTMPである。また，PGWは加圧下で丸太を磨砕し，GPの品質改良（主として強度アップ）を図ったもの。
		リファイナーグラウンドパルプ（RGP）	砕木機を使用せずにリファイナーだけでチップあるいはノコギリ屑を磨砕して作ったもの。	
		サーモメカニカルパルプ（TMP）	チップを130℃前後に予熱して軟化させてから，リファイナーで磨砕して作ったもの。	

出所：紙業タイムス社（2017）『知っておきたい紙パの実際』

索　引

早舩　真智（はやふね・まさと）

1989年　埼玉県に生まれる
2018年　筑波大学大学院生命環境科学研究科国際地縁技術開発科学専攻
　　　　博士後期課程修了（農学）
現在　　国立研究開発法人森林研究・整備機構森林総合研究所林業経営・政
　　　　策研究領域林業動向解析研究室・研究員

2021年1月22日　第1版第1刷発行

せん ご かみ　　　　　　　　　　げんりょうちょうたつ し
戦後紙パルプ原料調達史

著　者 ——————— 早舩真智

発行人 ——————— 辻　潔

カバーデザイン ——— 秋山真澄

発行所 ——————— 森と木と人のつながりを考える
　　　　　　　　　　㈱日本林業調査会
　　　　　　　　　　〒160-0004
　　　　　　　　　　東京都新宿区四谷2−8　岡本ビル405
　　　　　　　　　　TEL 03-6457-8381　FAX 03-6457-8382
　　　　　　　　　　http://www.j-fic.com/

印刷所 ——————— 藤原印刷㈱

ISBN978-4-88965-264-2